ADÉLIA PRADO
POESIA REUNIDA

ADÉLIA PRADO
POESIA REUNIDA

10ª edição

EDITORA RECORD
RIO DE JANEIRO • SÃO PAULO
2024

CIP-BRASIL. CATALOGAÇÃO NA FONTE
SINDICATO NACIONAL DOS EDITORES DE LIVROS, RJ

P915p   Prado, Adélia, 1935-
10ª ed.   Poesia reunida / Adélia Prado. - 10. ed. - Rio de Janeiro: Record, 2024.

        ISBN 978-85-01-06935-1

        1. Poesia brasileira. I. Título.

14-16768   CDD: 869.91
                                                  CDU: 821.134.3(81)-1

Copyright © Adélia Prado, 2015

Texto "De animais, santo e gente" (p.481-482):
Carlos Drummond de Andrade © Grana Drummond
www.carlosdrummond.com.br

Projeto de capa e miolo: Diana Cordeiro
Foto de capa: Agência Estado
Pesquisa bibliográfica: Polyana Gomes

Texto revisado segundo o novo Acordo Ortográfico da Língua Portuguesa.

Todos os direitos reservados. Proibida a reprodução, armazenamento ou transmissão de partes deste livro, através de quaisquer meios, sem prévia autorização por escrito.

Direitos exclusivos desta edição reservados pela
EDITORA RECORD LTDA.
Rua Argentina, 171 – Rio de Janeiro, RJ – 20921-380 – Tel.: 2585-2000.

Impresso no Brasil

ISBN 978-85-01-06935-1

Seja um leitor preferencial Record.
Cadastre-se e receba informações sobre nossos lançamentos
e nossas promoções.

Atendimento e venda direta ao leitor:
mdireto@record.com.br ou (21) 2585-2002.

EDITORA AFILIADA

SUMÁRIO

BAGAGEM

O MODO POÉTICO

Com licença poética 17 • Grande desejo 17 • Sensorial 18 • Orfandade 19 • Resumo 19 • Círculo 20 • No meio da noite 20 • Módulo de verão 21 • Leitura 22 • Saudação 23 • Poema esquisito 23 • Antes do nome 24 • Azul sobre amarelo, maravilha e roxo 24 • Pistas 25 • Poema com absorvências no totalmente perplexas de Guimarães Rosa 25 • O dia da ira 26 • A invenção de um modo 27 • Exausto 28 • Ovos da Páscoa 28 • Páscoa 29 • Trégua 30 • Louvação para uma cor 30 • Roxo 31 • Um salmo 31 • Agora, ó José 32 • Clareira 33 • Impressionista 34 • A despropósito 34 • Os acontecimentos e os dizeres 35 • Vigília 35 • O que a musa eterna canta 36 • A hora grafada 37 • Bucólica nostálgica 37 • Para comer depois 38 • A catecúmena 38 • Atávica 39 • Momento 39 • Metamorfose 40 • Explicação de poesia sem ninguém pedir 40 • Solo de clarineta 41 • Endecha 41 • Um homem doente faz a oração da manhã 42 • Reza para as quatro almas de Fernando Pessoa 43 • Endecha das três irmãs 43 • Tarja 44 • Para tambor e voz 45 • Todos fazem um poema a Carlos Drummond de Andrade 45 • Disritmia 46 • Toada 47 • Uma forma para mim 47 • Sedução 48 • Guia 49 • Bendito 50 • Refrão e assunto de cavaleiro e seu cavalo medroso 51 • Fragmento 52 • Anunciação ao poeta 53 • Anímico 53 • A tristeza cortesã me pisca os olhos 54 • Descritivo 54 • Duas maneiras 55 • Cabeça 56 • De profundis 57 • Um sonho 57 • Sítio 58 • Tabaréu 59 • O modo poético 59

UM JEITO E AMOR

Amor violeta 63 • A serenata 63 • Uma vez visto 64 • O sempre amor 64 • A canção de Joana D'Arc 65 • A meio pau 65 • Os lugares comuns 66 • Psicórdica 66 • Enredo para um tema 67 • Bilhete em papel rosa 67 • Medievo 68 • Um jeito 68 • Confeito 69 • Fatal 69 • Amor feinho 70 • Para cantar com o Saltério 71 • Briga no beco 71 • Canção de amor 72 • Para o Zé 73

A SARÇA ARDENTE — I

Janela 77 • Epifania 77 • Chorinho doce 78 • O vestido 79 • A cantiga 79 • Dona doida 80 • Verossímil 80 • A menina do olfato delicado 81 •

Cartonagem 82 • A flor do campo 82 • Registro 83 • Mosaico 83 • Rebrinco 78 • Ensinamento 84

A SARÇA ARDENTE — II
O homem permanecido 87 • Insônia 87 • Fé 88 • Episódio 88 • O retrato 89 • O reino do céu 90 •Uma forma de falar e de morrer 91 •Modinha 91 •A poesia 92 •Figurativa 93 •O sonho 93 •Para perpétua memória 94 •As mortes sucessivas 95

ALFÂNDEGA
Alfândega 99

O CORAÇÃO DISPARADO

QUALQUER COISA É A CASA DA POESIA
Linhagem 107 • O guarda-chuva preto 108 • Flores 108 • A casa 109 • Primeira infância 110 • Dois vocativos 111 • Subjeto 111 • Solar 112 • Esperando Sarinha 112 • Vitral 112 • Roça 113 • Tempo 113 • Grafito 114 • Nem um verso em dezembro 115 • Discurso 116 • Ruim 117 • Um silêncio 118 • Bulha 118 • Tulha 119 • Eh! 120 • Hora do Ângelus 121 • Regional 122 • Folhinha 123 • A profetisa Ana no templo 124 • Campo-santo 124

O CORAÇÃO DISPARADO E A LÍNGUA SECA
Moça na sua cama 129 • Dia 130 • Bairro 130 • Canícula 131 • Gênero 132 • Corridinho 132 • A maça no escuro 133

ESTA SEDE EXCESSIVA
Desenredo 137 • Ausência da poesia 138 • Contra o muro 139 • Porfia 140 • Cinzas 141 • Dolores 142 • A fala das coisas 143 • Canto eucarístico 145 • Paixão 146 • Estreito 149 • Códigos 150 • A falta que ama 151 • Bitolas 152

TUDO QUE EU SINTO ESBARRA EM DEUS
Fluência 157 • Sesta 157 • Órfã na janela 158 • Entrevista 159 • Choro a capela 159 • Impropérios 160 •A poesia, a salvação e a vida 161 • A poesia, a salvação e a vida II 162 •Fraternidade 163 • Apelação 163 • Oração 164 • A carne simples 164 • O Antigo e o Novo Testamento 165 • Um homem habitou uma casa 166 • Gregoriano 167 • Três mulheres e uma quarta 168 • Graça 169 • Instância 170 • O poder da oração 170 • Fotografia 171 • Um bom motivo 172 • Atalho 174

TERRA DE SANTA CRUZ

TERRITÓRIO

A boca 181 • *Trottoir* 181 • O espírito das línguas 182 • Cacos para um vitral 183 • A face de Deus é vespas 184 • Móbiles 185 • Amor 186 • O amor no éter 187 • Casamento 188 • Tanta saudade 189 • A menina e a fruta 189 • Lembrança de maio 190 • Lapinha 190 • Os tiranos 191 •Uns outros nomes de poesia 192 • O alfabeto no parque 193 • Limites 194 • A carpideira 195 • Branco 197 • Legenda com a palavra mapa 197 • O lugar da necrópole 198 • A filha da antiga lei 198 • O anticristo ronda meu coração 199 • Mulher querendo ser boa 199 • Canga 200 • O ameno fato terrível 201 • A faca no peito 202 • À soleira 203

CATEQUESE

Festa do corpo de Deus 207 • Signos 208 • O homem humano 208 • O servo 209 • A porta estreita 210 • Noite feliz 211 • O corpo humano 212 • O falsete 213 • Terra de Santa Cruz 215 • Miserere 217 • Querido irmão 219

SAGRAÇÃO

Sagração 225

O PELICANO

LICOR DE ROMÃS

Genesíaco 233 • Fibrilações 233 • Lirial 234 • As seis badaladas do entardecer 235 • Morte morreu 236 • A rosa mística 236 • A esfinge 237 • A transladação do corpo 238 • Deus não rejeita a obra de suas mãos 239 • Objeto de amor 240 • Responsório 240 • A vida eterna 241 • A bela adormecida 242 • Missa das 10 243 • Heráldica 243 • O nascimento do poema 244 • Duas horas da tarde no Brasil 245

O JARDIM DAS OLIVEIRAS

A treva 249 • Nigredo 249 • O bom pastor 250 • A cólera divina 252 • A sagrada face 253

O PELICANO

A batalha 257 • Memória amorosa 257 • A terceira via 258 • Caderno de desenho 260 • Silabação 261 • O despautério 262 • Raiva de Jonathan 264 • Pranto para comover Jonathan 266 • O sacrifício 266 • Adoração noturna 267 • O pelicano 268

COLMEIAS
A criatura 273

A FACA NO PEITO

POR CAUSA DA BELEZA DO MUNDO

Biografia do poeta 283 • O destino do alvissareiro 284 • A formalística 284 • A morte de D. Palma Outeiros Consolata 285 • *Laetitia cordis* 286 • História 287 • O holocausto 288 • *Opus dei* 289 • Em português 290 • Artefato nipônico 290 • Parâmetro 291 • As palavras e os nomes 291 • O demônio tenaz que não existe 292 • Como um bicho 293

POR CAUSA DO AMOR

Matéria 297 • Formas 297 • Poema começado do fim 298 • A cicatriz 299 • O conhecimento bíblico 299 • O encontro 301 • A seduzida 301 • O mais leve que o ar 302 • Adivinha 303 • Citação de Isaías 303 • Gritos e sussurros 304 • Mandala 304 • Mais uma vez 304 • Carta 305 • Bilhete da ousada donzela 307 • Fieira 308 • Prodígios 309 • Trindade 310 • Não-blasfemo 311 • A santa ceia 312 • Pastoral 313 • O aprendiz de ermitão 314

ORÁCULOS DE MAIO

ROMARIA

O poeta ficou cansado 323 • O ajudante de Deus 323 • Salve Rainha 324 • O tesouro escondido 326 • *Staccato* 326 • Homilia 327 • *Domus* 327 • A boa morte 328 • Poema para menina-aprendiz 329 • Do amor 330 • Portunhol 331 • Sesta com flores 332 • Meditação à beira de um poema 333 • Mural 334 • Nossa Senhora da Conceição 335 • A rua da vida feliz 336 • Justiça 336 • *Mater dolorosa* 337 • Vaso noturno 338 • O intenso brilho 338 • Invitatório 339 • Paixão de Cristo 340 • História de Jó 341 • Pedido de adoção 342 • Mulher ao cair da tarde 343 • A discípula 343 • Meditação do rei no meio de sua tropa 344 • Arguição da soberba 344 • Oficina 345 • Outubro 345 • Direitos humanos 346 • Tal qual um macho 346 • O santo 347 • A diva 347 • Ex-voto 348

QUATRO POEMAS NO DIVÃ

Anamnese 353 • O santo ícone 353 • Shopsi 354 • Neurolinguística 355

POUSADA
Viação São Cristóvão 359 • Na terra como no céu 360 • Presença 361 • Filhinha 362

CRISTAIS
No bater das pálpebras 365 • À mesa 365 • A convertida 365 • Arte 366 • No céu 366 • Mitigação da pena 366

ORÁCULOS DE MAIO
Exercício espiritual 369 • Nossa Senhora das Flores 370 • Estação de maio 371 • Aura 371 • Sinal no céu 372 • Teologal 372 • Maria 372

NEOPELICANO
Neopelicano 375

A DURAÇÃO DO DIA

Tão bom aqui 383 • Uma janela e sua serventia 383 • Viés 384 • Tentação em maio 384 • Divinópolis 385 • Rute no campo 386 • A noiva 387 • Como um parente meu, um Riobaldo 387 • Branco e branco 388 • Pensamentos à janela 388 • Fosse o céu sempre assim 389 • Aqui, tão longe 389 • A escrivã na cozinha 392 • Da mesma fonte 393 • A necessidade do corpo 393 • Olhos 394 • História que me contaram 395 • Credo 395 • Jejum quaresmal 396 • Epigráfico 397 • Imagem e semelhança 397 • O oráculo 398 • Sítio arqueológico 399 • Alvará de demolição 399 • Harry Potter 402 • Dádivas 402 • Abrasada 403 • O noviço e a abstinência de preceito 403 • Mulheres 404 • Argumento 404 • Balido 405 • Rua do Comércio 405 • Mote da viúva 406 • O clérigo 407 • Tenda e cimitarra 407 • Mais potente que hormônios 408 • Os comoventes preconceitos 409 • Em mãos 409 • Sem saída 410 • Expiatório 412 • Ícaro 412 • Deve ser amor 413 • No jardim 413 • A postulante 413 • Âncoras 414 • O penitente 415 • As demoras de Deus 415 • Esporte radical 416 • O aproveitamento da matéria 417 • O Menino Jesus 417 • O visitante da noite 418 • Anjo mau 418 • Ofício parvo 419 • Alcateia 419 • A pintora 420 • A madrugada suspensa 422 • A suspensão do dia 422 • O vivente 424 • *Adoremus* 424 • Santa Teresa em êxtase 425 • Constelação 428 • Esplendores 428 • Cartão de Natal para Marie Noël 430 • Nem parece amor 430 • Querido louco 431 • Reza do homem demente 432 • O enfermo 433 • Línguas 433 • O ditador na prisão 434 • Consanguíneos 435 • Três nomes 438

MISERERE

SARAU

Branca de Neve 445 • A paciência e seus limites 446 • A sempre-viva 447 • Senha 447 • Uma pergunta 448 • Humano 448 • Quarto de costura 448 • Jó consolado 449 • Pingentes de citrino 450 • Previsão do tempo 450 • Contramor 451 • Avós 451 • Distrações no velório 452 • Contradança 453 • A que não existe 453

MISERERE

Sala de espera 456 • O hospedeiro 456 • Antes do alvorecer 457 • Capela Sistina 458 • Crucifixão 459 • A criatura 459 • Sacramental 460 • O que pode ser dito 460 • Feira de São Tanaz 462 • Lápide para Steve Jobs 462 • Espasmos no santuário 463 • Pontuação 464 • Pentecostes 465

POMAR

Pomar 469 • Rapto 469 • O pai 470 • Inverno 470 • Inconcluso 471 • Encarnação 471 • Nossa Senhora dos Prazeres 472 • Do verbo divino 473 • Num jardim japonês 473

ALUVIÃO

Qualquer coisa que brilhe 477

SOBRE ADÉLIA PRADO

DE ANIMAIS, SANTO E GENTE (CARLOS DRUMMOND DE ANDRADE) 481
ADÉLIA: A MULHER, O CORPO E A POESIA (AFFONSO ROMANO DE SANT'ANNA) 483

POSFÁCIO

MÓBILE PARA ADÉLIA (AUGUSTO MASSI) 495

BIBLIOGRAFIA 527

BAGAGEM

Louvai o Senhor, livro meu irmão, com vossas letras e palavras, com vosso verso e sentido, com vossa capa e forma, com as mãos de todos que vos fizeram existir, louvai o Senhor.

Da imitação do "Cântico das criaturas"
de São Francisco de Assis,
a quem devo a graça deste livro.

O MODO POÉTICO

*Chorando, chorando, sairão espalhando as sementes.
Cantando, cantando, voltarão trazendo os seus feixes.*

Escrito nos Salmos

COM LICENÇA POÉTICA

Quando nasci um anjo esbelto,
desses que tocam trombeta, anunciou:
vai carregar bandeira.
Cargo muito pesado pra mulher,
esta espécie ainda envergonhada.
Aceito os subterfúgios que me cabem,
sem precisar mentir.
Não sou tão feia que não possa casar,
acho o Rio de Janeiro uma beleza e
ora sim, ora não, creio em parto sem dor.
Mas o que sinto escrevo. Cumpro a sina.
Inauguro linhagens, fundo reinos
— dor não é amargura.
Minha tristeza não tem pedigree,
já a minha vontade de alegria,
sua raiz vai ao meu mil avô.
Vai ser coxo na vida é maldição pra homem.
Mulher é desdobrável. Eu sou.

GRANDE DESEJO

Não sou matrona, mãe dos Gracos, Cornélia,
sou é mulher do povo, mãe de filhos, Adélia.
Faço comida e como.
Aos domingos bato o osso no prato pra chamar o cachorro
e atiro os restos.
Quando dói, grito ai,
quando é bom, fico bruta,
as sensibilidades sem governo.

Mas tenho meus prantos,
claridades atrás do meu estômago humilde
e fortíssima voz pra cânticos de festa.
Quando escrever o livro com o meu nome
e o nome que eu vou pôr nele, vou com ele a uma igreja,
a uma lápide, a um descampado,
para chorar, chorar, e chorar,
requintada e esquisita como uma dama.

SENSORIAL

Obturação, é da amarela que eu ponho.
Pimenta e cravo,
mastigo à boca nua e me regalo.
Amor, tem que falar meu bem,
me dar caixa de música de presente,
conhecer vários tons pra uma palavra só.
Espírito, se for de Deus, eu adoro,
se for de homem, eu testo
com meus seis instrumentos.
Fico gostando ou perdoo.
Procuro sol, porque sou bicho de corpo.
Sombra terei depois, a mais fria.

ORFANDADE

Meu Deus,
me dá cinco anos.
Me dá um pé de fedegoso com formiga preta,
me dá um Natal e sua véspera,
o ressonar das pessoas no quartinho.
Me dá a negrinha Fia pra eu brincar,
me dá uma noite pra eu dormir com minha mãe.
Me dá minha mãe, alegria sã e medo remediável,
me dá a mão, me cura de ser grande,
ó meu Deus, meu pai,
meu pai.

RESUMO

Gerou os filhos, os netos,
deu à casa o ar de sua graça
e vai morrer de câncer.
O modo como pousa a cabeça para um retrato
é o da que, afinal, aceitou ser dispensável.
Espera, sem uivos, a campa, a tampa, a inscrição:
1906-1970
SAUDADE DOS SEUS, LEONORA.

CÍRCULO

Na sala de janta da pensão
tinha um jogo de taças roxo-claro,
duas licoreiras grandes e elas em volta,
como duas galinhas com os pintinhos.
Tinha poeira, fumaça e a cor lilás.
Comíamos com fome, era 12 de outubro
e a Rádio Aparecida conclamava os fiéis
a louvar a Mãe de Deus, o que eu fazia
na cidade de Perdões, que não era bonita.
Plausível tudo.
As horas cabendo o dia,
a cristaleira os cristais
— resíduo pra esta memória —
sem uma palavra demais.
Foi quando disse e entendi:
cabe no tacho a colher.
Se um dia puder,
nem escrevo um livro.

NO MEIO DA NOITE

Acordei meu bem pra lhe contar meu sonho:
sem apoio de mesa ou jarro eram
as buganvílias brancas destacadas de um escuro.
Não fosforesciam, nem cheiravam, nem eram alvas.
Eram brancas no ramo, brancas de leite grosso.
No quarto escuro, a única visível coisa, o próprio ato de
[ver.
Como se sente o gosto da comida eu senti o que falavam:

'A ressurreição já está sendo urdida, os tubérculos
da alegria estão inchando úmidos, vão brotar sinos'.
Doía como um prazer.
Vendo que eu não mentia ele falou:
as mulheres são complicadas. Homem é tão singelo.
Eu sou singelo. Fica singela também.
Respondi que queria ser singela e na mesma hora,
singela, singela, comecei a repetir singela.
A palavra destacou-se novíssima
como as buganvílias do sonho. Me atropelou.
— O que que foi? — ele disse.
— As buganvílias...
Como nenhum de nós podia ir mais além,
solucei alto e fui chorando, chorando,
até ficar singela e dormir de novo.

MÓDULO DE VERÃO

As cigarras começaram de novo, brutas e brutas.
Nem um pouco delicadas as cigarras são.
Esguicham atarraxadas nos troncos
o vidro moído de seus peitos, todo ele
— chamado canto — cinzento-seco, garra
de pelo e arame, um áspero metal.
As cigarras têm cabeça de noiva,
as asas como véu, translúcidas.
As cigarras têm o que fazer,
têm olhos perdoáveis.
Quem não quis junto deles uma agulha?
— Filhinho meu, vem comer,

ó meu amor, vem dormir.
Que noite tão clara e quente,
ó vida tão breve e boa!
A cigarra atrela as patas
é no meu coração.
O que ela fica gritando eu não entendo,
sei que é pura esperança.

LEITURA

Era um quintal ensombrado, murado alto de pedras.
As macieiras tinham maçãs temporãs, a casca vermelha
de escuríssimo vinho, o gosto caprichado das coisas
fora do seu tempo desejadas.
Ao longo do muro eram talhas de barro.
Eu comia maçãs, bebia a melhor água, sabendo
que lá fora o mundo havia parado de calor.
Depois encontrei meu pai, que me fez festa
e não estava doente e nem tinha morrido, por isso ria,
os lábios de novo e a cara circulados de sangue,
caçava o que fazer pra gastar sua alegria:
onde está meu formão, minha vara de pescar,
cadê minha binga, meu vidro de café?
Eu sempre sonho que uma coisa gera,
nunca nada está morto.
O que não parece vivo, aduba.
O que parece estático, espera.

SAUDAÇÃO

Ave, Maria!
Ave, carne florescida em Jesus.
Ave, silêncio radioso,
urdidura de paciência
onde Deus fez seu amor inteligível!

POEMA ESQUISITO

Dói-me a cabeça aos trinta e nove anos.
Não é hábito. É raríssimamente que ela dói.
Ninguém tem culpa.
Meu pai, minha mãe descansaram seus fardos,
não existe mais o modo
de eles terem seus olhos sobre mim.
Mãe, ô mãe, ô pai, meu pai. Onde estão escondidos?
É dentro de mim que eles estão.
Não fiz mausoléu pra eles, pus os dois no chão.
Nasceu lá, porque quis, um pé de saudade roxa,
que abunda nos cemitérios.
Quem plantou foi o vento, a água da chuva.
Quem vai matar é o sol.
Passou finados não fui lá, aniversário também não.
Pra quê, se pra chorar qualquer lugar me cabe?
É de tanto lembrá-los que eu não vou.
Ôôôô pai
Ôôôô mãe
Dentro de mim eles respondem
tenazes e duros,
porque o zelo do espírito é sem meiguices:
Ôôôôi fia.

ANTES DO NOME

Não me importa a palavra, esta corriqueira.
Quero é o esplêndido caos de onde emerge a sintaxe,
os sítios escuros onde nasce o 'de', o 'aliás',
o 'o', o 'porém' e o 'que', esta incompreensível
muleta que me apoia.
Quem entender a linguagem entende Deus
cujo Filho é Verbo. Morre quem entender.
A palavra é disfarce de uma coisa mais grave, surda-muda,
foi inventada para ser calada.
Em momentos de graça, infrequentíssimos,
se poderá apanhá-la: um peixe vivo com a mão.
Puro susto e terror.

AZUL SOBRE AMARELO, MARAVILHA E ROXO

Desejo, como quem sente fome ou sede,
um caminho de areia margeado de boninas,
onde só cabem a bicicleta e seu dono.
Desejo, com uma funda saudade
de homem ficado órfão pequenino,
um regaço e o acalanto, a amorosa tenaz de uns dedos
para um forte carinho em minha nuca.
Brotam os matinhos depois da chuva,
brotam os desejos do corpo.
Na alma, o querer de um mundo tão pequeno
como o que tem nas mãos o Menino Jesus de Praga.

PISTAS

Não pode ser uma ilusão fantástica
o que nos faz domingo após domingo
visitar os parentes, insistir
que assim é melhor, que de fato um bom
emprego é meio caminho andado.
Não pode ser verdade
que tanto afã escave na insolvência.
Há voos maravilhosos de ave,
aviões tão belos repousando nos campos
e o que é piedoso no morto:
não seu sexo murcho,
mas suas mãos empenhadas sobre o peito.

POEMA COM ABSORVÊNCIAS NO TOTALMENTE PERPLEXAS DE GUIMARÃES ROSA

Ah, pois, no conforme miro e vejo,
o por dentro de mim,
segundo o consentir
dos desarrazoados meus pensares,
é o brabo cavalo em as ventas arfando,
                        se querendo ir,
permanecido apenas no ajuste das leis do bem viver
                                                comum,
por causa de uma total garantia se faltando em quem
                                                m'as dê.
Ad' formas que em tréguas assisto e assino
e o todo exterior desta minha pessoa recomponho.
Porém chega o só sinal mais leve

de que aquilo ou isso é verdadeiro
pra a reta eu alimpar com o meu brabo cavalo.
Ara! que eu não nasci pra permanência desta duvidação,
mas só para o ser eu mesmo, o de todo mundo desigual,
afirmador e consequente, Riobaldo, o Tatarana.
Ixi!

O DIA DA IRA

As coisas tristíssimas,
o rolomag, o teste de Cooper,
a mole carne tremente entre as coxas,
vão desaparecer quando soar a trombeta.
Levantaremos como deuses,
com a beleza das coisas que nunca pecaram,
como árvores, como pedras,
exatos e dignos de amor.
Quando o anjo passar,
o furacão ardente do seu voo
vai secar as feridas,
as secreções desviadas dos seus vasos
e as lágrimas.
As cidades restarão silenciosas, sem um veículo:
apenas os pés de seus habitantes
reunidos na praça, à espera de seus nomes.

A INVENÇÃO DE UM MODO

Entre paciência e fama quero as duas,
pra envelhecer vergada de motivos.
Imito o andar das velhas de cadeiras duras
e se me surpreendem, explico cheia de verdade:
tô ensaiando. Ninguém acredita
e eu ganho uma hora de juventude.
Quis fazer uma saia longa pra ficar em casa,
a menina disse: 'Ora, isso é pras mulheres de São Paulo.'
Fico entre montanhas,
entre guarda e vã,
entre branco e branco,
lentes pra proteger de reverberações.
Explicação é para o corpo do morto,
de sua alma eu sei.
Estátua na Igreja e Praça
quero extremada as duas.
Por isso é que eu prevarico e me apanham chorando,
vendo televisão,
ou tirando sorte com quem vou casar.
Porque tudo que invento já foi dito
nos dois livros que eu li:
as escrituras de Deus,
as escrituras de João.
Tudo é Bíblias. Tudo é Grande Sertão.

EXAUSTO

Eu quero uma licença de dormir,
perdão pra descansar horas a fio,
sem ao menos sonhar
a leve palha de um pequeno sonho.
Quero o que antes da vida
foi o profundo sono das espécies,
a graça de um estado.
Semente.
Muito mais que raízes.

OVOS DA PÁSCOA

O ovo não cabe em si, túrgido de promessa,
a natureza morta palpitante.
Branco tão frágil guarda um sol ocluso,
o que vai viver, espera.

PÁSCOA

Velhice
é um modo de sentir frio que me assalta
e uma certa acidez.
O modo de um cachorro enrodilhar-se
quando a casa se apaga e as pessoas se deitam.
Divido o dia em três partes:
a primeira pra olhar retratos,
a segunda pra olhar espelhos,
a última e maior delas, pra chorar.
Eu, que fui loura e lírica,
não estou pictural.
Peço a Deus,
em socorro da minha fraqueza,
abrevie esses dias e me conceda um rosto
de velha mãe cansada, de avó boa,
não me importo. Aspiro mesmo
com impaciência e dor.
Porque sempre há quem diga
no meio da minha alegria:
'põe o agasalho'
'tens coragem?'
'por que não vais de óculos?'
Mesmo rosa sequíssima e seu perfume de pó,
quero o que desse modo é doce,
o que de mim diga: assim é.
Pra eu parar de temer e posar pra um retrato,
ganhar uma poesia em pergaminho.

TRÉGUA

Hoje estou velha como quero ficar.
Sem nenhuma estridência.
Dei os desejos todos por memória
e rasa xícara de chá.

LOUVAÇÃO PARA UMA COR

O amarelo faz decorrer de si os mamões e sua polpa,
o amarelo furável.
Ao meio-dia as abelhas, o doce ferrão e o mel.
Os ovos todos e seu núcleo, o óvulo.
Este, dentro, o minúsculo.
Da negritude das vísceras cegas,
amarelo e quente, o minúsculo ponto,
o grão luminoso.
Distende e amacia em bátegas
a pura luz de seu nome,
a cor tropicordiosa.
Acende o cio,
é uma flauta encantada,
um oboé em Bach.
O amarelo engendra.

ROXO

Roxo aperta.
Roxo é travoso e estreito.
Roxo é a cordis, vexatório,
uma doidura pra amanhecer.
A paixão de Jesus é roxa e branca,
pertinho da alegria.
Roxo é travoso, vai madurecer.
Roxo é bonito e eu gosto.
Gosta dele o amarelo.
O céu roxeia de manhã e de tarde,
uma rosa vermelha envelhecendo.
Cavalgo caçando o roxo,
lembrança triste, bonina.
Campeio amor pra roxeamar paixonada,
o roxo por gosto e sina.

UM SALMO

Tudo que existe louvará.
Quem tocar vai louvar,
quem cantar vai louvar,
o que pegar a ponta de sua saia
e fizer uma pirueta, vai louvar.
Os meninos, os cachorros,
os gatos desesquivados,
os ressuscitados,
o que sob o céu mover e andar
vai seguir e louvar.
O abano de um rabo, um miado,

u'a mão levantada, louvarão.
Esperai a deflagração da alegria.
A nossa alma deseja,
o nosso corpo anseia
o movimento pleno:
cantar e dançar TE-DEUM.

AGORA, Ó JOSÉ

É teu destino, ó José,
a esta hora da tarde,
se encostar na parede,
as mãos para trás.
Teu paletó abotoado
de outro frio te guarda,
enfeita com três botões
tua paciência dura.
A mulher que tens, tão histérica,
tão histórica, desanima.
Mas, ó José, o que fazes?
Passeias no quarteirão
o teu passeio maneiro
e olhas assim e pensas,
o modo de olhar tão pálido.
Por improvável não conta
o que tu sentes, José?
O que te salva da vida
é a vida mesma, ó José,
e o que sobre ela está escrito
a rogo de tua fé:

"No meio do caminho tinha uma pedra",
"Tu és pedra e sobre esta pedra",
a pedra, ó José, a pedra.
Resiste, ó José. Deita, José,
dorme com tua mulher,
gira a aldraba de ferro pesadíssima.
O reino do céu é semelhante a um homem
como você, José.

CLAREIRA

Seria tão bom, como já foi,
as comadres se visitarem nos domingos.
Os compadres fiquem na sala, cordiosos,
pitando e rapando a goela. Os meninos,
farejando e mijando com os cachorros.
Houve esta vida ou inventei?
Eu gosto de metafísica, só pra depois
pegar meu bastidor e bordar ponto de cruz,
falar as falas certas: a de Lurdes casou,
a das Dores se forma, a vaca fez, aconteceu,
as santas missões vêm aí, vigiai e orai
que a vida é breve.
Agora que o destino do mundo pende do meu palpite,
quero um casal de compadres, molécula de sanidade,
pra eu sobreviver.

IMPRESSIONISTA

Uma ocasião,
meu pai pintou a casa toda
de alaranjado brilhante.
Por muito tempo moramos numa casa,
como ele mesmo dizia,
constantemente amanhecendo.

A DESPROPÓSITO

Olhou para o teto, a telha parecia um quadrado de doce.
Ah! — falou sem se dar conta de que descobria, durando
                                                  [desde
a infância, aquela hora do dia, mais um galo cantando,
um corte de trator, as três camadas de terra,
a ocre, a marrom, a roxeada. Um pasto,
não tinha certeza se uma vaca
e o sarilho da cisterna desembestado, a lata
batendo no fundo com estrondo.
Quando insistiram, vem jantar, que esfria,
ele foi e disse antes de comer:
'Qualidade de telha é essas de antigamente'.

OS ACONTECIMENTOS E OS DIZERES

Quem está vivo diz:
hoje às três horas padre Libério
dá a bênção na Vila Vicentina.
Ou assim: coisa boa é um banho.
Ou ainda: casamento é coisa muito fina.
Eu achei tanta graça quando aprendi a dar nós,
fiquei cheia de poder.
Entendi depois o que queria dizer:
"toda convicção é apostólica",
fiquei cheia de espanto.
As palavras só contam o que se sabe.
Mas quem disser: Deus é um espírito de paz,
está repetindo um menino de sete anos, que acrescentou:
eu tenho medo é de dia; de noite, não,
porque é claro.

VIGÍLIA

O terror noturno decepou minha mão
quando ia pegar minha roupa de dormir.
Parei no meio do quarto, uma lucidez tão grande,
que tudo se tornava incompreensível.
O contorno da cama, de tal jeito quadrado e expectante,
o cabo de um serrote mal guardado, minha nudez
em trânsito entre a porta e a cadeira.
Claramente legíveis e insolúveis, uma campina
de sol e ar sem nuvens, a risada dos meninos
no campo retalhado de trator, as bodas de prata
do homem que fala sempre: 'Qual é o meu erro que

minha vontade é estar morto?'
Uma família fez sua casa no morro,
se eu mover o meu pé, a casa despenca.
O Espírito de Deus, movendo o que lhe apraz,
move a moça — que jurei não ser poeta —
a dizer cheia de graça: 'coisa mais engraçada deve ser
o Presidente chupando laranja!'
O Espírito de Deus é misericordioso,
vai desertar de mim pra eu poder descansar,
vai me deixar dormir.

O QUE A MUSA ETERNA CANTA

Cesse de uma vez meu vão desejo
de que o poema sirva a todas as fomes.
Um jogador de futebol chegou mesmo a declarar:
'Tenho birra de que me chamem de intelectual,
sou um homem como todos os outros'.
Ah, que sabedoria, como todos os outros,
a quem bastou descobrir:
letras eu quero é pra pedir emprego,
agradecer favores,
escrever meu nome completo.
O mais são as maltraçadas linhas.

A HORA GRAFADA

De noite no mato as árvores semelhavam
uma águia acabada de pousar,
um anjo saudando,
um galo perfeitinho,
uma ave grande vista de frente.
De noite no mato, as vivas figuras enraizadas,
prontas a falar ou bater asas.

BUCÓLICA NOSTÁLGICA

Ao entardecer no mato, a casa entre
bananeiras, pés de manjericão e cravo-santo,
aparece dourada. Dentro dela, agachados,
na porta da rua, sentados no fogão, ou aí mesmo,
rápidos como se fossem ao Êxodo, comem
feijão com arroz, taioba, ora-pro-nobis,
muitas vezes abóbora.
Depois, café na canequinha e pito.
O que um homem precisa pra falar,
entre enxada e sono: Louvado seja Deus!

PARA COMER DEPOIS

Na minha cidade, nos domingos de tarde,
as pessoas se põem na sombra com faca e laranjas.
Tomam a fresca e riem do rapaz de bicicleta,
a campainha desatada, o aro enfeitado de laranjas:
'Eh bobagem!'
Daqui a muito progresso tecno-ilógico,
quando for impossível detectar o domingo
pelo sumo das laranjas no ar e bicicletas,
em meu país de memória e sentimento,
basta fechar os olhos:
é domingo, é domingo, é domingo.

A CATECÚMENA

Se o que está prometido é a carne incorruptível,
é isso mesmo que eu quero, disse e acrescentou:
mais o sol numa tarde com tanajuras,
o vestido amarelo com desenhos semelhando urubus,
um par de asas em maio e imprescindível,
multiplicado ao infinito, o momento em que
palavra alguma serviu à perturbação do amor.
Assim quero "venha a nós o vosso reino".
Os doutores da Lei, estranhados de fé tão ávida,
disseram delicadamente:
vamos olhar a possibilidade de uma nova exegese
deste texto. Assim fizeram.
Ela foi admitida; com reservas.

ATÁVICA

Minha mãe me dava o peito e eu escutava,
o ouvido colado à fonte dos seus suspiros:
'Ó meu Deus, meu Jesus, misericórdia'.
Comia leite e culpa de estar alegre quando fico.
Se ficasse na roça ia ser carpideira, puxadeira de terço,
cantadeira, o que na vida é beleza sem esfuziamentos,
as tristezas maravilhosas.
Mas eu vim pra cidade fazer versos tão tristes
que dão gosto, meu Jesus misericórdia.
Por prazer da tristeza eu vivo alegre.

MOMENTO

Enquanto eu fiquei alegre, permaneceram
um bule azul com um descascado no bico,
uma garrafa de pimenta pelo meio,
um latido e um céu limpidíssimo
com recém-feitas estrelas.
Resistiram nos seus lugares, em seus ofícios,
constituindo o mundo pra mim, anteparo
para o que foi um acometimento:
súbito é bom ter um corpo pra rir
e sacudir a cabeça. A vida é mais tempo
alegre do que triste. Melhor é ser.

METAMORFOSE

Foi assim que meu pai me disse uma vez:
Você anda feito cavalo velho, procurando grota.

As cigarras atrelavam as patas nos troncos
e zuniam com decisão os seus chiados.
As árvores cantavam no quintal,
refolhadas de novíssimo verde.
Arregacei as narinas e fui pastar
com minha cabeça minúscula.
O que mais quente e amarelo pode ser,
era o sol, um dia de pura luz.
Mugi entre as vacas, antediluviana,
sei de moitas, água que achei e bebi.
Na volta sacudi pescoço e rabo.
Só dois sinais restaram:
um modo guloso de cheirar os verdes;
um modo de pisar, só casco e pedras.

EXPLICAÇÃO DE POESIA
SEM NINGUÉM PEDIR

Um trem de ferro é uma coisa mecânica,
mas atravessa a noite, a madrugada, o dia,
atravessou minha vida,
virou só sentimento.

SOLO DE CLARINETA

As pétalas da flor-seca, a sempre-viva,
do que mais gosto em flor.
Do seu grego existir de boniteza,
sua certa alegria.
É preciso ter morrido uma vez e desejado
o que sobre as lápides está escrito
de repouso e descanso, pra amar seu duro odor
de retrato longínquo, seu humano conter-se.
As severas.

ENDECHA

Embora a velha roseira insista neste agosto
e confirmem o recomeço estas mulheres grávidas,
eu sofro de um cansaço, intermitente como certas febres.
Me acontece lavar os cabelos e ir secá-los ao sol,
desavisada. Ocorre até que eu cante.
Mas pousa na canção a negra ave e eu desafino rouca,
em descompasso, uma perna mais curta,
a ausência ocupando todos os meus cômodos,
a lembrança endurecida no cristal
de uma pedra na uretra.

UM HOMEM DOENTE
FAZ A ORAÇÃO DA MANHÃ

Pelo sinal da Santa Cruz,
chegue até Vós meu ventre dilatado
e Vos comova, Senhor, meu mal sem cura.
Inauguro o dia, eu que a meu crédito explico
que passei em claro a treva da noite.
Escutei — e é quando às vezes descanso —
vozes de há mais de trinta anos.
Vi no meio da noite nesgas claríssimas de sol.
Minha mãe falou,
enxotei gatos lambendo
o prato da minha infância.
Livrai-me de lançar contra Vós
a tristeza do meu corpo
e seu apodrecimento cuidadoso.
Mas desabafo dizendo:
que irado amor Vós tendes.
Tem piedade de mim,
tem piedade de mim
pelo sinal da Vossa Cruz,
que faço na testa, na boca, no coração.
Da ponta dos pés à cabeça,
de palma à palma da mão.

REZA PARA AS QUATRO ALMAS DE FERNANDO PESSOA

Da belíssima "Ode à noite antiga"
resulta que eu entendo, limpo de esforço
e vaidade, se nos fosse possível:
da oração verdadeira nasce a força.
Ninguém se cansa de bondade e avencas.
Os rebanhos guardados guardam o homem.
Todos que estamos vivos morreremos.
Não é para entender que nós pensamos,
é para sermos perdoados.
Pai nosso, criador da noite, do sonho,
do meu poder sobre os bois,
eis-me, eis-me.

ENDECHA DAS TRÊS IRMÃS

As três irmãs conversavam em binário lentíssimo.
A mais nova disse: tenho um abafamento aqui,
e pôs a mão no peito.
A do meio disse: sei fazer umas rosquinhas.
A mais velha disse: faço quarenta anos, já.
A mais nova tem a moda de ir chorar no quintal.
A do meio está grávida.
A mais cruel se enterneceu por plantas.
Nosso pai morreu, diz a primeira,
nossa mãe morreu, diz a segunda,
somos três órfãs, diz a terceira.
Vou recolher a roupa no quintal, fala a primeira.
Será que chove?, fala a segunda.
Já viram minhas sempre-vivas?, falou a terceira,
a de coração duro, e soluçou.
Quando a chuva caiu ninguém ouviu os três choros
dentro da casa fechada.

TARJA

A Revista de Santo Antônio tem uma seção que eu
não perco:
                À Sombra da Cruz
onde se recomenda à oração dos leitores as almas dos
                                    [assinantes.
Venício Ferreira Bernardes – Carmópolis de Minas
Mozar Pereira Gentil – Lavras
Judith Abdala Maia – Perdões
Arnalda Bressane Costa – Jundiaí
Paulo Antônio Fernandes – São Sebastião do Oeste
João Antônio Correia – Divinópolis.
O nome das pessoas e os de seus lugares,
registrados na página encimada por uma cruz
de pontas arredondadas, eu acho bonito sempre.
É necrofilia não, é simpatia, dor
que aos domingos me adula, açula um galo,
o gosto da melancolia.
Raimunda Lázara de Jesus – Itaguara
esta, uma vez, pegando um trem, disse assim:
'O Mazzaropi dá muita graça pra nóis,
arrio dele demais'.
Ernestina Alvarenga Reis – Pirapora
é como um ramo de angélicas dentro de um quarto
                                        [fechado.
No domingo amarelo passa o chapéu florido.
A poesia, a mais ínfima, é serva da esperança.

PARA TAMBOR E VOZ

Viola violeta violenta violada,
óbvia vertigem caos tão claro,
claustro.
Lápides quentes sobre restos podres,
um resto de café na xícara e mosca.

TODOS FAZEM UM POEMA
A CARLOS DRUMMOND DE ANDRADE

Enquanto punha o vestido azul com margaridas amarelas
e esticava os cabelos para trás, a mulher falou alto:
é isto, eu tenho inveja de Carlos Drummond de Andrade
apesar de nossas extraordinárias semelhanças.
E decifrou o incômodo do seu existir junto com o dele.
Vamos ambos à enciclopédia, seguiu dizendo, à cata
de constituição, e paramos em "clematite, flor lilás
de ingênuo desenho que ama desabrochar nas sebes
                                            [europeias".
Temos terrores noturnos, diurnos desesperos
e dias seguidos onde nada acontece.
Comemos, bebemos e diante do nosso nome impresso
temos nenhum orgulho, porque esta lembrança não deixa:
uma vez, na Avenida Afonso Pena, um bêbado gritando:
'Todo mundo aqui é um saco de tripas'.
Carlos é *gauche*. A mim, várias vezes, disseram:
'Não sabes ler a placa? É CONTRAMÃO'.
Um dia fizemos um verso tão perfeito
que as pessoas começaram a rir. No entanto persiste,
a partir de mim, a raiva insopitada

quando citam seu nome, lhe dedicam poemas.
Desta maneira prezo meu caderno de versos,
que é uma pergunta só, nem ao menos original:
'Por que não nasci eu um simples vaga-lume?'
Só à ponta de fina faca, o quisto da minha inveja,
como aos mamões maduros se tiram os olhos podres.
Eu sou poeta? Eu sou?
Qualquer resposta verdadeira
e poderei amá-lo.

DISRITMIA

Os velhos cospem sem nenhuma destreza
e os velocípedes atrapalham o trânsito no passeio.
O poeta obscuro aguarda a crítica
e lê seus versos, as três vezes por dia,
feito um monge com seu livro de horas.
A escova ficou velha e não penteia.
Neste exato momento o que interessa
são os cabelos desembaraçados.
Entre as pernas geramos e sobre isso
se falará até o fim sem que muitos entendam:
erótico é a alma.
Se quiser, ponho agora a *ária* na quarta corda,
pra me sentir clemente e apaziguada.
O que entendo de Deus é sua ira,
não tenho outra maneira de dizer.
As bolas contra a parede me desgostam,
mas os meninos riem satisfeitos.
Tarde como a de hoje, vi centenas.

Não sinto angústia, só uma espera ansiosa.
Alguma coisa vai acontecer.
Não existe o destino.
Quem é premente é Deus.

TOADA

Cantiga triste, pode com ela
é quem não perdeu a alegria.

UMA FORMA PARA MIM

Hoje acordei normal, como antes de fazer treze anos.
Fui cedo catar coisas no lixo, cavucar abacaxis apodrecidos,
atrás de um veio são, como quem cata ouro.
Que tem isso tudo a ver com santidade?
Mas se não tiver me morro,
porque não entendo outro ar menos grosso
que este onde meu nariz se apoia.
Os santos me chamam com assobios vertiginosos,
se penso que vou é porque é maior meu olho que a barriga;
dou um passo de medroso, outro de temerário.
Com dois passos e meio fico doido e começo a voltar.
Sei o que não é para mim. O que é meu não sei direito
                                    [ainda.
Uma vez, quando eu tinha quatro anos,

achei um caco de vidro no monturo.
Lavei, enxuguei, guardei bem guardado
e fui comer com vontade, ficar obediente, emprestar
                                 [minhas coisas,
por causa do caco, porque tinha ele, porque eu podia
quando quisesse pôr ele contra o sol e aproveitar seu
                                       [reflexo.
Ele era laranjado chitadinho de branco. Assim eu sei,
se assim puder, farei. Cada qual é diverso, descobri.
Por isso e porque está escrito
que o Espírito de Deus nos toma sem matar-nos
é que eu digo como quem reza: Sô Antônio Vítor morreu.
A tarde do seu enterro foi um largo tranquilo de se dizer:
hoje está tudo como antigamente era bom.
Os cereais somam seus cheiros — oh! que perfume doce —
com rapadura e querosene — oh! que armazéns humanos.
Os mosquitos como pessoas da casa admitidos.
A poeira também.
Quando eu fico normal o reino do céu não dá os
                                   [sobressaltos,
dá só gosto e alegria.

SEDUÇÃO

A poesia me pega com sua roda dentada,
me força a escutar imóvel
o seu discurso esdrúxulo.
Me abraça detrás do muro, levanta
a saia pra eu ver, amorosa e doida.
Acontece a má coisa, eu lhe digo,

também sou filho de Deus,
me deixa desesperar.
Ela responde passando
língua quente em meu pescoço,
fala pau pra me acalmar,
fala pedra, geometria,
se descuida e fica meiga,
aproveito pra me safar.
Eu corro ela corre mais,
eu grito ela grita mais,
sete demônios mais forte.
Me pega a ponta do pé
e vem até na cabeça,
fazendo sulcos profundos.
É de ferro a roda dentada dela.

GUIA

A poesia me salvará.
Falo constrangida, porque só Jesus
Cristo é o Salvador, conforme escreveu
um homem — sem coação alguma —
atrás de um crucifixo que trouxe de lembrança
de Congonhas do Campo.
No entanto, repito, a poesia me salvará.
Por ela entendo a paixão
que Ele teve por nós, morrendo na cruz.
Ela me salvará, porque o roxo
das flores debruçado na cerca
perdoa a moça do seu feio corpo.

Nela, a Virgem Maria e os santos consentem
no meu caminho apócrifo de entender a palavra
pelo seu reverso, captar a mensagem
pelo arauto, conforme sejam suas mãos e olhos.
Ela me salvará. Não falo aos quatro ventos,
porque temo os doutores, a excomunhão
e o escândalo dos fracos. A Deus não temo.
Que outra coisa ela é senão Sua Face atingida
da brutalidade das coisas?

BENDITO

Louvado sejas Deus meu Senhor,
porque o meu coração está cortado a lâmina,
mas sorrio no espelho ao que,
à revelia de tudo, se promete.
Porque sou desgraçado
como um homem tangido para a forca,
mas me lembro de uma noite na roça,
o luar nos legumes e um grilo,
minha sombra na parede.
Louvado sejas, porque eu quero pecar
contra o afinal sítio aprazível dos mortos,
violar as tumbas com o arranhão das unhas,
mas vejo Tua cabeça pendida
e escuto o galo cantar
três vezes em meu socorro.
Louvado sejas, porque a vida é horrível,
porque mais é o tempo que eu passo recolhendo os
[despojos,

— velho ao fim da guerra com uma cabra —
mas limpo os olhos e o muco do meu nariz,
por um canteiro de grama.
Louvado sejas porque eu quero morrer
mas tenho medo e insisto em esperar o prometido.
Uma vez, quando eu era menino, abri a porta de noite,
a horta estava branca de luar
e acreditei sem nenhum sofrimento.
Louvado sejas!

REFRÃO E ASSUNTO DE CAVALEIRO E SEU CAVALO MEDROSO

Ô estrela-d'alva,
ô lua...
Tristeza é o luar nos ermos
do sertão, Minas Gerais.
Eh saudade! de quê, meu Deus?
Não sei mais.
Ô estrela-d'alva,
ô lua...
O escuro é duro ou macio?
meu cavalo perguntou.
Eu lhe respondi: galopa,
é pra Deus que eu vou.
Ô estrela-d'alva,
ô lua...
Ô estrela-d'alva, gritei
na cava, pra espantar o breu.
Alva alva alva alva

precipício respondeu.
Ô estrela-d'alva,
ô lua...
No fim da viagem, no fim da noite,
tem uma porteira se abrindo
pra madrugada suspensa.
É pra lá que eu vou,
pro céu e pro ar, rosilho,
para os pastos de orvalho.
Ô estrela-d'alva,
ô lua...
Quanto tempo dura a noite?
meu cavalo perguntou.
O tempo é de Deus, eu disse.
E esporeei.
Ô estrela-d'alva,
ô lua...
ô alva...

FRAGMENTO

Bem-aventurado o que pressentiu
quando a manhã começou:
não vai ser diferente da noite.
Prolongados permanecerão o corpo sem pouso,
o pensamento dividido entre deitar-se primeiro
à esquerda ou à direita
e mesmo assim anunciou paciente ao meio-dia:
algumas horas e já anoitece, o mormaço abranda,
um vento bom entra nessa janela.

ANUNCIAÇÃO AO POETA

Ave, ávido.
Ave, fome incansável e boca enorme,
come.
Da parte do Altíssimo te concedo
que não descansarás e tudo te ferirá de morte:
o lixo, a catedral e a forma das mãos.
Ave, cheio de dor.

ANÍMICO

Nasceu no meu jardim um pé de mato
que dá flor amarela.
Toda manhã vou lá pra escutar a zoeira
da insetaria na festa.
Tem zoado de todo jeito:
tem do grosso, do fino, de aprendiz e de mestre.
É pata, é asa, é boca, é bico,
é grão de poeira e pólen na fogueira do sol.
Parece que a arvorinha conversa.

A TRISTEZA CORTESÃ ME PISCA OS OLHOS

Eu procuro o mais triste, o que encontrado
nunca mais perderei, porque vai me seguir
mais fiel que um cachorro, o fantasma
de um cachorro, a tristeza sem verbo.
Eu tenho três escolhas: na primeira, um homem
que ainda está vivo à borda de sua cama me acena
e fala com seu tom mais baixo: 'reza pra eu dormir, viu?'
Na outra, sonho que bato num menino. Bato, bato,
até apodrecer meu braço e ele ficar roxo. Eu bato mais
e ele ri sem raiva, ri pra mim que bato nele.
Na última, eu mesma engendro este horror:
a sirene apita chamando um homem já morto
e fica de noite e amanhece, ele não volta
e ela insiste e sua voz é humana.
Se não te basta, espia:
eu levanto o meu filho pelos órgãos sensíveis
e ele me beija o rosto.

DESCRITIVO

As formigas passeiam na parede,
perto de um vidro de cola que perdeu a rolha. Há mais:
um maço de jornais, uma bilha e seu gargalo fálico,
um copo de plástico e um quiabo seco,
guardado ali por causa das sementes.
Tudo sobre uma cômoda, num quarto.
O vidro de cola está arrolhado com uma bucha de papel.
É sábado, é tarde, é túrgida minha bexiga feminina
e por isso vai ser menos belo que eu me levante e a esvazie.

Os analistas dirão, segundo Freud: complexo de castração.
Eu não digo nada, pela primeira vez, humildemente.
Vou me deitar pra dormir, não antes sem rezar,
pelos meus e os teus.

DUAS MANEIRAS

De dentro da geometria
Deus me olha e me causa terror.
Faz descer sobre mim o íncubo hemiplégico.
Eu chamo por minha mãe,
me escondo atrás da porta,
onde meu pai pendura sua camisa suja,
bebo água doce e falo as palavras das rezas.
Mas há outro modo:
se vejo que Ele me espreita,
penso em marca de cigarros,
penso num homem saindo de madrugada pra adorar o
                              [Santíssimo,
penso em fumo de rolo, em apito, em mulher da roça
com o balaio de pequi, fruta feita de cheiro e amarelo.
Quando Ele dá fé, já estou no colo d'Ele,
pego Sua barba branca,
Ele joga pra mim a bola do mundo,
eu jogo pra Ele.

CABEÇA

Quando eu sofria dos nervos,
não passava debaixo de fio elétrico,
tinha medo de chuva, de relâmpio,
nojo de certos bichos que eu não falo
pra não ter de lavar minha boca com cinza.
Qualquer casca de fruta eu apanhava.
Hoje, que sarei, tenho uma vida e tanto:
já seguro nos fios com a chave desligada
e lembrei de arrumar pra mim esta capa de plástico,
dia e noite eu não tiro, até durmo com ela.
Caso chova, tenho trabalho nenhum.
Casca, mesmo sendo de banana ou de manga,
eu não intervo, quem quiser que se cuide.
Abastam as placas de ATENÇÃO! que eu escrevo
e ponho perto. Um bispo, quando tem zelo
apostólico, é uma coisa charmosa.
Não canso de explicar isso pro pastor
da minha diocese, mas ele não entende
e fica falando: 'minha filha, minha filha',
ele pensa que é *Woman's Lib,* pensa
que a fé tá lá em cima e cá em baixo
é mau gosto só. É ruim, é ruim,
ninguém entende. Gritava até parar,
quando eu sofria dos nervos.

DE PROFUNDIS

Quando a noite vier e minh'alma ciclotímica
afundar nos desvãos da água sem porto,
salva-me.
Quando a morte vier, salva-me do meu medo,
do meu frio, salva-me,
ó dura mão de Deus com seu chicote,
ó palavra de tábua me ferindo no rosto.

UM SONHO

Eu tive um sonho esta noite que não quero esquecer,
por isso o escrevo tal qual se deu:
era que me arrumava pra uma festa onde eu ia falar.
O meu cabelo limpo refletia vermelhos,
o meu vestido era num tom de azul, cheio de panos, lindo,
o meu corpo era jovem, as minhas pernas gostavam
do contato da seda. Falava-se, ria-se, preparava-se.
Todo movimento era de espera e aguardos, sendo
que depois de vestida, vesti por cima um casaco
e colhi do próprio sonho, pois de parte alguma
eu a vira brotar, uma sempre-viva amarela,
que me encantou por seu miolo azul, um azul
de céu limpo sem as reverberações, de um azul
sem o 'z', que o 'z' nesta palavra tisna.
Não digo azul, digo *bleu,* a ideia exata
de sua seca maciez. Pus a flor no casaco
que só para isto existiu, assim como o sonho inteiro.
Eu sonhei uma cor.
Agora, sei.

SÍTIO

Igreja é o melhor lugar.
Lá o gado de Deus para pra beber água,
rela um no outro os chifres
e espevita seus cheiros
que eu reconheço e gosto,
a modo de um cachorro.
É minha raça, estou
em casa como no meu quarto.
Igreja é a casamata de nós.
Tudo lá fica seguro e doce,
tudo é ombro a ombro buscando a porta estreita.
Lá as coisas dilacerantes sentam-se
ao lado deste humaníssimo fato
que é fazer flores de papel
e nos admiramos como tudo é crível.
Está cheia de sinais, palavra,
cofre e chave, nave e teto aspergidos
contra vento e loucura.
Lá me guardo, lá espreito
a lâmpada que me espreita, adoro
o que me subjuga a nuca como a um boi.
Lá sou corajoso
e canto com meu lábio rachado:
glória no mais alto dos céus
a Deus que de fato é espírito
e não tem corpo, mas tem
o olho no meio de um triângulo
donde vê todas as coisas,
até os pensamentos futuros.
Lugar sagrado, eletricidade
que eu passeio sem medo.
Se eu pisar,
o amor de Deus me mata.

TABARÉU

Vira e mexe eu penso é numa toada só.
Fiz curso de filosofia pra escovar o pensamento,
não valeu. O mais universal a que chego
é a recepção de Nossa Senhora de Fátima
em Santo Antônio do Monte.
Duas mil pessoas com velas louvando Maria
num oco de escuro, pedindo bom parto,
moço de bom gênio pra casar,
boa hora pra nascer e morrer.
O cheiro do povo espiritado,
isso eu entendo sem desatino.
Porque, mercê de Deus, o poder que eu tenho
é de fazer poesia, quando ela insiste feito
água no fundo da mina, levantando morrinho de areia.
É quando clareia e refresca, abre sol, chove,
conforme necessidades.
Às vezes dá até de escurecer de repente
com trovoada e raio. Não desaponta nunca.
É feito sol.
Feito amor divino.

O MODO POÉTICO

Quando se passam alguns dias
e o vento balança as placas numeradas
na cabeceira das covas e bate
um calor amarelo sobre inscrições e lápides,
e quando se olha os retratos e se consegue
dizer com límpida voz:

ele gostava deste terno branco
e quando se entra na fila das viúvas,
batendo papo e cabo de sombrinha,
é que a poeira misericordiosa recobriu coisa e dor,
deu o retoque final.
Pode-se compreender de novo
que esteve tudo certo, o tempo todo
e dizer sem soberba ou horror:
é em sexo, morte e Deus
que eu penso invariavelmente todo dia.
É na presença d'Ele que eu me dispo
e muito mais, d'Ele que não é pudico
e não se ofende com as posições no amor.
Quando tudo se recompõe,
é saltitantes que nos vamos
cuidar de horta e gaiola.
A mala, a cuia, o chapéu
enchem o nosso coração
como uns amados brinquedos reencontrados.
Muito maior que a morte é a vida.
Um poeta sem orgulho é um homem de dores,
muito mais é de alegrias.
A seu cripto modo anuncia,
às vezes, quase inaudível
em delicado código:
'cuidado, entre as gretas do muro
está nascendo a erva...'
Que a fonte da vida é Deus,
há infinitas maneiras de entender.

UM JEITO E AMOR

*Confortai-me com flores, fortalecei-me
com frutos, porque desfaleço de amor.*

Cântico dos Cânticos

AMOR VIOLETA

O amor me fere é debaixo do braço,
de um vão entre as costelas.
Atinge o meu coração é por esta via inclinada.
Eu ponho o amor no pilão com cinza
e grão de roxo e soco. Macero ele,
faço dele cataplasma
e ponho sobre a ferida.

A SERENATA

Uma noite de lua pálida e gerânios
ele viria com boca e mão incríveis
tocar flauta no jardim.
Estou no começo do meu desespero
e só vejo dois caminhos:
ou viro doida ou santa.
Eu que rejeito e exprobo
o que não for natural como sangue e veias
descubro que estou chorando todo dia,
os cabelos entristecidos
a pele assaltada de indecisão.
Quando ele vier, porque é certo que vem,
de que modo vou chegar ao balcão sem juventude?
A lua, os gerânios e ele serão os mesmos
— só a mulher entre as coisas envelhece.
De que modo vou abrir a janela, se não for doida?
Como a fecharei, se não for santa?

UMA VEZ VISTO

Para o homem com a flauta,
sua boca e mãos,
eu fico calada.
Me viro em dócil,
sábia de fazer com veludos
uma caixa.
O homem com a flauta
é meu susto pênsil
que nunca vou explicar,
porque flauta é flauta,
boca é boca,
mão é mão.
Como os ratos da fábula eu o sigo
roendo inroível amor.
O homem com a flauta existe?

O SEMPRE AMOR

Amor é a coisa mais alegre
amor é a coisa mais triste
amor é coisa que mais quero.
Por causa dele falo palavras como lanças.
Amor é a coisa mais alegre
amor é a coisa mais triste
amor é coisa que mais quero.
Por causa dele podem entalhar-me,
sou de pedra-sabão.
Alegre ou triste,
amor é coisa que mais quero.

CANÇÃO DE JOANA D'ARC

A chama do meu amor faz arder minhas vestes.
É uma canção tão bonita o crepitar
que minha mãe se consola,
meu pai me entende sem perguntas
e o rei fica tão surpreendido
que decide em meu favor
uma revisão das leis.

A MEIO PAU

Queria mais um amor. Escrevi cartas,
remeti pelo correio a copa de uma árvore,
pardais comendo no pé um mamão maduro
— coisas que não dou a qualquer pessoa —
e mais que tudo, taquicardias,
um jeito de pensar com a boca fechada,
os olhos tramando um gosto.
Em vão.
Meu bem não leu, não escreveu,
não disse essa boca é minha.
Outro dia perguntei a meu coração:
o que que há durão, mal de chagas te comeu?
Não, ele disse: é desprezo de amor.

OS LUGARES COMUNS

Quando o homem que ia casar comigo
chegou a primeira vez na minha casa,
eu estava saindo do banheiro, devastada
de angelismo e carência. Mesmo assim,
ele me olhou com olhos admirados
e segurou minha mão mais que
um tempo normal a pessoas
acabando de se conhecer.
Nunca mencionou o fato.
Até hoje me ama com amor
de vagarezas, súbitos chegares.
Quando eu sei que ele vem,
eu fecho a porta para a grata surpresa.
Vou abri-la como o fazem as noivas
e as amantes. Seu nome é:
Salvador do meu corpo.

PSICÓRDICA

Vamos dormir juntos, meu bem,
sem sérias patologias.
Meu amor é este ar tristonho
que eu faço pra te afligir,
um par de fronhas antigas
onde eu bordei nossos nomes
com ponto cheio de suspiros.

ENREDO PARA UM TEMA

Ele me amava, mas não tinha dote,
só os cabelos pretíssimos e uma beleza
de príncipe de histórias encantadas.
Não tem importância, falou a meu pai,
se é só por isto, espere.
Foi-se com uma bandeira
e ajuntou ouro pra me comprar três vezes.
Na volta me achou casada com D. Cristóvão.
Estimo que sejam felizes, disse.
O melhor do amor é sua memória, disse meu pai.
Demoraste tanto, que... disse D. Cristóvão.
Só eu não disse nada,
nem antes, nem depois.

BILHETE EM PAPEL ROSA

A meu amado secreto, Castro Alves

Quantas loucuras fiz por teu amor, Antônio.
Vê estas olheiras dramáticas,
este poema roubado:
"o cinamomo floresce
em frente do teu postigo.
Cada flor murcha que desce,
morro de sonhar contigo".
Ó bardo, eu estou tão fraca
e teu cabelo é tão negro,
eu vivo tão perturbada,
pensando com tanta força

meu pensamento de amor,
que já nem sinto mais fome,
o sono fugiu de mim. Me dão mingaus,
caldos quentes, me dão prudentes conselhos
e eu quero é a ponta sedosa do teu bigode atrevido,
a tua boca de brasa, Antônio, as nossas vidas ligadas.
Antônio lindo, meu bem,
ó meu amor adorado,
Antônio, Antônio.
Para sempre tua.

MEDIEVO

Senhor meu amo, escutai-me,
a donzela espera por vós, no balcão.
Cuidai que não acorde os fâmulos
a paixão que estremece o vosso peito.
Os galgos estão inquietos, a alimária pateia.
Rogo-vos que vos apresseis.

UM JEITO

Meu amor é assim, sem nenhum pudor.
Quando aperta eu grito da janela
— ouve quem estiver passando —
ô fulano, vem depressa.
Tem urgência, medo de encanto quebrado,

é duro como osso duro.
Ideal eu tenho de amar como quem diz coisas:
quero é dormir com você, alisar seu cabelo,
espremer de suas costas as montanhas pequenininhas
de matéria branca. Por hora dou é grito e susto.
Pouca gente gosta.

CONFEITO

Quero comer bolo de noiva,
puro açúcar, puro amor carnal
disfarçado de coração e sininhos:
um branco, outro cor-de-rosa,
um branco, outro cor-de-rosa.

FATAL

Os moços tão bonitos me doem,
impertinentes como limões novos.
Eu pareço uma atriz em decadência,
mas, como sei disso, o que sou
é uma mulher com um radar poderoso.
Por isso, quando eles não me veem
como se me dissessem: acomoda-te no teu galho,
eu penso: bonitos como potros. Não me servem.

Vou esperar que ganhem indecisão. E espero.
Quando cuidam que não,
estão todos no meu bolso.

AMOR FEINHO

Eu quero amor feinho.
Amor feinho não olha um pro outro.
Uma vez encontrado é igual fé,
não teologa mais.
Duro de forte o amor feinho é magro, doido por sexo
e filhos tem os quantos haja.
Tudo que não fala, faz.
Planta beijo de três cores ao redor da casa
e saudade roxa e branca,
da comum e da dobrada.
Amor feinho é bom porque não fica velho.
Cuida do essencial; o que brilha nos olhos é o que é:
eu sou homem você é mulher.
Amor feinho não tem ilusão,
o que ele tem é esperança:
eu quero amor feinho.

PARA CANTAR COM O SALTÉRIO

Te espero desde o acre mel de marimbondos da minha
                                                         [juventude.
Desde quando falei, vou ser cruzado, acompanhar
                                               [bandeiras,
ser Maria Bonita no bando de Lampião, Anita ou Joana,
desde as brutalidades da minha fé sem dúvidas.
Te espero e não me canso, desde, até agora e para sempre,
amado que virá para pôr sua mão na minha testa
e inventar com sua boca de verdade
o meu nome para mim.

BRIGA NO BECO

Encontrei meu marido às três horas da tarde
com uma loura oxidada.
Tomavam guaraná e riam, os desavergonhados.
Ataquei-os por trás com mão e palavras
que nunca suspeitei conhecer.
Voaram três dentes e gritei, esmurrei-os e gritei,
gritei meu urro, a torrente de impropérios.
Ajuntou gente, escureceu o sol,
a poeira adensou como cortina.
Ele me pegava nos braços, nas pernas, na cintura,
sem me reter, peixe-piranha, bicho pior, fêmea-ofendida,
uivava.
Gritei, gritei, gritei, até a cratera exaurir-se.
Quando não pude mais fiquei rígida,
as mãos na garganta dele, nós dois petrificados,

eu sem tocar o chão. Quando abri os olhos,
as mulheres abriam alas, me tocando, me pedindo graças.
Desde então faço milagres.

CANÇÃO DE AMOR

Veio o câncer no fígado, veio o homem
pulando da cama no chão e andando
de gatinhas, gritando: 'me deixa, gente,
me deixa', tanta era sua dor sem remédio.
Veio a morte e nesta hora H, a camisa sem botão.
Eu supliquei: eu prego, gente, eu prego,
mas, espera, deixa eu chorar primeiro.
Ah, disseram Marta e Maria, se estivésseis aqui,
nosso irmão não teria morrido. Espera, disse Jesus,
deixa eu chorar primeiro.
Então se pode chorar? Eu posso então?
Se me perguntassem agora da alegria da vida,
eu só tinha a lembrança de uma flor miudinha.
Pode não ser só isso, hoje estou muito triste,
o que digo, desdigo. Mas a Palavra de Deus
é a verdade. Por isso esta canção tem o nome que tem.

PARA O ZÉ

Eu te amo, homem, hoje como
toda vida quis e não sabia,
eu que já amava de extremoso amor
o peixe, a mala velha, o papel de seda e os riscos
de bordado, onde tem
o desenho cômico de um peixe — os
lábios carnudos como os de uma negra.
Divago, quando o que quero é só dizer
te amo. Teço as curvas, as mistas
e as quebradas, industriosa como abelha,
alegrinha como florinha amarela, desejando
as finuras, violoncelo, violino, menestrel
e fazendo o que sei, o ouvido no teu peito
para escutar o que bate. Eu te amo, homem, amo
o teu coração, o que é, a carne de que é feito,
amo sua matéria, fauna e flora,
seu poder de perecer, as aparas de tuas unhas
perdidas nas casas que habitamos, os fios
de tua barba. Esmero. Pego tua mão, me afasto, viajo
pra ter saudade, me calo, falo em latim pra requintar meu
                                      [gosto:
"Dize-me, ó amado da minha alma, onde apascentas
o teu gado, onde repousas ao meio-dia, para que eu não
ande vagueando atrás dos rebanhos de teus companheiros".
Aprendo. Te aprendo, homem. O que a memória ama
fica eterno. Te amo com a memória, imperecível.
Te alinho junto das coisas que falam
uma coisa só: Deus é amor. Você me espicaça como
o desenho do peixe da guarnição de cozinha, você me
                                        [guarnece,
tira de mim o ar desnudo, me faz bonita
de olhar-me, me dá uma tarefa, me emprega,

me dá um filho, comida, enche minhas mãos.
Eu te amo, homem, exatamente como amo o que
acontece quando escuto oboé. Meu coração vai
                              [desdobrando
os panos, se alargando aquecido, dando
a volta ao mundo, estalando os dedos pra pessoa e bicho.
Amo até a barata, quando descubro que assim te amo,
o que não queria dizer amo também, o piolho. Assim,
te amo do modo mais natural, vero-romântico,
homem meu, particular homem universal.
Tudo que não é mulher está em ti, maravilha.
Como grande senhora vou te amar, os alvos linhos,
a luz na cabeceira, o abajur de prata;
como criada ama, vou te amar, o delicioso amor:
com água tépida, toalha seca e sabonete cheiroso,
me abaixo e lavo teus pés, o dorso e a planta deles
eu beijo.

A SARÇA ARDENTE – I

*Uma chama de fogo saía do meio de
uma sarça que ardia sem se consumir.*

Escrito no Êxodo

JANELA

Janela, palavra linda.
Janela é o bater das asas da borboleta amarela.
Abre pra fora as duas folhas de madeira à toa pintada,
janela jeca, de azul.
Eu pulo você pra dentro e pra fora, monto a cavalo em
                                        [você,
meu pé esbarra no chão.
Janela sobre o mundo aberta, por onde vi
o casamento da Anita esperando neném, a mãe
do Pedro Cisterna urinando na chuva, por onde vi
meu bem chegar de bicicleta e dizer a meu pai:
minhas intenções com sua filha são as melhores possíveis.
Ô janela com tramela, brincadeira de ladrão,
claraboia na minha alma,
olho no meu coração.

EPIFANIA

Você conversa com uma tia, num quarto.
Ela frisa a saia com a unha do polegar e exclama:
'assim também, deus me livre'.
De repente acontece o tempo se mostrando,
espesso como antes se podia fendê-lo aos oito anos.
Uma destas coisas vai acontecer:
um cachorro late,
um menino chora ou grita,
ou alguém chama do interior da casa:
'o café está pronto'.
Aí, então, o gerúndio se recolhe
e você recomeça a existir.

CHORINHO DOCE

Eu já tive e perdi
uma casa,
um jardim,
uma soleira,
uma porta,
um caixão de janela com um perfil.
Eu sabia uma modinha e não sei mais.
Quando a vida dá folga, pego a querer
a soleira,
o portal,
o jardim mais a casa,
o caixão de janela e aquele rosto de banda.
Tudo impossível,
tudo de outro dono,
tudo de tempo e vento.
Então me dá choro, horas e horas,
o coração amolecido como um figo na calda.

O VESTIDO

No armário do meu quarto escondo de tempo e traça
meu vestido estampado em fundo preto.
É de seda macia desenhada em campânulas vermelhas
à ponta de longas hastes delicadas.
Eu o quis com paixão e o vesti como um rito,
meu vestido de amante.
Ficou meu cheiro nele, meu sonho, meu corpo ido.
É só tocá-lo, e volatiliza-se a memória guardada:
eu estou no cinema e deixo que segurem minha mão.
De tempo e traça meu vestido me guarda.

A CANTIGA

"Ai cigana, ciganinha,
ciganinha meu amor."
Quando escutei essa cantiga
era hora do almoço, há muitos anos.
A voz da mulher cantando vinha de uma cozinha,
ai ciganinha, a voz de bambu rachado
continua tinindo, esganiçada, linda,
viaja pra dentro de mim, o meu ouvido cada vez melhor.
Canta, canta, mulher, vai polindo o cristal,
canta mais, canta que eu acho minha mãe,
meu vestido estampado, meu pai tirando boia da panela,
canta que eu acho minha vida.

DONA DOIDA

Uma vez, quando eu era menina, choveu grosso,
com trovoada e clarões, exatamente como chove agora.
Quando se pôde abrir as janelas,
as poças tremiam com os últimos pingos.
Minha mãe, como quem sabe que vai escrever um poema,
decidiu inspirada: chuchu novinho, angu, molho de ovos.
Fui buscar os chuchus e estou voltando agora,
trinta anos depois. Não encontrei minha mãe.
A mulher que me abriu a porta riu de dona tão velha,
com sombrinha infantil e coxas à mostra.
Meus filhos me repudiaram envergonhados,
meu marido ficou triste até a morte,
eu fiquei doida no encalço.
Só melhoro quando chove.

VEROSSÍMIL

Antigamente, em maio, eu virava anjo.
A mãe me punha o vestido, as asas,
me encalcava a coroa na cabeça e encomendava:
'canta alto, espevita as palavras bem'.
Eu levantava voo rua acima.

A MENINA DO OLFATO DELICADO

Quero comer não, mãe
(no canto do fogão o caldeirão esmaltado)
quero comer não, mãe
(arroz com feijão, macarrão grosso)
quero comer não, mãe
(sem massa de tomate)
quero comer não, mãe
(com gosto de serragem)
quero comer não, mãe
(com cheiro de carbureto)
quero comer não,
(vi um gato no caminho, fervendo de bicho)
quero comer não, mãe
(quando inaugurar a luz elétrica e o pai
consumir com o gasômetro, eu como).
Vamos ficar no escuro, mãe. Põe lamparina,
põe gasômetro não, o azul dele tem cheiro,
o cheiro entra na pele, na comida, no pensamento,
toma a forma das coisas. Quando a senhora tem
raiva sem xingar é igual a ruindade do gasômetro,
a azuleza dele. Vomito mãe. Vou comer agora não.
Vou esperar a luz elétrica.

CARTONAGEM

A prima hábil, com tesoura e papel, pariu a mágica:
emendadas, brincando de roda, 'as neguinhas da Guiné'.
Minha alma, do sortilégio do brinquedo, garimpou:
eu podia viver sem nenhum susto.
A vida se confirmava em seu mistério.

A FLOR DO CAMPO

Mais que a amargosa pétala mastigada,
seu aspro odor e seiva azeda,
a lembrança antiga das camadas do sono:
há muito tempo, foi depois da missa,
eu e mais duas tias num caminho, as pernas delas
na frente, com meia grossa e saias.
No ar os cheiros do mato, as palavras cordiais,
o céu pra onde íamos, azul,
conforme as palavras de Nosso Senhor,
os lírios do campo, olhai-os,
a flor do mato, a infância.

REGISTRO

Visíveis no facho de ouro jorrado porta adentro,
mosquitinhos, grãos maiores de pó.
A mãe no fogão atiça as brasas
e acende na menina o nunca mais apagado da memória:
uma vez banqueteando-se, comeu feijão com arroz
mais um facho de luz. Com toda fome.

MOSAICO

Joaquim João era artista de teatro.
Dava as mãos a Julietinha Marra e cantava 'adeus-amor'.
Fiquei picada de inquieto mel.
Às onze Joaquim subia do serviço
com o paletó jogado num ombro só. Escondida eu cantava
'adeus-amor', com direta intenção e longo fôlego.
Joaquim virava a cabeça ao esganiçado código
e eu cantava mais alto. Um dia, o melhor, se virou duas
                                                [vezes.
Eu descia da árvore, macaca sentimental, e ia
fazer xixi na calcinha, só para experimentar,
desenhar cinco salamão, rezar o anjo
do Senhor anunciou a Maria e ela concebeu,
o que era igual Letícia vindo brincar,
o hálito saborosíssimo de concebolas.

REBRINCO

As primas vinham ensaboar as de missa.
Enchiam a bacia de espuma, Tialzi cuspia dentro,
ai que nojo. Mesmo assim, tão bonito!
As calcinhas de Tialzi amarelavam no fundo,
dois, três dias na grama, marronzavam.
Eu andava em círculos, escutava conversa,
interrogava com apertada atenção.
Quando de tão calada me notavam, eram as pragas.
Tão boas, tão como devem ser que eu desinteressava,
ia chamar Letícia pra brincar.
Medo que eu tinha era não ter mistério.

ENSINAMENTO

Minha mãe achava estudo
a coisa mais fina do mundo.
Não é.
A coisa mais fina do mundo é o sentimento.
Aquele dia de noite, o pai fazendo serão,
ela falou comigo:
'coitado, até essa hora no serviço pesado'.
Arrumou pão e café, deixou tacho no fogo com água
                                               [quente.
Não me falou em amor.
Essa palavra de luxo.

A SARÇA ARDENTE – II

Tira as sandálias de teus pés, porque a terra em que estás é uma terra sagrada.

Escrito no Êxodo

O HOMEM PERMANECIDO

Era uma vez
uma venta fremente e um duro queixo.
Era uma vez um pisado de levantar pedra e poeira.
O que chamam de morte devastou com as narinas, o
[maxilar,
o dorso dos pés e sua planta.
Sobrou um gesto reto no espaço, a fremência,
um modo de passos e voz.
Eu lembro coisas que acontecerão:
era uma vez um homem que está rijo e cantante,
sem o espírito e a lei da gravidade,
alegre de nenhuma ameaça.

INSÔNIA

O homem vigia.
Dentro dele, estumados,
uivam os cães da memória.
Aquela noite, o luar
e o vento no cipó-prata e ele,
o medo a cavalo nele,
ele a cavalo em fuga
das folhas do cipó-prata.
A mãe no fogão cantando,
os zangões, a poeira, o ar anímico.
Ladra seu sonho insone,
em saudade, vinagre e doçura.

FÉ

Uma vez, da janela, vi um homem
que estava prestes a morrer,
comendo banana amassada.
A linha do seu queixo era já de fronteiras,
mas ele não sabia, ou sabia?
Como posso saber?
Comia, achando gostoso,
me oferecendo corriqueiro, todavia
inopinado perguntou
— ou perguntou comum como das outras vezes? —
Como será a ressurreição da carne?
É como nós já sabemos, eu lhe disse,
tudo como é aqui, mas sem as ruindades.
Que mistério profundo!, ele falou
e falou mais, graças a Deus,
pousando o prato.

EPISÓDIO

Ele tinha o costume de gesticular seu pensamento,
de sorte que estar parado era já ter compreendido
ou não ter dúvidas. Foi um abalo enorme quando se deu
                                            [o que conto,
porque ultimamente ocupava a compreensão em tomar
                                            [os remédios,
não comer sal, medir cor e volume de sua urina difícil.
Sem que ninguém suspeitasse ficou em pé na sala
e começou a cantar, pondo e tirando da jarra o galhinho
                                            [de flor,

a voz como antes, firme, alta, grossa, anterior
a qualquer debilidade do seu corpo.
Um susto às avessas do susto foi o nosso,
porque a barriga dele continuava altíssima e alagava a
                                        [mina
rompida de sua perna. Fugimos como nas guerras.
Um de nós foi chorar na privada, outro no quintal,
eu inventei uma barata pra matar com um chinelo.
A alegria dele desertava, quase, do que fosse
uma alegria humana e não estávamos à altura de
                                          [entendê-la.
Sofrer era muito mais fácil.

O RETRATO

Eu quero a fotografia,
os olhos cheios d'água sob as lentes,
caminhando de terno e gravata,
o braço dado com a filha.
Eu quero a cada vez olhar e dizer:
estava chorando. E chorar.
Eu quero a dor do homem na festa de casamento,
seu passo guardado, quando pensou:
a vida é amarga e doce?
Eu quero o que ele viu e aceitou corajoso,
os olhos cheios d'água sob as lentes.

O REINO DO CÉU

Depois da morte
eu quero tudo o que seu vácuo abrupto
fixou na minha alma.
Quero os contornos
desta matéria imóvel de lembrança,
desencantados deste espaço rígido.
Como antes, o jeito próprio
de puxar a camisa pela manga
e limpar o nariz.
A camisa engrossada de limalha de ferro mais
o suor, os dois cheiros impregnados,
a camisa personalíssima atrás da porta.
Eu quero depois, quando viver de novo,
a ressurreição e a vida escamoteando
o tempo dividido, eu quero o tempo inteiro.
Sem acabar nunca mais, a mão socando o joelho,
a unha a canivete — a coisa mais viril que eu conheci.
Eu vou querer o prato e a fome,
um dia sem tomar banho,
a gravata pro domingo de manhã,
a homilia repetida antes do almoço:
'conforme diz o Evangelho, meus filhos, se
tivermos fé, a montanha mudará de lugar'.
Quando eu ressuscitar, o que quero é
a vida repetida sem o perigo da morte,
os riscos todos, a garantia:
à noite estaremos juntos, a camisa no portal.
Descansaremos porque a sirene apita
e temos que trabalhar, comer, casar,
passar dificuldades, com o temor de Deus,
para ganhar o céu.

UMA FORMA DE FALAR E DE MORRER

Ele tinha um modo de falar a palavra inabalável.
O 'l' final concluído à moda dos holandeses
que pregaram pra nós, catecismo, missões, missas
                                      [dominicais.
'Inabalável certeza', 'inabalável fé', 'poder inabalável'.
Quando usava esta forte palavra, não a dizia
com a boca de quem come as perecíveis matérias,
ou nomeia o que julga indigno do seu falar, melhor,
por serem as comuns coisas:
malho, bigorna, ferro, o encarregado, o chefe.
'Inabalável',
a língua demorando na base superior dos dentes,
a doutrina exigente necessitando de um mais puro som,
conforme o que exprimia, coisas de Deus,
eternas coisas aterradoras de tão impossível mácula.
Quando a vida abalável enrijeceu seu queixo,
a língua paralisada conformou-se roxa,
a ponta voltada para a raiz dos dentes,
inabalável.

MODINHA

Quando eu fico aguda de saudade eu viro só ouvido.
Encosto ele no ar, na terra, no canto das paredes,
pra escutar nefando, a palavra nefando.
Um homem que já morreu cantava "a flor mimosa
desbotar não pode, nem mesmo o tempo
de um poder nefando" — mais dolorido canta
quem não é cantor.

A alma dele zoando de tão grave, tocável
como o ar de sua garganta vibrando.
No juízo final, se Deus permitisse,
eu acordava um morto com este canto,
mais que o anjo com sua trombeta.

A POESIA

Recita "Eu tive um cão", depois "Morrer dormir", ele dizia.
Eu recitava toda poderosa.
'Eh trem!', ele falava, guturando a risada, os olhos
amiudados de emoção, e começava a dele:
"Estrela, tu estrela, quando tarde, tarde, bem tarde,
brilhaste e volveste o teu olhar para o passado,
recordas-te e dirás com saudade: sim, fui mesmo ingrato.
Mas tu lembrarás que a primavera passa e depois volta
e a mocidade passa e não volta mais".
A última palavra, sufocada. O que estava embaçado
eram seus óculos. Ó meu pai, o que me davas então?
Comida que mata a fome e mais outras fomes traz?
Eu hoje faço versos de ingrato ritmo.
Se os ouvisses por certo me dirias com estranheza e amor:
'Isso, Delão, isso!' O bastante para eu começar
                            [recompensada:
Agora as boas, pai, agora as boas:
"Eu tive um cão", "Estrela, tu estrela".
"Morrer dormir, jamais termina a vida",
jamais, jamais, jamais.

FIGURATIVA

O pai cavando o chão mostrou pra nós,
com o olho da enxada, o bicho bobo,
a cobra de duas cabeças.
Saía dele o cheiro de óleo e graxa,
cheiro-suor de oficina, o brabo cheiro bom.
Nós tínhamos comido a janta quente
de pimenta e fumaça, angu e mostarda.
Pisando a terra que ele desbarrancava aos socavões,
catava tanajuras voando baixo,
na poeira de ouro das cinco horas.
A mãe falou pra mim: 'vai na sua avó buscar polvilho,
vou fritar é uns biscoitos pra nós'.
A voz dela era sem acidez. 'Arreda, arreda',
o pai falava com amor.
As tanajuras no sol, a beira da linha,
o verde do capim espirrando entre os tijolos
da beirada da casa descascada, a menina embaraçada
com a opressão da alegria, o coração doendo,
como se triste fosse.

O SONHO

O reconheci na fração do meu nome,
me chamou como em vida,
a partir da tônica:
'Délia, vem cá'.
Peguei nos pés do catre,
onde jazia sã sua cara doente,
e o fui arrastando por corredores cheios

de médicos, seringas e uniformes brancos.
Depois foi o dia inteiro o peito comprimido,
sua voz no meu ouvido, seus olhos
como só os dos mortos olham
e a esperança, em puro desconforto
e ânsia.

PARA PERPÉTUA MEMÓRIA

Depois de morrer, ressuscitou
e me apareceu em sonhos muitas vezes.
A mesma cara sem sombras, os graves da fala
em cantos, as palavras sem pressa,
inalterada, a qualidade do sangue,
inflamável como o dos touros.
Seguia de opa vermelha, em procissão,
uma banda de música e cantava.
Que cantasse, era a natureza do sonho.
Que fosse alto e bonito o canto, era sua matéria.
Aconteciam na praça sol e pombos
de asa branca e marrom que debandavam.
Como um traço grafado horizontal,
seu passo marcial atrás da música,
o canto, a opa vermelha, os pombos,
o que entrevi sem erro:
a alegria é tristeza,
é o que mais punge.

AS MORTES SUCESSIVAS

Quando minha irmã morreu eu chorei muito
e me consolei depressa. Tinha um vestido novo
e moitas no quintal onde eu ia existir.
Quando minha mãe morreu, me consolei mais lento.
Tinha uma perturbação recém-achada:
meus seios conformavam dois montículos
e eu fiquei muito nua,
cruzando os braços sobre eles é que eu chorava.
Quando meu pai morreu, nunca mais me consolei.
Busquei retratos antigos, procurei conhecidos,
parentes, que me lembrassem sua fala,
seu modo de apertar os lábios e ter certeza.
Reproduzi o encolhido do seu corpo
em seu último sono e repeti as palavras
que ele disse quando toquei seus pés:
'deixa, tá bom assim'.
Quem me consolará desta lembrança?
Meus seios se cumpriram
e as moitas onde existo
são pura sarça ardente de memória.

ALFÂNDEGA

ALFÂNDEGA

O que pude oferecer sem mácula foi
meu choro por beleza ou cansaço,
um dente exraizado,
o preconceito favorável a todas as formas
do barroco na música e o Rio de Janeiro
que visitei uma vez e me deixou suspensa.
'Não serve', disseram. E exigiram
a língua estrangeira que não aprendi,
o registro do meu diploma extraviado
no Ministério da Educação, mais taxa sobre vaidade
nas formas aparente, inusitada e capciosa — no que
estavam certos — porém dá-se que inusitados e capciosos
foram seus modos de detectar vaidades.
Todas as vezes que eu pedia desculpas diziam:
'Faz-se educado e humilde, por presunção',
e oneravam os impostos, sendo que o navio partiu
enquanto nos confundíamos.
Quando agarrei meu dente e minha viagem ao Rio,
pronto a chorar de cansaço, consumaram:
'Fica o bem de raiz pra pagar a fiança'.
Deixei meu dente.
Agora só tenho três reféns sem mácula.

O CORAÇÃO DISPARADO

*Com efeito, eu mesma recebi
do Senhor o que vos transmito.*

Tal em I Coríntios 11,23

QUALQUER COISA É A CASA DA POESIA

LINHAGEM

Minha árvore ginecológica
me transmitiu fidalguias,
gestos marmorizáveis:
meu pai, no dia do seu próprio casamento,
largou minha mãe sozinha e foi pro baile.
Minha mãe tinha um vestido só, mas
que porte, que pernas, que meias de seda mereceu!
Meu avô paterno negociava com tomates verdes,
não deu certo. Derrubou mato pra fazer carvão,
até o fim de sua vida, os poros pretos de cinza:
'Não me enterrem na Jaguara. Na Jaguara, não.'
Meu avô materno teve um pequeno armazém,
uma pedra no rim,
sentiu cólica e frio em demasia,
no cofre de pau guardava queijo e moedas.
Jamais pensaram em escrever um livro.
Todos extremamente pecadores, arrependidos
até a pública confissão de seus pecados
que um deles pronunciou como se fosse todos:
'Todo homem erra. Não adianta dizer eu
porque eu. Todo homem erra.
Quem não errou vai errar.'
Esta sentença não lapidar, porque eivada
dos soluços próprios da hora em que foi chorada,
permaneceu inédita, até que eu,
cuja mãe e avós morreram cedo,
de parto, sem discursar,
a transmitisse a meus futuros,
enormemente admirada
de uma dor tão alta,
de uma dor tão funda,
de uma dor tão bela,
entre tomates verdes e carvão,
bolor de queijo e cólica.

O GUARDA-CHUVA PRETO

Esquecido na mesa,
com o cabo voltado para cima
e as bordas arrepanhadas,
é como seu dono vestido,
composto no seu caixão.
Não desdobra a dobradiça,
não pousa no braço grave
do que, sendo seu patrão,
foi pra debaixo da terra.
Ele vai para o porão.
Existe um retrato antigo
em que posou aberto,
com o senhor moço e sem óculos.
Guarda-chuva, guarda-sol,
guarda-memória pungente
de tudo que foi em nós
um pouco ridículo e inocente.
Guarda-vida, arquivo preto,
cão de luto, cão jazente.

FLORES

A boa-noite floriu suas flores grandes,
parecendo saia branca.
Se eu tocasse um piano elas dançavam.
Fica tão bom o mundo assim com elas,
que nem me desprezo por querer um marido.
Perfumam à noite.
A gaita de um menino que nunca morreu

toca erradinho e doce.
Eu cumpro alegremente minhas obrigações paroquiais
e não canso de esperar;
mais hoje, mais amanhã, qualquer coisa esplêndida
                                          [acontece:
as cinco chagas, o disco voador, o poeta com seu cavalo
relinchando na minha porta.
Desejava tanto tomar bênção de pai e mãe,
juntar uns pios, umas nesgas de tarde,
um balançado de tudo que balança no vento
e tocar na flauta. É tão bom
que nem ligo que Deus não me conceda
ser bonita e jovem
— um dos desejos mais fundos da minha alma.
"O Espírito de Deus pairava sobre as águas..."
Sobre o meu, pairam estas flores
e sou mais forte que o tempo.

A CASA

É um chalé com alpendre,
forrado de hera.
Na sala,
tem uma gravura de Natal com neve.
Não tem lugar pra esta casa em ruas que se conhecem.
Mas afirmo que tem janelas,
claridade de lâmpada atravessando o vidro,
um noivo que ronda a casa
— esta que parece sombria —
e uma noiva lá dentro que sou eu.
É uma casa de esquina, indestrutível.

Moro nela quando lembro,
quando quero acendo o fogo,
as torneiras jorram,
eu fico esperando o noivo, na minha casa aquecida.
Não fica em bairro esta casa
infensa à demolição.
Fica num modo tristonho de certos entardeceres,
quando o que um corpo deseja é outro corpo pra escavar.
Uma ideia de exílio e túnel.

PRIMEIRA INFÂNCIA

Era rosa, era malva, era leite,
as amigas de minha mãe vaticinando:
vai ser muito feliz, vai ser famosa.
Eram rendas, pano branco, estrela dalva,
benza-te a cruz, no ouvido, na testa.
Sobre tua boca e teus olhos
o nome da Trindade te proteja.
Em ponto de marca no vestidinho: navios.
Todos a vela. A viagem que eu faria
em roda de mim.

DOIS VOCATIVOS

A maravilha dá de três cores:
branca, lilás e amarela,
seu outro nome é bonina.
Eu sou de três jeitos:
alegre, triste e mofina,
meu outro nome eu não sei.
Ó mistério profundo!
Ó amor!

SUBJETO

O cheiro da flor de abóbora, a massa de seu pólen,
para mim, como óvulo de coelhas.
— Vinde, zangões, machos tolos,
picar a fina parede que mal segura a vida,
tanto ela quer viver.
Ainda que não vos houvesse
eu fecundaria essas flores com meu nariz proletário.
— Ora, direis, um lírio ignóbil.
Pois vos digo que a reproduzo em ouro
sobre meu vestido de núpcias, meu vestido de noite.
Dentro do quarto escuro
ou na rua sem lâmpadas, de cidade ou memória,
um sol.
Como pequenas luzes esplêndidas.

SOLAR

Minha mãe cozinhava exatamente:
arroz, feijão-roxinho, molho de batatinhas.
Mas cantava.

ESPERANDO SARINHA

Sarah é uma linda menina ainda mal-acordada.
Suas pétalas mais sedosas estão ainda fechadas,
dormindo de bom dormir.
Quando Sarinha acordar,
vai pedir leite na xícara de porcelana pintada,
vai querer mel aos golinhos em colherinha de prata,
duas horas vai gastar fazendo trança e castelos.
Estou fazendo um vestido,
uma tarde linda e um chapéu,
pra passear com Sarinha,
quando Sarinha acordar.

VITRAL

Uma igreja voltada para o norte.
À sua esquerda um barranco, a estrada de ferro.
O sol, a mais de meio caminho para oeste.
Tem uns meninos na sombra.
Eu estou lá com o pé apoiado sobre o dedo grande,

a mão que passei no cabelo,
a um quarto de seu caminho até a coxa,
onde vai bater e voltar, envergonhado passo de balé.
Tudo pulsando à revelia de mim,
bom como um ingurgitamento não provocado do sexo.
A pura existência.

ROÇA

No mesmo prato
o menino, o cachorro e o gato.
Come a infância do mundo.

TEMPO

A mim que desde a infância venho vindo
como se o meu destino
fosse o exato destino de uma estrela
apelam incríveis coisas:
pintar as unhas, descobrir a nuca,
piscar os olhos, beber.
Tomo o nome de Deus num vão.
Descobri que a seu tempo
vão me chorar e esquecer.
Vinte anos mais vinte é o que tenho,
mulher ocidental que se fosse homem
amaria chamar-se Eliud Jonathan.

Neste exato momento do dia vinte de julho
de mil novecentos e setenta e seis,
o céu é bruma, está frio, estou feia,
acabo de receber um beijo pelo correio.
Quarenta anos: não quero faca nem queijo.
Quero a fome.

GRAFITO

Era uma vez um homem sem estudo
que amava discursos.
Tinha o punho firme para murro e ferros,
mas apertava os olhos quando as belas frases,
sua boca se abria um pouco pra escutar:
"...a pátria espera de cada brasileiro
o sacrifício até de suas vidas..."
Isto desengraxava sua alma,
sua unha preta de carvão e poeira.
"...basta, Abraão, olha entre a sarça
o animal para o sacrifício,
poupa teu filho Isaac..."
Sacerdotal como era,
professoral como admirava ser,
exercia a palavra para proveito
de quantos dela vissem e ouvissem.
Com arame, cuja ponta afilou com martelo,
gravou no cimento fresco à porta da cozinha:
FOI NUMA TERÇA-FEIRA DE 24.8.54, QUE,
O SR. GETÚLIO DORNELES VARGAS
RESOLVEU DAR FIM NA SUA VIDA, PRESSISA-MENTE
AS 8 I MEIA HORAS DA MANHÃ.
DEUS CONDUZ SUA ALMA PARA O CÉU...

NEM UM VERSO EM DEZEMBRO

Não quero nunca desejar a morte,
a não ser por santidade, como a chamou Francisco: irmã.
É quase 25 e nem um verso.
Movo as pernas sem conter meus quadris,
como deveria ter feito a vida toda,
pra conquistar o mundo.
Borboletinhas pardas, ciscos, seixos, gravetos,
água de sabão escapando do muro, duram ofertados
enquanto percorro o bairro,
a menina me olha do alpendre ladrilhado
e nem um verso.
Eu primo na minha obra porque é tudo que tenho.
Na casa de três cômodos, de terreirinho escorrido,
a vida é ruim, a alma fica gemendo: ô vida.
Desguio dali uma ideia de suicídio
que paira sobre o telhado junto com a antena do rádio,
mas a ideia volta, e nem um verso.
Preciso me confessar ao homem de Deus:
cometi gula, ansiei pelo detalhe das fraquezas alheias
e mesmo tendo marido explorei meu corpo.
Nem um verso em dezembro, eu que para isso nasci e vim
                                              [ao mundo.
Minha alma quer copular.
Os magos passam de jato, a estrela se esconde,
chove torrencialmente no Brasil.

DISCURSO

Não tinha um adjetivo para o dia e desejei ficar triste.
Fui moer lembranças,
remoê-las com a areia pobre mas grossa
de minha desmesurada moela.
Em mim, tanto faz meu coração ou estômago,
já que nem pra rezar eu sei partir-me.
Como quem junta espigas pro moinho,
juntei uns cheiros de alho, de álcool, de sabonete,
um cheiro-malva de talco, uns gritos,
fezes que se pisou ao redor da casa
com cheiro não tanto repudiável
— podia-se limpá-las, mas não eram execráveis —,
a incúria colateral de vários pâncreas,
o *Trypanosoma cruzi*, várias cruzes no sangue, no exame,
nas covas, nas torres, no cordãozinho de ouro,
na forma de levantar os braços e dizer:
"Ó Pai, duro é este discurso, quem poderá entendê-lo?"
Se abrisse um sol sobre este dia incômodo,
eu rapava com enxada os excrementos,
punha fogo no lixo
e demarcava mais fácil os contornos da vida:
aqui é dor, aqui é amor, aqui é amor e dor,
onde um homem projeta o seu perfil e pergunta atônito:
em que direção se vai?
É às vezes fazendo a barba
ou insistindo no vinco de sua calça branca
que ele quer saber.
É às vezes aparando as unhas,
em nem sempre escolhidas horas,
que ele tem a resposta.
Um adjetivo para o dia, explica.

RUIM

Me apanho composta:
as vísceras, o espírito.
meu ânima em dispneia.
Nem uma seta consigo pintar na estrada.
Ô tristeza, eu digo olhando meu livro.
Ô bobagem.
Ô merda,
polivalentemente, eu digo.
De que me adiantou pegar na mão do poeta
e mandar pra frente da batalha feminista
a mulher do meu amado,
se o que me sobra é um nó,
uma ruga nova,
a lembrança da gafe abominável?
Tudo para encruado.
Nem ao menos o rabo da poesia,
o fedor de vida
que às vezes deixa no ar
seu intestino grosso.
Ô Deus, eu digo enraivada,
esmurrando o ar com meu murrinho de fêmea.
Ó. Ai. Ai ai ai...
Se chovesse ou eu ficasse grávida,
quem sabe?
Na saída da cidade desconhecida
duas placas altas apontavam:
IBES.................ARIBIRI
Um preto no cruzamento
olhava atentamente para o fim dos tempos.
Eu olho meu olho fixo.
Como se não houvesse cantochão nem monges.

UM SILÊNCIO

Ela descalçou os chinelos
e os arrumou juntinhos
antes de pôr a cabeça nos trilhos
em cima do pontilhão,
debaixo do qual passava um veio d'água
que as lavadeiras amavam.
O barulho do baque com o barulho do trem.
Foi só quando a água principiou a tingir
a roupa branca que dona Dica enxaguava
que ela deu o alarme
da coisa horrível caída perto de si.
Eu cheguei mais tarde e assim vi para sempre:
a cabeleira preta,
um rosto delicado,
do pescoço a água nascendo ainda alaranjada,
os olhos belamente fechados.
O cantor das multidões cantava no rádio:
"Aço frio de um punhal foi teu adeus pra mim".

BULHA

Às vezes levanto de madrugada, com sede,
flocos de sonho pegados na minha roupa,
vou olhar os meninos nas suas camas.
O que nessas horas mais sei é: morre-se.
Incomoda-me não ter inventado este dizer lindíssimo:
'Ao amiudar dos galos.' Os meninos ressonam.
Com nitidez perfeita, os fragmentos:
as mãos do morto cruzadas, a pequena ferida no dorso.

A menina que durante o dia desejou um vestido
está dormindo esquecida e isto é triste demais,
porque ela falou comigo: 'Acho que fica melhor com
                                    [babado'
e riu meio sorriso, embaraçada por tamanha alegria.
Como é possível que a nós, mortais, se aumente o brilho
                                    [nos olhos
porque o vestido é azul e tem um laço?
Eu bebo a água e é uma água amarga
e acho o sexo frágil, mesmo o sexo do homem.

TULHA

Ontem de noite a tentação me tentou,
no centro da casa escura, no meio da noite escura.
A noite dura seu tempo, mas a barra do dia barra,
espanca a soberba das trevas.
O que trêmulo e choroso vagou nos cômodos quietos
encontra os pardais palrando,
mulheres com suas trouxas reverberando no sol.
Declaro que a vida é ótima, a realidade múltipla, os
                        [nossos sentidos fracos.
Mais belo que o épico é o homem pacientemente
esperando a hora em que Deus for servido.
Enquanto isso, as andorinhas pousam nos fios, as gotas de
                                    [chuva caem,
Marly Guimarães, esposa de Mário Guimarães,
completa mais um aniversário e na oportunidade
recebe os cumprimentos dos parentes.
Vale a pena esperar, contra toda a esperança,

o cumprimento da Promessa que Deus fez a nossos pais
                                          [no deserto.
Até lá, o sol-com-chuva, o arco-íris, o esforço de amor,
o maná em pequeninas rodelas, tornam boa a vida.
A vida rui? A vida rola mas não cai. A vida é boa.

EH!

Têm cheiro especial
as bolas de carne cozinhando.
O cachorro olha pra gente
com um olho piedoso,
mas eu não dou.
Comida de cachorro é muxiba,
resto de prato.
Se lembro disto de noite
e estou sozinha no quarto
acho muito engraçado
e rio com estardalhaço:
a vida é mesmo uma pândega!
Dona Ló costurou pra dona Corina
que até hoje não pagou.
E bem que pode, já que exibe no lixo
papel higiênico Sublime,
que é do melhor e mais caro.
Mas os meninos se vingam:
có có có có có corina
có có có có có corina
sua roupa de baixo
tem catinga de urina.

O sol se põe intocado
atrás do morro onde ninguém nunca foi.
É brasa sua viva cor. Tem roxos,
uma angústia pendente
que sorvo em goles de antecipada saudade.
Quando a noite fechar,
dona Corina vai dormir com seu Lula,
homem sem fantasia,
que só faz as coisas de um jeito.
Dona Ló é viúva e dorme com Santa Bárbara,
"fulgente margarita que com melodia agradável
segues ao Esposo Cordeiro".
Se não estou compassiva, boto as mãos nas cadeiras
e grito para o Radar: É DEVERA!
Ele bota o rabo entre as pernas
e vai dormir na coberta.
Ai, Deus, minha virgindade se consome
entre precisar de feijão,
pó de café e açúcar.
Tem piedade de mim.

HORA DO ÂNGELUS

A poesia é pura compaixão.
Até grávida posso ficar,
se lhe aprouver um filho apelidado Francisco.
Tem mesmo alguma coisa no mundo
que obriga o mundo a esperar.
O carroceiro pragueja: ô deus,
a minha lida é mais dura

que a lida de um retireiro.
Sem paciência, a beleza turva-se,
esta que sobre as tardes se inclina
e faz defensáveis
areias, ervas, insetos,
este homem que jamais disse a palavra crepúsculo.

REGIONAL

O sino da minha terra
ainda bate às primeiras sextas-feiras,
por devoção ao coração de Jesus.
Em que outro lugar do mundo isto acontece?
Em que outro brasil se escrevem cartas assim:
o santo padre Pio XII deixou pra morrer logo hoje,
último dia das apurações.
Guardamos os foguetes.
Em respeito de sua santidade não soltamos.
Nós vamos indo do mesmo jeito,
nem remamos, nem descemos da canoa.
Esta semana foi a festa de São Francisco,
fiz este canto imitado:
louvado sejas, meu Senhor,
pela flor da maria-preta,
por cujo odor e doçura
as formigas e abelhas endoidecem,
cuja forma humílima me atrai,
me instiga o pensamento
de que não preciso ser jovem nem bonita
para atrair os homens e o que neles

ferroa como nos zangões.
Meu estômago enjoa.
Há circunvoluções intestinas no país.
Queria que tudo estivesse bem.
Queria ficar noiva hoje
e ir sozinha com meu noivo
assistir a Os *cangaceiros* no cinema.
Queria que nossa fé fosse como está escrito:
AQUELE QUE CRÊ VIVERÁ PARA SEMPRE.
Isto é tão espantoso
que me retiro para meditar.
Espero que ao leres esta
estejas gozando saúde,
felicidade e paz junto aos teus.

FOLHINHA

A morte do escritor
não se quer resolver dentro de mim.
Mas não tenho gosto na infelicidade
e por isso busco meu caminho
como um verme sabe do seu, dentro da terra.
Muitas coisas me valem quando Deus fica estranho
e do que é mínimo, às vezes,
vem o desejado consolo.
Informativo Popular Coração de Jesus
é o nome de um calendário de parede.
ABENÇOAI ESTE LAR está escrito nele.
O coração sangra na estampa,
mas o rosto é doce, próprio a enternecer

as mulheres da cozinha, feito eu.
Toquem mal o piano, vou me deliciar
— nada é mesmo perfeito —,
uma gota de mel desce em minha garganta.
No dia 8 de janeiro está escrito na folhinha:
A FÉ GUIOU OS MAGOS — LUA NOVA AMANHÃ.
Lua nova,
que nome mais bonito pra um consolo.

A PROFETISA ANA NO TEMPLO

As fainas da viuvez trabalham uma horta nova.
Quem me condenará por minhas vestes claras?
O recém-nascido vai precisar de faixas.
É um tal amor o que prepara os unguentos
que obriga a divindade a conceder-se.
Até que esmaeçam,
velo as coruscantes estrelas.

CAMPO-SANTO

Na minha terra
a morte é minha comadre.
Subo a rua Goiás, atrás de coisas miúdas,
um chinelo, uma travessa, uma bilha nova,
e, à medida que subo, mais chego perto do campo,
onde dormem sem sobressaltos

o pai, a mãe, a irmã, a menina que no segundo ano
se chamava Teresinha.
A grande tarefa é morrer.
Até lá rondo os muros
e em qualquer parte da cidade oriento-me
pela mão estendida do Cristo de mármore preto
do túmulo do coronel.
No cemitério é bom de passear.
A vida perde a estridência,
o mau gosto ampara-nos das dilacerações.
A gradinha de ferro defende o exíguo espaço,
onde mais exíguos os ossos se confinam,
ossos que andaram, apontaram e voltaram a cabeça
e sustentaram a língua e os olhos e fizeram o arcabouço
para a voz sob o sol: 'santo remédio, erva-de-bicho,
dá na beira do rio'. O mistério não me fulmina
porque a inscrição tem erros e no túmulo de
                        [Maria Antônia
— que morreu por mão do marido —
os pedidos maiores são de emprego.
Enegrecidas de chuva e velas,
adornadas de flores sobre as quais
sem preconceito as abelhas porfiam,
a vida e a morte são uma coisa só.
Se um galo cantar e for domingo,
será tanta a doçura que direi:
vem cá, meu bem, me dá sua mão,
vamos dar um passeio,
vamos passar na casa de tia Zica
pra ver se Tiantônio melhorou.
Ressurgiremos. Por isso
o campo-santo é estrelado de cruzes.

O CORAÇÃO DISPARADO
E A LÍNGUA SECA

MOÇA NA SUA CAMA

Papai tosse, dando aviso de si,
vem examinar as tramelas, uma a uma.
A cumeeira da casa é de peroba-do-campo,
posso dormir sossegada. Mamãe vem me cobrir,
tomo a bênção e fujo atrás dos homens,
me contendo por usura, fazendo render o bom.
Se me tocar, desencadeio as chusmas,
os peixezinhos cardumes.
Os topázios me ardem onde mamãe sabe,
por isso ela me diz com ciúmes:
dorme logo, que é tarde.
Sim, mamãe, já vou:
passear na praça sem ninguém me ralhar.
Adeus, que me cuido, vou campear nos becos,
moa de moços no bar, violão e olhos
difíceis de sair de mim.
Quando esta nossa cidade ressonar em neblina,
os moços marianos vão me esperar na matriz.
O céu é aqui, mamãe.
Que bom não ser livro inspirado
o catecismo da doutrina cristã,
posso adiar meus escrúpulos
e cavalgar no torpor
dos monsenhores podados.
Posso sofrer amanhã
a linda nódoa de vinho
das flores murchas no chão.
As fábricas têm os seus pátios,
os muros têm seu atrás.
No quartel são gentis comigo.
Não quero chá, minha mãe,
quero a mão do frei Crisóstomo

me ungindo com óleo santo.
Da vida quero a paixão.
E quero escravos, sou lassa.
Com amor de zanga e momo
quero minha cama de catre,
o santo anjo do Senhor,
meu zeloso guardador.
Mas descansa, que ele é eunuco, mamãe.

DIA

As galinhas com susto abrem o bico
e param daquele jeito imóvel
— ia dizer imoral —,
as barbelas e as cristas envermelhadas,
só as artérias palpitando no pescoço.
Uma mulher espantada com sexo:
mas gostando muito.

BAIRRO

O rapaz acabou de almoçar
e palita os dentes na coberta.
O passarinho recisca e joga no cabelo do moço
excremento e casca de alpiste.
Eu acho feio palitar os dentes,
o rapaz só tem escola primária

e fala errado que arranha.
Mas tem um quadril de homem tão sedutor
que eu fico amando ele perdidamente.
Rapaz desses
gosta muito de comer ligeiro:
bife com arroz, rodela de tomate
e ir no cinema
com aquela cara de invencível fraqueza
para os pecados capitais.
Me põe tão íntima, simples,
tão à flor da pele o amor,
o samba-canção,
o fato de que vamos morrer
e como é bom a geladeira,
o crucifixo que mamãe lhe deu,
o cordão de ouro sobre o frágil peito
que.
Ele esgravata os dentes com o palito,
esgravata é meu coração de cadela.

CANÍCULA

Ao meio-dia, deságua o amor
os sonhos mais frescos e intrigantes;
estou onde estão as torrentes.
Ao redor da casa grande espaça um quintal sem cercas,
tomado de bananeiras, só bananeiras,
altas como coqueiros.
Chego e é na beira do mar encrespado de correntezas,
sorvedouros azuis.

Há um perigo sobre faixa exígua
que é de areia e é branca.
Quero braceletes
e a companhia do macho que escolhi.

GÊNERO

Desde um tempo antigo até hoje,
quando um homem segura minha mão,
saltam duas lembranças guarnecendo
a secreta alegria do meu sangue:
a bacia da mulher é mais larga que a do homem,
em função da maternidade.
O Osvaldo Bonitão está pulando o muro de dona Gleides.
A primeira, eu tirei de um livro de anatomia,
a segunda, de um cochicho de Maria Vilma.
Oh! por tão pouco incendiava-me?
Eu sou feita de palha,
mulher que os gregos desprezariam?
Eu sou de barro e oca.
Eu sou barroca.

CORRIDINHO

O amor quer abraçar e não pode.
A multidão em volta,
com seus olhos cediços,

põe caco de vidro no muro
para o amor desistir.
O amor usa o correio,
o correio trapaceia,
a carta não chega,
o amor fica sem saber se é ou não é.
O amor pega o cavalo,
desembarca do trem,
chega na porta cansado
de tanto caminhar a pé.
Fala a palavra açucena,
pede água, bebe café,
dorme na sua presença,
chupa bala de hortelã.
Tudo manha, truque, engenho:
é descuidar, o amor te pega,
te come, te molha todo.
Mas água o amor não é.

A MAÇÃ NO ESCURO

Era um cômodo grande, talvez um armazém antigo,
empilhado até o meio de seu comprimento e altura
com sacas de cereais.
Eu estava lá dentro, era escuro,
estando as portas fechadas
como uma ilha de sombra em meio do dia aberto.
De uma telha quebrada, ou de exígua janela,
vinha a notícia da luz.
Eu balançava as pernas,
em cima da pilha sentada,

vivendo um cheiro como um rato o vive
no momento em que estaca.
O grão dentro das sacas,
as sacas dentro do cômodo,
o cômodo dentro do dia
dentro de mim sobre as pilhas
dentro da boca fechando-se de fera felicidade.
Meu sexo, de modo doce,
turgindo-se em sapiência,
pleno de si, mas com fome,
em forte poder contendo-se,
iluminando sem chama a minha bacia andrógina.
Eu era muito pequena,
uma menina-crisálida.
Até hoje sei quem me pensa
com pensamento de homem:
a parte que em mim não pensa e vai da cintura aos pés
reage em vagas excêntricas,
vagas de doce quentura
de um vulcão que fosse ameno,
me põe inocente e ofertada,
madura pra olfato e dentes,
em carne de amor, a fruta.

ESTA SEDE EXCESSIVA

DESENREDO

Grande admiração me causam os navios
e a letra de certas pessoas que esforço por imitar.
Dos meus, só eu conheço o mar.
Conto e reconto, eles dizem 'ahn'.
E continuam cercando o galinheiro de tela.
Falo da espuma, do tamanho cansativo das águas,
eles nem lembram que tem o Quênia,
nem de leve adivinham que estou pensando em Tanzânia.
Afainosos me mostram o lote: aqui vai ser a cozinha,
logo ali a horta de couve.
Não sei o que fazer com o litoral.
Fazia tarde bonita quando me inseri na janela, entre meus
                                                                       [tios,
e vi o homem com a braguilha aberta,
o pé de rosa-doida enjerizado de rosas.
Horas e horas conversamos inconscientemente em
                                                                       [português
como se fora esta a única língua do mundo.
Antes e depois da fé eu pergunto cadê os meus que se
                                                                       [foram,
porque sou humana, com capricho tampo o restinho de
                                                                       [molho na panela.
Saberemos viver uma vida melhor que esta,
quando mesmo chorando é tão bom estarmos juntos?
Sofrer não é em língua nenhuma.
Sofri e sofro em Minas Gerais e na beira do oceano.
Estarreço de estar viva. Ó luar do sertão,
ó matas que não preciso ver pra me perder,
ó cidades grandes, estados do Brasil que amo como se os
                                                                       [tivesse inventado.
Ser brasileiro me determina de modo emocionante
e isto, que posso chamar de destino, sem pecar,

descansa meu bem-querer.
Tudo junto é inteligível demais e eu não suporto.
Valha-me noite que me cobre de sono.
O pensamento da morte não se acostuma comigo.
Estremecerei de susto até dormir.
E no entanto é tudo tão pequeno.
Para o desejo do meu coração
o mar é uma gota.

AUSÊNCIA DA POESIA

Aquele que me fez me tirou da abastança,
há quarenta dias me oprime no deserto.
O político morreu, coitado.
Quis ser presidente e não foi.
Meu pai queria comer.
Minha mãe, peregrinar.
Eu quero a revolução mas antes quero um ritmo.
Ó Deus, meu filho me pede a bênção, eu dou.
Eu que sou mau.
Por que, para mim, nem mel de vespas?
Eu que disse na praça, expondo-me
— dançai maltrapilhos, vamos seguir o tambor,
o Reino é subjacente mas existe —,
não sei responder a este motivo:
'as torres ficam mais eternas às duas horas da tarde'.
Vejo a mangueira contra a nuvem preta,
meu coração se aquece,
mais uma vez me iludo de que farei o poema.
Tudo que aprendeu no bandalho
a marafona convertida faz para o êxtase místico;

mesmo que a costureira chegue na porta da rua
chupando o pilão com a língua,
eu acho bonito.
Me tentam a beleza física, forma concreta de lábios,
sexo, telefone, cartas,
o desenho amargo da boca do *Ecce Homo*.
Ó Deus de Bilac, Abraão e Jacó,
esta hora cruel não passa?
Me tira desta areia, ó Espírito,
redime estas palavras do seu pó.
No país tropical grassa duro inverno.
Estou com meias, paletó e ânsias.

CONTRA O MURO

Pulou no rio a menina
cuja mãe não disse: minha filha.
Me consola, moço.
Fala uma frase, feita com meu nome,
para que ardam os crisântemos
e eu tenha um feliz natal!
Me ama. Os homens de nucas magras
furam os toucinhos com o dedo,
levantam as mantas de carne
e pedem um quilo de sebo.
Toca minha mão.
Quem fez o amor não vazará meus olhos
porque busco a alegria.
A vida não vale nada,
por isso gastei meus bens,

fiz um grande banquete e este vestido.
Olha-me para que ardam os crisântemos
e morra a puta
que pariu minha tristeza.

PORFIA

Inventou-se o ferro de brasa
por causa da Vida Eterna.
Senão, pra que vincar o terno,
se todo fim é madeira carcomida,
ossos tão limpos que dispensam nojo?
Pela mesma razão,
os metafísicos armam seus solilóquios,
os governantes bons governam com justiça,
o meu decote é fundo.
O moço formoso,
meu desejo dele não morre,
está inscrito nas unhas,
cresce com sua raiz.
A mulher pode vinte orgasmos?
De tão tolo esmero não cuido.
Quero amor, o fino amor.
Só suporto sete dores.
Mais uma fico distraída, tocando meu violão.
Cemitério é campo-santo, por isso tanto me atrai,
depois de repugnar.
Nem que insistam, olha onde esteve seu pai:
uma lasca de tábua podre,
tiras de pano e poeira.

Transpôs, eu digo,
este silêncio é engano, é pura expectação,
é o que mesmo sem guizos é esperança.
Eu sei do enterro, do lapso, da autópsia,
conheço o afogado, o cepo, a assinatura falsa.
Mas por que achais que os pêndulos oscilam?
Depois do féretro, o relógio bate,
alguém faz café, todos bebem.
Quisera lamuriar-me, erguer meus braços tentada
a pecar contra o Santo Espírito.
Mas a vida não deixa. E o discurso
acaba cheio de alegria.

CINZAS

No dia do meu casamento eu fiquei muito aflita.
Tomamos cerveja quente com empadas de capa grossa.
Tive filhos com dores.
Ontem, imprecisamente às nove e meia da noite,
eu tirava da bolsa um quilo de feijão.
Não luto mais daquele modo histérico,
entendi que tudo é pó que sobre tudo pousa e recobre
e a seu modo pacifica.
As laranjas freudianamente me remetem a uma fatia de
                                          [sonho.
Meu apetite se aguça, estralo as juntas de boa impaciência.
Quem somos nós entre o laxante e o sonífero?
Haverá sempre uma nesga de poeira sob as camas,
um copo mal lavado. Mas que importa?
Que importam as cinzas,

se há convertidos em sua matéria ingrata,
até olhos que sobre mim estremeceram de amor?
Este vale é de lágrimas.
Se disser de outra forma, mentirei.
Hoje parece maio, um dia esplêndido,
os que vamos morrer iremos aos mercados.
O que há neste exílio que nos move?
Digam-no os legumes sobraçados
e esta elegia.
O que escrevi, escrevi
porque estava alegre.

DOLORES

Hoje me deu tristeza,
sofri três tipos de medo
acrescidos do fato irreversível:
não sou mais jovem.
Discuti política, feminismo,
a pertinência da reforma penal,
mas ao fim dos assuntos
tirava do bolso meu caquinho de espelho
e enchia os olhos de lágrimas:
não sou mais jovem.
As ciências não me deram socorro,
nem tenho por definitivo consolo
o respeito dos moços.
Fui no Livro Sagrado
buscar perdão pra minha carne soberba
e lá estava escrito:

"Foi pela fé que também Sara, apesar da idade avançada,
se tornou capaz de ter uma descendência..."
Se alguém me fixasse, insisti ainda,
num quadro, numa poesia...
e fossem objeto de beleza os meus músculos frouxos...
Mas não quero. Exijo a sorte comum das mulheres nos
                                              [tanques,
das que jamais verão seu nome impresso e no entanto
sustentam os pilares do mundo, porque mesmo viúvas
                                                [dignas
não recusam casamento, antes acham o sexo agradável,
condição para a normal alegria de amarrar uma tira no
                                                [cabelo
e varrer a casa de manhã.
Uma tal esperança imploro a Deus.

A FALA DAS COISAS

Desde toda vida
descompreendi inteligentemente
o xadrez, o baralho,
os bordados nas toalhas de mesa.
O que é isto? eu dizia
como quem se ajeita pra melhor fruir.
Fruir o quê? Eu sei. A mensagem secreta,
o inefável sentido de existir.
Tia Clotilde está desesperada:
'para a minha família Deus não olha'.
Meu amor, quando tira o dia pra chorar,
não quer saber de mim, até que fala:

'abri a porta da rua, achei três bilhas azuis,
como um recado da alegria'.
É sonho, eu sei,
mas nesse dia ele não chora mais.
Se a senhora quiser, depois do almoço,
vamos no ribeirão buscar argila,
areia fina pra arear as panelas.
Olha o céu que se estende sobre nós,
seu manto cor de anil,
sua capa de veludo negro
cravejado de estrelas.
A flor-de-maio, a cravina,
viçam na terra estercada
sobre Totônio bebe,
Válter não para no emprego,
Noêmia quer casar mas não tem sorte.
Tua dor de cabeça tem origem psíquica;
tantos comprimidos à mão,
nenhum para o esquecido calor de entre as pernas,
ai, papai, me deixa namorar,
tem duas borboletas voando agarradinhas!
Meu corpo de velha quer salmodiar.
Quer ter um menino e tece,
faz tachos de doce e borda,
tapa com buchas de pano
as frestas da janela e canta
em meio de tanta dor.
Tendo orvalhado tudo,
a madrugada orvalhou a pimenteira,
cuja flor estremeces, ó minha pobre tia.
Deus mastiga com dor a nossa carne dura,
mas nem por chorar estamos abandonados.
A água do regador alçado sobre as couves
alvoroça os insetos.

A larva na hortaliça nos distrai.
Não inventamos nada.
O ponto de cruz é iluminação do Espírito;
o rei, a dama, o valete, são sérios farandoleiros.
Se nos mastiga com dor,
é por amor que nos come.
Vamos rezar as matinas.

CANTO EUCARÍSTICO

Na fila da comunhão percebo à minha frente uma velha,
a mulher que há muitos anos crucificou minha vida,
por causa de quem meu marido se ajoelhou em soluços
                                        [diante de mim:
'juro pelo *Magnificat* que ela me tentou até eu cair,
peço perdão, por alma de meu pai morto,
pelo Santíssimo Sacramento, foi só aquela vez, aquela
                                            [vez só'.
Coisas atrozes aconteceram.
Até tia Cininha, que morava longe,
deu de aparecer na volta do dia.
Conversávamos a portas fechadas,
ela com um ar no rosto que eu ainda não vira,
zangando pouco com o menino, deixando ele reinar.
Houve punhos fechados, observações científicas
sobre a rapidez com que a brilhantina desaparecia do
                                            [vidro,
sobre como pode um homem, num só dia,
trocar duas camisas limpas.
Irritação, impertinência,

uma juventude amaldiçoada tomando conta de tudo,
uma alegria — que chamei assim à falta de outro nome —
invadindo nossa casa com a sofreguidão das coisas do
[diabo.
Rezei de modo terrível.
O perdão tinha espasmos de cobra malferida
e não queria perdoar,
era proparoxítono, um perdão grifado,
que se avisava perdão.
'Olha, filha, aquela mulher que vai ali
não é digna do nosso cumprimento.'
'Por que, mãe, não é dí-gui-na?'
'Quando você crescer, entenderá.'
Senhor, eu não sou digno
que neste peito entreis,
mas vós, ó Deus benigno,
as faltas suprireis.
Na fila da comunhão cantamos, ambas.
A mulher velha e eu.

PAIXÃO

De vez em quando Deus me tira a poesia.
Olho pedra, vejo pedra mesmo.
O mundo, cheio de departamentos,
não é a bola bonita caminhando solta no espaço.
Eu fico feia, olhando espelhos com provocação,
batendo a escova com força nos cabelos,
sujeita à crença em presságios.
Viro péssima cristã.

Todo dia a essa hora alguém soca um pilão:
em vem o Manquitola, eu penso e entristeço de medo.
'Que dia é hoje?', a mãe fala,
'sexta-feira é mistérios dolorosos.'
A lamparina bruxuleia sua luz já humílima,
estreita de vez o pretume da noite.
Comparece, no acalmado da hora,
o zoado da fábrica em destacado contínuo.
E meu cio que não cessa,
continuo indo ao jardim atrair borboletas
e a lembrança dos mortos.
Me apaixono todo dia,
escrevo cartas horríveis, cheias de espasmos,
como se tivesse um piano e olheiras,
como se me chamasse Ana da Cruz.
Fora os olhos dos retratos,
ninguém sabe o que é a morte.
Sem os trevos no jardim,
não sei se escreveria esta escritura,
ninguém sabe o que é um dom.
Permaneço no alpendre olhando a rua,
vigiando o céu entristecer de crepúsculo.
Quando eu crescer vou escrever um livro:
'Pirilampos é vaga-lume?', me perguntavam admirados.
Sobre um resto de brasas,
o feijão incha na panela preta.
Um pequeno susto, ia longe a cauda da reza.
Os pintos franguinhos
não cabiam todos debaixo da galinha,
ela repiava em cuidados.
Este conto ameaça parar, represado de pedras.
Só quaresmal ninguém suporta ser.
Uma dor tão roxa desmaia,
uma dor tão triste não há.

A cantina das escolas
e a ginástica musicada transmitida no rádio
sustêm a ordem do mundo, à revelia de mim.
Mesmo os grossos nódulos extraídos do seio,
o cobalto e seu raio sobre a carne em dores,
mesmo esses sobre os quais eu lançara a maldição:
não lhes farei um verso; mesmo esses
acomodam-se entre as achas de lenha,
querem um lugar na crucificação.
Foi cheia de soberba que comecei esta carta,
sobrestimando meu poder de gritar por socorro,
tentada a acreditar que algumas coisas,
de fato, não têm páscoa.
Mas o sono venceu-me e esta história dormiu,
uma letra depois da outra. Até que o sol nasceu
e as moscas acordaram.
A vizinha passou mal dos nervos
e me chamaram do muro, com urgência.
A morte deixa retratos, peças de roupa,
remédios pela metade, insetos desorientados
no mar de flores que recobre o corpo.
Este poema visgou-se. Não se despega de mim.
Enfaro dele, de sua cabeça grande;
pego a sacola de compras,
vou passear no mercado.
Mas lá está ele, os cuspos grossos de pinga,
os calcanhares rachados das mulheres,
tostões na palma da mão.
Não é uma vida exemplar esta que tira de um velho
o doce modo de ser um homem com netos.
Minha tristeza nunca foi mortal,
renasce a cada manhã.
O óbito não obsta o repinicado da chuva na sombrinha,
as gotículas,

incontáveis como constelações.
Vou atrás do pio cortejo,
misturo-me às santas mulheres,
enxugo a Sagrada Face.
"Vós todos que passais, olhai e vede,
se há dor tão grande como a minha dor."
'Que dia é hoje?', a mãe fala,
'domingo é mistérios gloriosos.'
O que tem corpo é a alegria.
Só ela fica pendida,
de olhos turvos e boca.
Peito e membros magoados.

ESTREITO

Agosto, agosto,
os torrões estão leves,
ao menor toque se desmancham em pó.
Estrela de agosto,
baça.
Céu que se adensa,
vento.
Papéis no redemoinho levantados,
esta sede excessiva
e ciscos.
Um homem cava um fosso no quintal,
uma ideia má estremece as paredes.

CÓDIGOS

O perfume das bananas é escolar e pacífico.
Quando a mãe disse: filha, vovô morreu, pode falhar de
                                                [aula,
eu achei morrer muito violoncelírico.
Abriam-se as pastas no começo da aula,
os lápis de ponta fresca recendiam.
O rapaz de espinhas me convocava aos abismos,
nem comia as goiabas,
desnorteada de palpitações.
Filho da puta se falava na minha casa,
desgraçado nunca, porque graça é de Deus.
No teatro ou no enterro,
o sexofone me põe atrás do moço,
porque as valsas convergem, os lençóis estendidos,
abril, anil, lavadeira no rio,
os domingos convergem.
O entre-parênteses estaca pra convergir com mais força:
no curso primário estudei entusiasmada o esqueleto
                                [humano da galinha.
Quero estar cheia de dor mas não quero a tristeza.
Por algum motivo fui parida incólume,
entre escorpiões e chuva.

A FALTA QUE AMA

O meu saber da língua é um saber folclórico.
Muitos me arguirão deste pecado.
Não sei o que responder,
uma nuvem me tolda.
Me levanto com a alva,
encontro ameixas maduras no quintal,
uma ave nova que voa
sem fugir de mim.
Nunca fui em Belo Vale,
mas amo esta cidade
porque meu pai passou nela, em romaria,
e voltou falando 'Belo Vale, porque Belo Vale',
este som de leite e veludo.
Quis dizer nêspera e não disse.
Só por causa da música que não entendo
ninguém me apedrejará.
Não invejo os deuses, porque não existem.
Os gênios, sim, os que dizem:
eis a forma nova, fartai-vos.
Como és belo, amado! Belo e perecível!
Tudo é sonho e escândalo,
congênita ambiguidade.
Se pudesse entender: o Filho de Deus é homem.
Mais ainda: o Filho de Deus é verbo,
eu viraria estrela ou girassol.
O que só adora e não fala.

BITOLAS

O mar existindo com este navio imenso,
coitado de quem não viu
e só soube de mar de rosas e rio de enchente parecendo
                                                   [um mar.
O navio apita, dentro dele é grande, dividido em
                                          [cômodos,
tem espaço pra cozinha, piscina, sala de visita,
até capela tem com seu capelão! OHAH!
Tão diverso de anzolinho de piaba e água doce
esta água estendendo-se até dormir de cansaço
e virar país estrangeiro.
Coitados de pai e mãe que morreram sem ver.
Dizem que estrela-do-mar, quando está viva, é um bicho,
depois de seca é que vira enfeite de parede. Tem navio
que cabe essa rua toda de gente.
Eu dou as costas pro mar,
afogada em despeito choro um rio de lágrimas.
Já li 'mar de sargaços'; seja o que for, é belo.
Qualquer homem é estrangeiro, comparado a outro
                                                [homem
que nunca viu sua terra.
Não quero viajar mais. Tenho gravuras do mar e mais
o que me foi dado com pequeno quintal e distraiu meus
                                                    [avós
e foi causa de celebração e motins, juramentos solenes
acompanhados de viola e rostos graves.
Um doou um rim; outro, um lote,
outro me deu o enxoval pra estudar no ginásio
e sofreu até morrer da doença terrível,
sem um ai de sua boca que agravasse o Senhor.
Pecados graves, medo, inocências incríveis cometeram,
espraiaram satisfações por causa da chuva, das galinhas
                                                     [chocando,

por causa das passagens do livro prometendo alegria:
"A figura deste mundo passa, olho humano jamais viu
                    [o que espera os eleitos..."
Não quero saber do mar. No fundo da Mina, em Minas,
também tem frestas de luz.
Queria ser dramática e não sou.
Isto me fez sofrer até agora.
É um córrego, um veio d'água,
um estro pequeno, o meu.
Se o crítico tiver razão,
nunca terei estátua.
Valha-me, pai,
num mar de vaidades não me deixe morrer,
pela vida, entrego os versos todos;
na perna erisipelada
porei compressas quentes.
A noite inteira, se for preciso.

**TUDO QUE EU SINTO
ESBARRA EM DEUS**

FLUÊNCIA

Eu fiz um livro, mas oh, meu Deus,
não perdi a poesia.
Hoje depois da festa,
quando me levantei para fazer café,
uma densa neblina acinzentava os pastos,
as casas, as pessoas com embrulho de pão.
O fio indesmanchável da vida tecia seu curso.
Persistindo, a necessidade dos relógios,
dos descongestionantes nasais.
Meu livro sobre a mesa contraponteava exato
com os pardais, os urinóis pela metade,
o antigo e intenso desejar de um verso.
O relógio bateu sem assustar os farelos sobre a mesa.
Como antes, graças a Deus.

SESTA

O poeta tem um chapéu,
um cinto de couro,
uma camisa de malha.
O poeta é um homem comum.
Mas, quando diz:
a tarde não podia tanger
com "os bandolins e suas doces nádegas",
eu me prostro invocando:
me explica, ó decifrador, o mistério da vida,
me ama, homem incomum.
No oeste de Minas tem um canavial,
onde as folhas se roçam ásperas,

ásperas as folhas da cana-doce roçam-se.
Como agulhas bicando em vidro liso,
o pio das andorinhas dentro da igreja deserta.
Os trinados e as folhas cortam,
entre as canas é doce, doce e fresco,
entre os bancos da igreja.
Repouso lá e cá,
um poder em círculos me dilata,
eu danço na mão de Deus.
Na hora do encantamento,
o reverso do verso dá sua luz:
"os bandolins e suas doces nádegas",
um mistério santíssimo e inteligível.

ÓRFÃ NA JANELA

Estou com saudade de Deus,
uma saudade tão funda que me seca.
Estou como palha e nada me conforta.
O amor hoje está tão pobre, tem gripe,
meu hálito não está para salões.
Fico em casa esperando Deus,
cavacando a unha, fungando meu nariz choroso,
querendo um pôster dele no meu quarto,
gostando igual antigamente
da palavra crepúsculo.
Que o mundo é desterro eu toda vida soube.
Quando o sol vai-se embora é pra casa de Deus que vai,
pra casa onde está meu pai.

ENTREVISTA

Um homem do mundo me perguntou:
o que você pensa de sexo?
Uma das maravilhas da criação, eu respondi.
Ele ficou atrapalhado, porque confunde as coisas
e esperava que eu dissesse maldição,
só porque antes lhe confiara: o destino do homem
[é a santidade.
A mulher que me perguntou cheia de ódio:
você raspa lá? perguntou sorrindo,
achando que assim melhor me assassinava.
Magníficos são o cálice e a vara que ele contém,
peludo ou não.
Santo, santo, santo é o amor, porque vem de Deus,
não porque uso luva ou navalha.
Que pode contra ele o excremento?
Mesmo a rosa, que pode a seu favor?
Se "cobre a multidão dos pecados e é benigno,
como a morte duro, como o inferno tenaz",
descansa em teu amor, que bem estás.

CHORO A CAPELA

O poder que eu quisera é dominar meu medo.
Por este grande dom troco meu verso, meu dedo,
meus anéis e colar.
Só meu colo não ponho no machado,
porque a vida não é minha.
Com um braço só, uma só perna,
ou sem os dois de cada um, vivo e canto.

Mas com todos e medo, choro tanto
que temo dar escândalo a meus irmãos.
Mas venho e vou,
os 'lobos tristes' a seu modo louvam.
Nasci vacum, berro meu
era só por montar, parir, a boa fome,
os júbilos ferozes.
As vacas velhas têm os olhos tristes?
Tristeza é o nome do castigo de Deus
e virar santo é reter a alegria.
Isto eu quero.

IMPROPÉRIOS

Senhor, escutai meu estrondoso medo.
Tal é que nem minha boca se abre,
tanto me espantam os sanitários e seus vasos,
estes que só a flores
e a Vosso Precioso Sangue deveriam remeter-se.
No entanto, até línguas eu queria saber
pra expressar meu horror
nos mil modos que o horror tem.

Quando eu tinha quinze anos minha mãe morreu.
Foi o sofrimento mais lindo,
a verde vida um pasto tão bonito, eu belamente urrei,
bezerra sem sua mãe, apenas.
Hoje, a simples tosse sufoca, mais que a meu peito,
minha alma imortal, e mais feia eu fico que uma feia
                                               [mulher.

Eu não tinha canais, ainda que porosa. Hoje tenho,
de bile, de televisão, por onde os micróbios
e minha própria imagem me excomungam.
Ó Deus anacrônico, vem em meu socorro, como vinhas,
da mais eterna forma: o menino quer ser feliz com seu
                                                              [arco.

Que bom é suar na tarde e gritar: mãe, cê tá aí, mãe?
A morte veio e vem, mas se devem alçar os caixões
e com passo de marcha carregá-los, chorando sim,
mas como quem leva espigas para o campo.

Me estende Senhor Tua mão de ferreiro
que segura trens e navios, puxa pelo nariz os aviões.
Que boa é a vida se não me abandonas.
Um violino muito ao longe chora,
silente e vagarosa chega a noite.
A hora, o açoite, que valem?
se Vos tenho a meu lado, ó meu Pastor.

A POESIA, A SALVAÇÃO E A VIDA

Seo Raul tem uma calça azul-pavão
e atravessa a rua de manhã
pra dar risada com o vizinho.
Negro bom.
O azul da calça de seo Raul
parece foi pintado por pintor;
mais é uma cor que uma calça.
Eu fico pensando:
o que é que a calça azul de seo Raul
tem que ver com o momento
em que Pilatos decide a inscrição
JESUS NAZARENUS REX JUDEORUM.

Eu não sei o que é,
mas sei que existe um grão de salvação
escondido nas coisas deste mundo.
Senão, como explicar:
o rosto de Jesus tem manchas roxas,
reluz o broche de bronze
que prende as capas nos ombros dos soldados romanos.
O raio fende o céu: amarelo-azul profundo.
Os rostos ficam pálidos, a cor da terra,
a cor do sangue pisado.
De que cor eram os olhos do centurião convertido?
A calça azul de seo Raul
pra mim
faz parte da Bíblia.

A POESIA, A SALVAÇÃO E A VIDA II

Eu vivo sob um poder
que às vezes está no sonho,
no som de certas palavras agrupadas,
em coisas que dentro de mim
refulgem como ouro:
a baciinha de lata onde meu pai
fazia espuma com o pincel de barba.
De tudo uma veste teço e me cubro.
Mas, se esqueço a paciência,
me escapam o céu
e a margarida-do-campo.

FRATERNIDADE

Um dia
um padre que fazia milagres
deu sua bênção pro povo:
mulheres de cabacinha de ouro na orelha,
homens de camisa cor-de-rosa,
menino de todo jeito e de terninho.
Galho de funcho, arruda, manjericão,
cheiravam junto com o povo apertado no pátio.
Tudo ótico, olfático, escatológico.
A paciência de Deus sentou de pernas cruzadas
na platibanda da igreja. Com uma mão pitava,
com a outra segurava o joelho,
piscando um código pra Murilo Mendes
que rolava de rir.

APELAÇÃO

É bom que uma vez se tenha usado bainha em calças.
No Juízo Final nos servirá de defesa.
Em algumas coisas fomos tão inocentes...
Houve, é certo, sob nossos telhados
ruidoso desamor,
fel em gotas de silêncio segregado.
Mas fazemos laços tão honestos com os cordões dos
                                        [sapatos
e é tão coitado o nó de uma gravata
que ao pescoço logo se perdoa.
Mais Deus nos perdoará,
Ele que sabe o que fez: 'homem humano'.

A boca que comeu e mentiu come Seu Corpo Santo.
Eu não sei o que digo,
mesmo se o que falo é:
Não sou digno, Senhor.

ORAÇÃO

Horizontina é gorda,
mas é com desvelo que seus pais a amam,
eles que só compram livros didáticos:
'Já tomou seu leite, filhinha?'
De que vale pagar o dízimo da menta e da arruda
se meu coração não se desdobra?
Já vi um homem sofrido ficar feliz de repente
e puxar uma fumaça no pito
como se visse no céu as trombetas da parusia,
ele que não sabe dos místicos:
"nem todo o que diz Senhor, Senhor,
entrará no Reino".
Eu Vos peço perdão
por ter amado mal.

A CARNE SIMPLES

Na cama larga e fresca
um apetite de desespero no meu corpo.
Uivo entre duas mós.

Uivo o quê?
A mão de Deus que me mói e me larga na treva.
Na boca de barro, barro.
Quando era jovem
pedia cruz e ladrões pra guarnecer meus flancos.
Deus era fora de mim.
Hoje peço ao homem deitado do meu lado:
me deixa encostar em você
pra ver se eu durmo.

O ANTIGO E O NOVO TESTAMENTO

As filhas do sô João Lobo
morreram de raio, as duas.
Chilapt! ele fez caindo do céu,
clareando e assustando eu com minha mãe
mais meu avô no terreiro.
Aconteceu alguma coisa, ele falou.
Só então a raiva de Deus estrondou:
Senhor meu Jesus Cristo Deus e homem
verdadeiro, meu intestino desata-se,
pesa-me de Vos ter ofendido, o meu
coração desfalece, pesa-me também por
ter perdido o céu e merecido o inferno.
Rosa morreu costurando,
Maria com um pano branco em volta do seu pescoço,
o pente-fino na mão.
Hoje tem para-raio na Vila Belo-Horizonte
e esta oração que eu faço, quando a faísca navega
azulando a cerca de arame:
louvado sejas, meu Senhor, pelo fragor e a luz,

bendito o que vem de Tua mão, morte ou vida.
Mais me colhe Teu amor que a força da tempestade.
Os elementos Te louvem em fúria ou calma.
Diga eu sim ao Teu chamado,
venha Tua voz do trovão
ou de entre as flores do prado.

UM HOMEM HABITOU UMA CASA

A graça da morte, seu desastrado encanto
é por causa da vida,
porque o céu fica a oeste da casa de meu pai,
onde moram: toda a riqueza do mundo e minha alma.
Lá tem um canto na parede
pra onde eu vou escondida comer com o prato na mão,
de onde vejo Jerusalém, as cúpulas faiscando,
a Rosa de Jericó desabrochada.
Daquele ângulo,
as doenças graves ficam domesticadas,
inocentes ficam minha prima e seus cinco filhos
                                [bastardos.
O tiro, o álcool, a imprecação, mesmo o medo
assentam na caneca de chá,
no fundo grosso de misericórdia e açúcar,
incansável paciência.
As ervas de remédio machucadas põem cheiro na
                                [santidade
no esforço de repetir: sim, meu Deus,
sim, meu corpo fraco,
sim, que saudade da bicicleta,
de sair pra rua sacudindo

meu invencível poder sobre buracos e pedras,
sim, a juventude me comove tanto,
sim, minha fadiga que nem tanta é,
comparada à que na cruz, ó meu Pai, padeceste por mim.
O corpo sente dores?
Eu comia assim:
arroz, feijão, cebola crua,
mas o prato tinha a beirada bordada.
A colher oxidava,
mas, no cabo, miosótis gravados.
O corpo sente alegrias, a língua as come
claras, quentes, indubitáveis como sóis.
Morre-se?
As matemáticas eu entendo mais.

GREGORIANO

O que há de mais sensual?
Os monges no cantochão.
Espalmo como só pode fazê-lo
uma flor toda aberta.
desperta a espumilha-rosa
contra o melancólico e o cinza.
"Um dia veremos a Deus com nossa carne."
Nem é o espírito quem sabe,
é o corpo mesmo,
o ouvido,
o canal lacrimal,
o peito aprendendo:
respirar é difícil.

TRÊS MULHERES E UMA QUARTA

Arnalda, Alice e Armantilda
são três mulheres piedosas
que amam passar as tardes no serviço do templo.
Arnalda, forte e bruta,
lava teto, piso e paredes,
lustra sacrário e átrio.
Alice é para as flores:
a espécie conforme o jarro
e o calendário litúrgico.
Armantilda é para adorar.
O Senhor ama igualmente as três,
mas simpatiza mais com Araceli.
À uma e meia da tarde elas vêm
com balde, rosário e rosas,
Araceli com seu nariz.
Ai que cheiro, ela diz:
poeira, flor murcha e incenso,
o sovaco de Deus.
Ai que cheiro, ela diz,
louvado seja!
Quando ela chega, desacomoda o pó
de entremeio-os-dedos das imagens,
os toquinhos de vela crepitam e morrem,
arroxeiam de vez as rosas de remédio na jarrinha.
Araceli cheira e cata,
feliz como um cachorro, e sai
com o lixo sagrado dela.

GRAÇA

O mundo é um jardim. Uma luz banha o mundo.
A limpeza do ar, os verdes depois das chuvas,
os campos vestindo a relva como o carneiro a sua lã,
a dor sem fel: uma borboleta viva espetada.
Acodem as gratas lembranças:
moças descalças, vestidos esvoaçantes,
tudo seivoso como a juventude,
insidioso prazer sem objeto.
Insisto no vício antigo — para me proteger do inesperado
                                              [gozo.

E a mulher feia? E o homem crasso?
Em vão. Estão todos nimbados como eu.
A lata vazia, o estrume, o leproso no seu cavalo
estão resplandecentes. Nas nuvens tem um rei, um reino,
um bobo com seus berloques, um príncipe. Eu passeio
                                              [nelas,
é sólido. O que não vejo, existindo mais que a carne.
Esta tarde inesquecível Deus me deu. Limpou meus olhos
                                              [e vi:
como o céu, o mundo verdadeiro é pastoril.

INSTÂNCIA

Eu cometi pecados,
por palavras, por atos, omissões.
Deles confesso a Deus,
à Virgem Maria, aos santos,
a São Miguel Arcanjo
e a vós irmãos.
A tão criticável tristeza
e seu divisível ser
pelejam por abotoar em mim
seu colar de desespero.
Mas eu peço perdão:
a Deus e a vós, irmãos.
O meu peito está nu como quando nasci;
em panos de alegria me enrolou minha mãe,
beijou minha carne estragável,
em minha boca mentirosa espremeu seu leite,
por isso sobrevivi.
Agora vós, irmãos, perdoai-me,
por minha mãe que se foi.
Por Deus que não vejo, perdoai-me.

O PODER DA ORAÇÃO

Em certas manhãs desrezo:
a vida humana é muito miserável.
Um pequeno desencaixe nos ossinhos
faz minha espinha doer.
Sinto necessidade de bradar a Deus.
Ele está escondido, mas responde curto:

'brim coringa não encolhe'.
E eu entendo comprido
o comovente esforço da humanidade
que faz roupa nova para ir na festa,
o prato esmaltado onde ela ama comer,
um prato fundo verde imenso mar cheio de estórias.
A vida humana é muito miserável.
'Brim coringa não encolhe'?
Meu coração também não.
Quando em certas manhãs desrezo
é por esquecimento,
só por desatenção.

FOTOGRAFIA

Quando minha mãe posou
para este que foi seu único retrato,
mal consentiu em ter as têmporas curvas.
Contudo, há um desejo de beleza no seu rosto
que uma doutrina dura fez contido.
A boca é conspícua,
mas as orelhas se mostram.
O vestido é preto e fechado.
O temor de Deus circunda seu semblante,
como cadeia. Luminosa. Mas cadeia.
Seria um retrato triste
se não visse em seus olhos um jardim.
Não daqui. Mas jardim.

UM BOM MOTIVO

O Presidente morre.
Choro querendo o meu choro o mais definitivo de todos
e esta mesma vaidade choro.
Poetas antes de mim choraram e melhor e mais belo
e mais profundamente, não apenas a morte do rei,
mas a minha, a tua, a própria morte deles,
a condição miserável de ser homem. No entanto,
as razões de chorar não se acabaram.
O meu poder é pouco, governo sobre algumas lembranças:
um prato, uma toalha de mesa, um domingo,
cascas de laranja fresca recendendo.
O Bem e o Mal me escapam, mesmo e porque me
                                            [habitam.
Me escapam o dia, a hora, as horas,
escrevo o poema e iludo-me de que escapei à tristeza.
Só a tornei ritmada, talvez mais leve.
Por torná-la bela, suportável, me empenho
e por tal razão sem razão mais choro.
O Presidente morre: é tristíssimo.
'Carneiro primaveril com favas':
quem a esta hora se anima aos livros de culinária?
O sexo automovente pende, para baixo pesa, murchado.
Lua é planeta, violão é madeira e cordas.
Aproveito que o Presidente morre
e choro as cáries nos dentes, as pernas varicosas,
a saia feia atravessando a rua, o cotovelo humilhado,
a cabeça cheia de *bobbies*, coroada.
Choro porque vou me refazer e dar risadas
e perguntar incorrigivelmente pelas fases da lua
e semear flores e plantar hortaliças.
Choro porque reincido no prazer como os meninos
e isto, depois de velha, mortifica-me.

Choro por me ter humilhada em razão da alegria,
o coração orgulhoso, sem simplicidade.
O Presidente morre: é um bom motivo.
Aproveito e choro o povo brasileiro,
o Cruzeiro do Sul, que, só agora percebo,
poderia não nos pertencer.
A Terra de Vera Cruz, a Terra de Santa Cruz,
a carta de Caminha, admiravelmente precedendo-nos:
"É um país que vai pra frente, Senhor meu Rei."
A Terra das Palmeiras a cuja sombra soluço, incongruente.
Por nascimento e gosto, por destino, agora por dura
                              [escolha
desejo o sabiá, o Presidente vivo, o peixe vivo,
meu pai vivo gritando viva arroucado de tão alto:
VIVA! VIVA! VIVA!
É difícil morrer com vida,
é difícil entender a vida,
não amar a vida, impossível.
Infinita vida que para continuar desaparece
e toma outra forma e rebrota,
árvore podada se abrindo,
a raiz mergulhada em Deus. Ó Deus,
o globo do meu olho dói, apertado de choro,
a minha alma está triste, desejo largar o emprego,
que os de minha casa, hoje, comam frio.
Não me banho, não me penteio, não recebo ninguém,
uma pequena vingança contra a dor de viver.
O que é entristecível continuará,
o que é risível, deleitoso, também.
Continuará a vida, repetitiva.
Novíssima continuará a vida.
Só vida. Nua. Vida.
Quem foi vivo uma vez disse a palavra Cruz,
disse a palavra Pai, inclinando a cabeça,

173

uma vez disse, do fundo do seu cansaço:
'Ó meu Deus' e desejou dar seu reino
pela simples morada da alegria.
Ó Senhor, consola-nos, tem piedade de nós.
"A vitória provém de Tua Mão,
de Teu Braço divino."

ATALHO

Nós não somos capazes da verdade,
os antinaturais por natureza.
Sofremos e procuramos.
Daí os eremitérios, as siglas,
diversos estatutos e estandartes.
Acontece, de pura misericórdia, um descanso:
uma borboleta amarela pousa na nossa mão
e, pra nosso susto, permanece sem medo;
olhamos o céu e dizemos do nosso terreiro:
é pra lá que se vai, depois de tudo.
De puro orgulho eu queria ser pobre,
de visceral preguiça, pedra.
Contudo explico, desentendo, procuro incansavelmente
a ponta da meada de seda,
o fundo da agulha de prata
que borda a blusa de Deus
que está no trono sentado
com olhar compassivo e ardente coração.
Eu quero amor sem fim. Deus dá?
Eu quero comida quente. Deus dá?
Aprecio as dificuldades e respectivos auxílios,
me esperando lá fora a luz do dia,

quando eu sair da floresta aonde eu fui passear
com medo da boicininga e da cobra píton
e não fiz nada demais: só fiquei com o moço na grama,
nossos rostos muitos próximos,
transida.
Se tirasse as cobras do conto ia ficar perfeito.
Não tiro e sei bem por quê.
De Deus assim não tenho medo e gosto
mas se Ele disser:
'vem pro Carmelo estudar Tomás de Aquino, Luzia
                                        [rebelde',
eu fico trêmula e pretensiosa
de fazer cada uma mais maravilhante
de me tirar o tempo para ser feliz.
Do meu jeito, não.
Pego o trilho no pasto e vou saudando:
'Bom dia, compadre; bom dia, comadre,
seus patinho tão bons?'
Meus peitos duros de leite,
as ancas duras, rapaz.
Benzinho-de-espinho me pega, carrapicho,
a tarde doura.
Caçar ninho de galinha é bom,
é bom chá de amor-deixado.
Eta-vida-margarida que eu resolvo por álgebra.
Me dá um meu sono e eu vou dormir virada pra parede.
Onde tem um descascado eu ponho os olhos,
tem um mosquitinho tonto,
um cheiro de telha
e Deus resplandecendo em Sua glória.

TERRA DE SANTA CRUZ

TERRITÓRIO

...Os tristes e alegres sofrimentos da gente...
João Guimarães Rosa

A BOCA

Se olho atentamente a erva no pedregulho
uma voz me admoesta: mulher! mulher!
como se me dissesse: Moisés! Moisés!
Tenho missão tão grave sobre os ombros
e quero só vadiar.
Um nome para mim seria A BOCA
ou A SARÇA ARDENTE E A MULHER CONFUSA
ou ainda e melhor A BOBA GRAVE.
Gosto tanto de feijão com arroz!
Meu pai e minha mãe que se privaram
da metade do prato para me engordar
sofreram menos que eu.
Pecaram exatos pecados,
voz nenhuma os perseguiu.
Quantos sacos de arroz já consumi?
Ó Deus, cujo Reino é um festim,
a mesa dissoluta me seduz,
tem piedade de mim.

TROTTOIR

Minhas fantasias eróticas, sei agora,
eram fantasias de céu.
Eu pensava que sexo era a noite inteira
e só de manhãzinha os corpos despediam-se.
Para mim veio muito tarde
a revelação de que não somos anjos.
O rei tem uma paixão — dizem à boca pequena —,
regozijo-me imaginando sua voz,

sua mão desvencilhando da fronte a pesada coroa:
'Vem cá, há muito tempo não vejo uns olhos castanhos,
tenho estado em guerras...'
O rei desataviado,
com seu sexo eriçável mas contido,
pertinaz como eu em produzir com voz,
mão e olhos quase extáticos um vinho,
um sumo roxo, acre, meio doce,
embriaguez de um passeio entre as estrelas.
À voz apaixonada mais inclino os ouvidos,
aos pulsares, buracos negros no peito,
rápidos desmaios,
onde esta coisa pagã aparece luminescente:
com ervas de folhas redondinhas
um negro faz comida à beira do precipício.
À beira do sono, à beira do que não explico
brilha uma luz. E de afoita esperança
o salto do meu sapato no meio-fio
bate que bate.

O ESPÍRITO DAS LÍNGUAS

A propósito de músicos, ginastas, coreógrafos
digo na minha língua:
PUXA VIDA! VAI SER ARTISTA ASSIM NO
INFERNO!
É português como se fora russo.
Descuidada de que me entendam ou não,
falo as palavras,
para mim também e primeiro,

incompreensíveis.
As artes falam humanês,
também as caras dos homens
escrevem o mesmo código.
O que é PUXA VIDA
VAI SER ARTISTA ASSIM NO INFERNO?
Só expressam as línguas nas clareiras
que o choque de uma palavra abre na outra.
Na Bulgária, certamente traduz-se PUXA VIDA
por: BERIMBAU! FILIGRANAS DE RENDA!
Compreender o que se fala
é esbarrar na sem caráter,
inominável, corisca poesia.

CACOS PARA UM VITRAL

Existe mesmo o Japão?
E um país que não conheço, com seu litoral deserto?
Entre as coxas é público. Público e óbvio.
Quero é teu coração, o fundo dos teus dois olhos
que só faltam falar.
Mira-me en *español!* pra ver se não estalo os dedos
e saio dançando em vermelho.
Fechei os olhos no sol, vi a forma-prima
por um segundo só e esqueci.
Como existiram os santos, Deus existe
e com um poder de sedução indizível.
Quem fez o ouro foi Ele, quem deu tino ao homem
pra inventar o cordão que se põe no pescoço.
Dito assim é tão puro, quase não vejo culpa

em comprar um pra mim.
Tenho os mesmos desejos de trinta anos atrás,
imutáveis como os mosquitos na cozinha ensolarada,
minha mãe fazendo café
e meu pai sentado, esperando.

A FACE DE DEUS É VESPAS

Queremos ser felizes.
Felizes como os flagelados da cheia,
que perderam tudo
e dizem-se uns aos outros nos alojamentos:
'Graças a Deus, podia ser pior!'
Ó Deus, podemos gemer sem culpa?
Desde toda a vida a tristeza me acena,
o pecado contra Vosso Espírito
que é espírito de alegria e coragem.
Acho bela a vida e choro
porque a vida é triste,
incruenta paixão servida de seringas,
comprimidos minúsculos e dietas.
Eu não sei quem sou.
Sem me sentir banida experimento degredo.
Mas não recuso os marimbondos armando suas caixas
porque são alegres como posso ser,
são dádivas,
mistérios cuja resposta agora é só uma luz,
a pacífica luz das coisas instintivas.

MÓBILES

Que belo poema se poderia escrever.
Coisas espicaçadoras não faltam,
hortigranjeiros esperando transporte
e tudo que é necessário:
tenho que fazer o almoço.
Ou supostamente ético:
batia gente na porta,
Tialzi no corador virava as calcinhas todas
de modo a esconder o fundo.
Uma laranjeira rebrota,
preciosa árvore do mato dá espinhos,
folhinhas miúdas, flores cujas pétalas
são fios agrupados em contas de odorífero ouro.
Elas explicam o mundo como os pintinhos explicam,
perfeitos até as unhas, emplumados, vivos,
invencível delicadeza
que homem algum já fez com sua mão.
Surpreendido de noite com a mão nos ouvidos,
o moço dizia: não durmo, é a música do bar,
este galo seu que canta fora de hora.
Mentira. É por causa da vida que não dorme,
da zoeira sem fim que a vida faz.
Quer casar e não pode,
seu emprego é mau,
seu pâncreas, ingrato e preguiçoso.
Eu me casei e tenho a mesma medida de aflição.
O dia passa, a noite, saio da sombra e digo:
é só isso que eu quero,
ficar no sol até enrugar o couro.
Mas vai-se o sol também atrás do morro,
a noite vem e passa sobre mim
que longe de espelhos alimento sonhos

quanto a viagens, glórias,
homens raros me ofertando colares, palavras
que se podem comer, de tão doces,
de tão aquecidas, corporificadas.
A parreira verga de flores,
eu durmo inebriada,
achando pouca a beleza do mundo,
ansiando a que não passa nem murcha
nem fica alta, nem longe,
nem foge de encontrar meu duro olhar de gula.
A beleza imóvel,
a cara de Deus que vai matar minha fome.

AMOR

A formosura do teu rosto obriga-me
e não ouso em tua presença
ou à tua simples lembrança
recusar-me ao esmero de permanecer contemplável.
Quisera olhar fixamente a tua cara,
como fazem comigo soldados e choferes de ônibus.
Mas não tenho coragem,
olho só tua mão,
a unha polida olho, olho, olho e é quanto basta
pra alimentar fogo, mel e veneno deste amor incansável
que tudo rói e banha e torna apetecível:
caieiras, desembocaduras de esgotos,
ideia de morte, gripe, vestido, sapatos,
aquela tarde de sábado,
esta que morre agora antes da mesa pacífica:
ovos cozidos, tomates,

fome dos ângulos duros de tua cara de estátua.
Recolho tamancos, flauta, molho de flores, resinas,
rispidez de teu lábio que suporto com dor
e mais retábulos, faca, tudo serve e é estilete,
lâmina encostada em teu peito. Fala.
Fala sem orgulho ou medo
que à força de pensar em mim sonhou comigo
e passou um dia esquisito,
o coração em sobressaltos à campainha da porta,
disposto à benignidade, ao ridículo, à doçura. Fala.
Nem é preciso que amor seja a palavra.
'Penso em você' — me diz e estancarei os féretros,
tão grande é minha paixão.

O AMOR NO ÉTER

Há dentro de mim uma paisagem
entre meio-dia e duas horas da tarde.
Aves pernaltas, os bicos mergulhados na água,
entram e não neste lugar de memória,
uma lagoa rasa com caniços na margem.
Habito nele, quando os desejos do corpo,
a metafísica, exclamam:
como és bonito!
Quero escavar-te até encontrar
onde segregas tanto sentimento.
Pensas em mim, teu meio-riso secreto
atravessa mar e montanha,
me sobressalta em arrepios,
o amor sobre o natural.

O corpo é leve como a alma,
os minerais voam como borboletas.
Tudo deste lugar
entre meio-dia e duas horas da tarde.

CASAMENTO

Há mulheres que dizem:
Meu marido, se quiser pescar, pesque,
mas que limpe os peixes.
Eu não. A qualquer hora da noite me levanto,
ajudo a escamar, abrir, retalhar e salgar.
É tão bom, só a gente sozinhos na cozinha,
de vez em quando os cotovelos se esbarram
ele fala coisas como 'este foi difícil',
'prateou no ar dando rabanadas'
e faz o gesto com a mão.
O silêncio de quando nos vimos a primeira vez
atravessa a cozinha como um rio profundo.
Por fim, os peixes na travessa,
vamos dormir.
Coisas prateadas espocam:
somos noivo e noiva.

TANTA SAUDADE

No coração do irrefletido mau gosto
a alegria palpita.
Montes de borboletas entram janela adentro
provocando coceiras, risos, provocando beijos.
Como nós nos amamos e seremos felizes!
Ah! Minha saia xadrez com minha blusa de listras...
Faço um grande sucesso na janela
fingindo que olho o tempo, ornada de tanajuras.
Papai tomou banho hoje,
quer vestir sua camisa azul de anil,
fio sintético transparente, um bolsinho só.
Quem me dera um só dia
dos que vivi chorando em minha vida
quando éreis vivos, ó meu pai e minha mãe.

A MENINA E A FRUTA

Um dia, apanhando goiabas com a menina,
ela abaixou o galho e disse pro ar
— inconsciente de que me ensinava —
'goiaba é uma fruta abençoada'.
Seu movimento e rosto iluminados
agitaram no ar poeira e Espírito:
o Reino é dentro de nós,
Deus nos habita.
Não há como escapar à fome da alegria!

LEMBRANÇA DE MAIO

Meu coração bate desamparado
onde minhas pernas se juntam.
É tão bom existir!
Seivas, vergônteas, virgens,
tépidos músculos
que sob as roupas rebelam-se.
No topo do altar ornado
com flores de papel e cetim
aspiro, vertigem de altura e gozo,
a poeira nas rosas, o afrodisíaco,
incensado ar de velas.
Santa sobre os abismos,
à voz do padre abrasada
eu nada objeto,
lírica e poderosa.

LAPINHA

Quando éramos pobres e eu menina
era assim o Natal em nossa casa:
quatro semanas antes
a palavra ADVENTO sitiava-nos,
domingo após domingo.
Comeríamos melhor naquele dia,
seríamos pouco usuais:
vinho, doces, paciência.
Porque o MENINO estremecia no feno
e nos compadecíamos de Deus até as lágrimas.
Olhando a manjedoura, o que eu sentia

— sem arrimo de palavras —
era o que sinto ainda:
'O desejo de esbeltez será concretizado.'
À luz que não tolera excessos,
o musgo, a areia, a palha cintilavam,
a pedra. Eu cintilava.

OS TIRANOS

Joaquim meu tio foi imperturbável ditador.
Só uma de minhas primas se atreveu a casar-se.
As outras ficaram pra lhe honrar a memória
com azedumes e pequenos delírios.
Produzem crochê e hilaridade contando-se anedotas,
virtude e paciência que desperdiçam
por equivocado orgulho, irado catolicismo.
Em bordados e haveres gastam a amargura recíproca:
o galinheiro é de Alvina,
o canteiro é de Rosa,
o guaraná é de Marta
na geladeira de Aurora.
Não pisaram na igreja no casamento da irmã.
Tia Zilá dá sinais de cansaço,
breve estará na Glória.
Não tendo a quem mais servir,
as primas vão brigar empunhando
rosários, agulhas, maçanetas.
Mas, se baterem à porta, servirão biscoitos
e a anedota do rato equilibrista, que solicito sempre:
'Um dia papai estava dormindo no quartinho da sala,

acordou com um barulhinho tin-tin, tin-tin-tão...'
Me comovem as primas, os tios emoldurados na parede,
os ratos na batalha campal daquela casa
caçando pra roer os restos
do que, apesar de tudo, foi amor.

UNS OUTROS NOMES DE POESIA

Queria uma cidade abandonada
para achar coisas nas casas, objetos de ferro,
um quadro interessantíssimo na parede,
esquecidos na pressa.
Mas, sem guerra aparente e com a vida tão cara,
quem deixa para trás uma agulha sequer?
Eu acho coisas é no meu sonho,
no rico porão do sonho,
coisas que não terei.
Toda a vida resisti a Platão, a seus ombros largos,
à sua república aleijada, donde exilou os poetas.
Contudo, erros de tradução são ordinários,
eu não sei grego,
eu não comi com ele um saco de sal.
Por isso o que ele disse e o que eu digo
é carne dada às feras,
menos o que sonhamos.
Ninguém mente no sonho,
onde tudo está nu e nós desarmados.
O mito que ele escreveu — quem sabe a contragosto? —
é tal qual o que digo:
na garganta do morto tem um buraco tão grande
como o Vale de Josafá onde seremos julgados.

Não há no mundo poder que nos conteste
quando o discurso é sobre luz e sombra,
crina e focinho orvalhados.
Contra isso as hostes se enfurecem
e os legistas escondem por escusos motivos
a fotografia do suposto suicida.
Ah, mas o amor em que não creem
continua impassível gerando sentenças justas,
gerando bênçãos, amantes,
apesar do morto e seu pescoço arruinado.

O ALFABETO NO PARQUE

Eu sei escrever.
Escrevo cartas, bilhetes, lista de compras,
composição escolar narrando o belo passeio
à fazenda de vovó que nunca existiu
porque ela era pobre como Jó.
Mas escrevo também coisas inexplicáveis:
quero ser feliz, isto é amarelo.
E não consigo, isto é dor.
Vai-te de mim, tristeza, sino gago,
pessoas dizendo entre soluços:
'Não aguento mais.'
Moro num lugar chamado globo terrestre
onde se chora mais
que o volume das águas denominadas mar,
para onde levam os rios outro tanto de lágrimas.
Aqui se passa fome. Aqui se odeia.
Aqui se é feliz, no meio de invenções miraculosas.

Imagine que uma dita roda-gigante
propicia passeios e vertigens entre
luzes, música, namorados em êxtase.
Como é bom! De um lado os rapazes,
do outro as moças, eu louca pra casar
e dormir com meu marido no quartinho
de uma casa antiga com soalho de tábua.
Não há como não pensar na morte,
entre tantas delícias, querer ser eterno.
Sou alegre e sou triste, meio a meio.
Levas tudo a peito, diz minha mãe,
dá uma volta, distrai-te, vai ao cinema.
A mãe não sabe, cinema é como dizia o avô:
'cinema é gente passando.
Viu uma vez, viu todas.'
Com perdão da palavra, quero cair na vida.
Quero ficar no parque, a voz do cantor açucarando a
                                         [tarde...

Assim escrevo: tarde. Não a palavra.
A coisa.

LIMITES

Uma noite me dei conta de que possuía uma história,
contínua, desde o meu nascimento indesligável de mim.
E de que era monótona com sua fieira de lábios, narizes,
modos de voz e gesto repetindo-se.
Até os dons, um certo comum apelo ao religioso
e que tudo pesava. E desejei ser outro.
Minha mãe não tinha letras.

Meu pai frequentou um ginásio por três dias
de proveitoso retiro espiritual.
Tive um mundo grandíssimo a explorar:
'Demagogia, o que é mesmo que essa palavra é?'
Abismos de maravilha oferecidos em sermãos triunfantes:
'*Tota pulchra est Maria!*'
Só quadros religiosos nas paredes.
Só um lugar aonde ir
— e já existiam Nova Iorque, Roma!
Tanta coisa eu julguei inventar,
minha vida e paixão,
minha própria morte.
esta tristeza endócrina resolvida a jaculatórias pungentes,
observações sobre o tempo. Aprendi a suspirar.
A poesia é tão triste! O que é bonito enche os olhos de
                                        [lágrimas.
Tenho tanta saudade dos meus mortos!
Estou tão feliz! À beira do ridículo
arde meu peito em brasas de paixão.
Vinte anos de menos, só seria mais jovem.
Nunca, mais amorável.
Já desejei ser outro.
Não desejo mais não.

A CARPIDEIRA

Que destino o das flores
que recobriram a morta em seu caixão.
Mais difícil entender que o miriágono!
A marreca se deita sobre os ovos,
puxa para o ninho as folhas secas, cumpre-se.

Enquanto eu tenho medo.
Mesmo assim não desejo senão ficar olhando
os remetentes mistérios.
São tão maus os congressos, as escolas,
tão cheios de café velho e açúcar
que o pensamento divaga:
são elementares Deus e sua obra,
        é macho e fêmea
        sete cores
        três reinos
um mandamento só: amai-vos.
Tinha tanto medo de casar com moço
que não fosse da Rede Ferroviária,
queria trastes de ferro
pra nunca mais se acabarem.
Pensava assim:
se a cama for de ferro e as panelas,
o resto Deus provê:
é nuvem, sonho, lembranças.
Ainda mais que não ia morrer, e ainda não vou,
porque sou doida e escapo como as boninas.
Em todo enterro choro com um olho só.
Com o outro rego a tira de terra
onde suspiros, saudades e perpétuas
hão de nascer e suportar insetos,
ciclo após ciclo de sol, de chuva,
calor de velas, frio de esquecimento.
Porque a vida é de ferro
e não se acaba nunca.

BRANCO

É no sonho que voltam para dar testemunho,
insistentes e fustigados,
batidos de halo e nimbo, uma legenda só: pungência pura.
O que sempre falam as palavras não dizem.
Sustidos no alto clima de claridade e pedras,
sol sobre tufos verdes e areia, vento desencadeado,
os fixos olhos dos que viram Deus avisam.
Misericordiosos e imóveis.

LEGENDA COM A PALAVRA MAPA

Tebas, Madian, Monte Hor,
esfingéticos nomes.
Idumeia, Efraim, Gilead,
histórias que dispensam meu concurso.
Os mapas me descansam,
mais em seus desertos que em seus mares,
onde não mergulho porque mesmo nos mapas são
                                      [profundos,
voraginosos, indomesticáveis.
Como pode o homem conceber o mapa?
Aqui rios, aqui montanhas, cordilheiras, golfos,
aqui florestas, tão assustadoras quanto os mares.
As legendas dos mapas são tão belas
que dispensam as viagens. Você está louca, dizem-me,
um mapa é um mapa. Não estou, respondo.
O mapa é a certeza de que existe O LUGAR,
o mapa guarda sangue e tesouros.
Deus nos fala no mapa com sua voz geógrafa.

O LUGAR DA NECRÓPOLE

Há quem tendo cantado e batido os dentes no copo
já morreu.
Há quem tendo falado suas dores secretas
está hoje selado sob lápides,
excrescendo sobre mim o seu fantasma
de pessoa verdadeira, rebelada,
de pessoa poética.
Na juventude me comprazia o fúnebre,
as faces lívidas dos poetas doentes.
Hoje, só preciso da vida pra morrer.
Nas metrópoles,
o campo-santo acaba confundido,
rodeado de bares.
E por causa disso iludem-se as pessoas
de ter nas mãos a indomesticável.
O cemitério quer ladeira e montes
para os quais se olha ao entardecer:
um dia estarei lá,
      lá longe,
no incontestável lugar.

A FILHA DA ANTIGA LEI

Deus não me dá sossego. É meu aguilhão.
Morde meu calcanhar como serpente,
faz-se verbo, carne, caco de vidro,
pedra contra a qual sangra minha cabeça.
Eu não tenho descanso neste amor.
Eu não posso dormir sob a luz do seu olho que me fixa.

Quero de novo o ventre de minha mãe,
sua mão espalmada contra o umbigo estufado,
me escondendo de Deus.

O ANTICRISTO RONDA MEU CORAÇÃO

Por que a mãe de Stella tem os nervos em pânico?
Por que não consigo cultivar folhagens?
Por que tão arduamente vivo
se meu desejo único é ser feliz?
O alarido dos que enchem a praça exibindo feridas
rói o bordado do meu casamento,
tarefa que executei como meus pais e meus avós
                                    [longínquos.
Que vasta infelicidade no planeta!
Tão vasta que cortei os cabelos,
eu que os desejo longos, mesmo brancos.
E os pobres? Onde estão os pobres, os diletos de Deus?
A antilírica quer me matar, me comer, me cagar,
nesta tarde de pó e desgosto.

MULHER QUERENDO SER BOA

Me toldam horas de cinza
rachadas de imprecação.
Ó Deus, não me humilhe mais
com esta coceira no púbis.

Responde-me sobre os mortos,
se mamam,
nesta lua visível em pleno dia,
do seu leite de sonho.

CANGA

Tudo soa elegíaco.
Conspira contra a alegria nativa da minha alma
a lembrança de que existem leprosos
e um deles saudou o papa
com braços sem mão e dedos.
Não fui chamada ao palácio.
Sabiamente execrou-se:
ela frequenta o vaso sanitário,
aquela mulher confusa.
Tenho dois cestos de cartas com primorosos encômios:
'...Teu coração bate como as asas de um pássaro em pleno
                                       [voo.'
De que me vale esta ovação postal
que não pode entender meus suores noturnos
e tomará esta queixa, certamente,
como puro despeito?
Meu coração bate como as asas de uma galinha de ferro.
Escrever me subjuga e não entendo,
tal qual comer, defecar,
molhar-me de urina e lágrimas.
Ó anelo de comunhão estrangulado,

mistério que me abate e me corrói.
Minha alma canta em delícias.
Meu corpo sofre e dói.

O AMENO FATO TERRÍVEL

O que mais me lembra o Juízo
é um jardim ao meio-dia,
um jardim de rosas.
Cheirava-as como — descobri depois —
se cheiram os homens,
odoroso mistério.
Um jardim caipira, o da minha casa,
estrelas do norte, cravinas, uma flor rosada
que desabrochava em pencas e até hoje só vi
nos canteiros dos pobres.
E rosas, rosas, rosas, o modo de minha mãe virar rainha:
'para mim a rosa é a primeira das flores'.
Quando Deus vier,
quem nunca se permitiu a consolação das flores
será tomado de uma ânsia de vômito;
porque o sinal será um perfume de rosas,
um perfume intensíssimo,
um odor tal que transtornará o tempo
e atrairá os demônios exsudando ira.
O que mais me lembra o Juízo
é um jardim ao meio-dia,
um jardim de rosas.

A FACA NO PEITO

Que região é aquela, de areia e mar
— arco-íris góticos —
tão próxima do céu, sendo ela mesma inferno?
Estavam lá meu pai, minha mãe, já mortos.
Um se queixava e sofria,
outro chorava, consolando-me.
Minha irmã, a pedrada e ódios,
matara nossa irmã de criação.
Uma coisa horrorosa aconteceu,
disse à minha filha moça.
Belas mulheres mergulhavam de uma ilha rochosa
furada de cavernas.
Outras masturbavam-se
ouvindo um rapaz charmoso discursar.
Todos se lembravam: de algum lugar
o vento trouxera mesmo um cheiro de cadáver.
Mas quem ousaria supor o acontecido?
O vento do mar dobrava uns postes com fios,
gabirobeiras em flor, como noivas,
eram pura alegria,
luz aquecida contra o sonho cru.
Eu dormira com o peito perfurado de culpa
porque negara aos padres a boa fala de sempre.
Apodara-os viciosos, egoístas, aproveitadores do povo.
No sonho, um deles quis dar sua bênção, inconseguiu,
ninguém se ajoelhou, ocupado em frivolidades.
Quem sou eu?
A morta, a assassina, o prevaricador mentiroso?
Só sei que eram ameaçadoras
claridades, bênçãos, cavernas.
Meu coração suporta grandes pesos.
Nem em sonhos repousa.

À SOLEIRA

O que farei com este meu corpo inóspito
já que não respondes nem me abres a porta?
Tem pena de mim.
Não compreendo nada. Só Vos desejo
e meu desejo é como se eu miasse por Vós.
A florinha do mentrasto é tão sem galas
que minha carne se eriça, erotizada.
Existis, ó Deus, porque a beleza existe,
esta que vi primeiro com meus olhos mortais.
Parecerá blasfemo. Mas não chamam sagrado
o livro em que Jó fez imprimir suas dores,
amaldiçoando o dia do seu nascimento?
Por que não o meu, que o abençoo
e acho o degredo bom,
os penedos belos,
as poucas flores, dádivas?

CATEQUESE

*Tomei o livrinho da mão do anjo e o devorei:
na boca era doce como o mel; quando o engoli,
porém, meu estômago se tornou amargo.*

Apocalipse 10,10

FESTA DO CORPO DE DEUS

Como um tumor maduro
a poesia pulsa dolorosa,
anunciando a paixão:
"*O crux ave, spes unica*
O passiones tempore."
Jesus tem um par de nádegas!
Mais que Javé na montanha
esta revelação me prostra.
Ó mistério, mistério,
suspenso no madeiro
o corpo humano de Deus.
É próprio do sexo o ar
que nos faunos velhos surpreendo,
em crianças supostamente pervertidas
e a que chamam dissoluto.
Nisto consiste o crime,
em fotografar uma mulher gozando
e dizer: eis a face do pecado.
Por séculos e séculos
os demônios porfiaram
em nos cegar com este embuste.
E teu corpo na cruz, suspenso.
E teu corpo na cruz, sem panos:
           olha para mim.
Eu te adoro, ó salvador meu
que apaixonadamente me revelas
a inocência da carne.
Expondo-te como um fruto
nesta árvore de execração
o que dizes é amor.
amor do corpo, amor.

SIGNOS

Se esvai de mim o nojo dos mortos.
Já consigo comer
na tarde que sucede aos enterros.
Não sei o que representa em mim esta coragem nova,
este sensível amor aos enfermeiros,
este ouvido sem ira para as tosses
e o que contêm os vasos sob camas e nádegas.
A veste nupcial tem graça como as mortalhas,
as invenções humanas comoventes.
Um rito para o himeneu,
outro pra alçar o corpo e sepultá-lo.
Os casamentos são tristes porque externam
à vista de testemunhas
a mais funda ânsia de perenidade,
os noivos sempre nus.
Os enterros são meio alegres,
todos olham no morto o irredutível
que só ele contempla sem ameaças.
Tudo é uma coisa só. Sombra do que será.
O que difere é Deus.

O HOMEM HUMANO

Se não fosse a esperança de que me aguardas com a mesa
                                        [posta
o que seria de mim eu não sei.
Sem o Teu Nome
a claridade do mundo não me hospeda,
é crua luz crestante sobre ais.

Eu necessito por detrás do sol
do calor que não se põe e tem gerado meus sonhos,
na mais fechada noite, fulgurantes lâmpadas.
Porque acima e abaixo e ao redor do que existe
                              [permaneces,
eu repouso meu rosto nesta areia
contemplando as formigas, envelhecendo em paz
como envelhece o que é de amoroso dono.
O mar é tão pequenino diante do que eu choraria
se não fosses meu Pai.
Ó Deus, ainda assim não é sem temor que Te amo,
nem sem medo.

O SERVO

E os pobres?
Até os ensandecidos quererão saber.
E se ninguém perguntar as pedras gritarão:
e os pobres? E os pobres?
Os negrinhos adolescentes
apanham do patrão em Montes Claros
e não ganham comida,
só más ordens e insultos.
Está escrito: "O zelo de Tua casa me devorará."
Por quem zelo eu?
Ao fim por sensações nas quais descubro sempre:
existe um bem, existe. E tudo é bom,
é boa a paixão, a morte é boa, sim.
Achei engraçado quando o poeta tropeçou na pedra,
eu tropeço na lei de jugo suave: "Amai-vos."

O que sei de ressurreição começa aqui,
em ruas que os homens fizeram e nelas passam
carregando sacolas, bolsinhas presas no cinto
onde guardam seus óculos.
Eu fico horas no sol. As comidas dos homens são poéticas,
tiradas dos três reinos da criação
e matam em mim duas formas de fome. Sou o mais pobre.
Com incompreensível alegria, como um fardo,
carrego a consciência de um dom
que põe negrinhos e pessoas pálidas
ornados e cintilantes.
Poesia sois Vós, ó Deus.
Eu busco Vos servir.

A PORTA ESTREITA

Deus, tem compaixão desta cidade
e de mim que andei em suas ruas
secretamente dizendo-me:
sou o poeta deste povo.
Que cansaço é viver!
Um mosquito cantor rodeia minha cabeça:
decide-te à santidade.
Me desgostam turistas.
Só existe um lugar, a picada do sofrimento,
e ela é perfeita.
Não me doo mais por quem nunca viu o mar.
Minha mãe perdoou meu pai,
meu pai perdoou a mim:
estes oceanos, sim.

NOITE FELIZ

Dói tanto que se pudesse diria:
me fere de lepra.
Mas que importa a Deus o monte de carne podre?
Tende piedade de mim, Vós, cujo filho duas vezes gritou,
apesar de ser Deus. Me dá um sonho.
É como se meu pai não me amasse
e não tivesse dado a vida por mim.
Só belos versos, não.
Uma linha depois da outra,
tão finamente escritas,
com tão primoroso fecho
— e o que sinto é cansaço.
Basta a beleza própria
da estocada das coisas no meu peito.
Comer, sonhar, talvez morrer, quem sabe?
A morte existe, ô pai?
Sei que na Polônia católica
ninguém escreveu com estas mesmas palavras
na carrocinha de doces:
'Para todos e sua família desejo um feliz Natal.'
No Brasil, sim, na minha rua,
usando uma língua pobre e uma caneta de cor,
alguém sentiu o inefável.
Não se perderá o fermento, ó comadre.
Bebem? Não pagam as contas?
— Vamos fazer um teatro.
Tem a máscara do boi, do burro,
as vestes de José e Maria,
tem a roupa do homem que negou hospedagem
mas que veio depois, depois da estrela,
dos anjos, depois dos pobres pastores, e mais recebeu.
Porque não merecia.

Sou miserável.
Um monte de palha seca
é a obra de minhas mãos.
Tem piedade de mim,
desce, orvalho do céu,
desce sobre nós,
restabelece o fio das conversas saudáveis.
Traze a fresca manhã.

O CORPO HUMANO

Quem me socorre é Deus e toda a corte celeste
com seus anjos e santos.
Uma sensação que tive esfumou-se, ia causar espanto,
tão insolitamente poética afigurava-se.
Tudo é por causa da morte, a mágica,
a forma provençal *el corazón*,
a mão desobturando o peito de seus ossos
e pinçando o que em mim é pura dor,
        coração.
Ninguém entenderá bem o que digo
e é bom que seja assim pra que os poemas não
                        [desapareçam
e se façam necessários como o ar.
A danação seduz,
chegam a favos de mel os seus apelos.
Desminto quem disser: ah, os quintais de Minas, tão
                            [pacíficos!
porque neles sofri coisas que, com o auxílio de Deus,
nunca direi.

Livra-me, Senhor, da memória do pecado em meu
                                    [espírito.
Lava-me com o hissopo e ficarei mais pura do que a neve.
Embora ainda não seja santa de levitar
achei no escuro a bolsa de água quente,
pode dormir confortado o meu doente querido.
Pra quando o mundo acabar, espero a vida feliz,
o corpo desta esperança, rosa pra sempre orvalhada.
Me dá alegria, Pai, eu só quero a alegria,
os olhos do moço em mim.
Me cansarei, redonda, casável,
capitulada entre massas e molhos,
sentirei fome e prazer,
ficarei velha e feliz
"porque meu auxílio está no nome do Senhor
que fez o céu e a terra".

O FALSETE

As autoridades têm olheiras
e estudada voz para os comunicados:
garantiremos a melhor solução entre as partes.
Quais partes? as pudendas?
Destas Deus já cuidou recobrindo de pelos.
Meu filho era bonzinho.
Nunca ia suicidar conforme disse o polícia.
Pus a mão na cabeça dele, estava toda quebrada,
mataram de pancada o meu filhinho.
As testemunhas sumiram,
perderam os dentes, a língua,

perderam a memória.
Eu perdi o menino.
"...Ele acolhia as turbas, falando-lhes do Reino,
e aos necessitados de cura devolvia a saúde."
Palavras duras só para os mentirosos, os legistas
que atrelavam aos outros pesados fardos
que eles mesmos nem sequer tocavam...
Ó grito grande que eu queria gritar,
silvo que me esvaísse.
Certos tons, aves domésticas,
casa amarela com portão e flores me excitam,
mas não posso gozar. Tenho que pregar o Reino.
Quero um sítio, uma chacarazinha de nada,
o cristianismo não deixa,
o marxismo não deixa.
Ó grito grande, na frente dos palácios
episcopais e não:
O POVO UNIDO
JAMAIS SERÁ VENCIDO!
Minha piscina não é de lazer, disse o papa.
Não pretendo ser profeta, disse o bispo.
Que grosso cordão, que balde cheio,
que feixe grosso de coisas más.
Que vida incoerente a minha vida,
que areia suja.
Sou uma velha com quem Deus brinca.
De parelha com iras e vergonhas
meu apetite segue imperturbável,
carnes gordas, farinhas,
prelibo os legumes como a encontros carnais
e tenho medo da morte
e penso nela diuturnamente
como se eu fosse respeitável, séria,
comedida e frugal dama-filósofa.

Se alguém me acompanhar fundo um partido.
Derrubarei o governo, o papado,
dizimarei as casas paroquiais
e fundarei meu sonho:
num cerrado, inúmeros
desciam os frades com seus capuzes,
como aves marrons, pacificamente, procuravam um lugar.
Eu os acompanhei até que viram uma casa grande.
Tinha um grande fogão, uma grande mesa,
e todos foram entrando e acomodavam-se,
espalhando-se pela casa
como verdadeiros irmãos.

TERRA DE SANTA CRUZ

Nas minhas bodas de ouro, esganada como os netos,
vou comer os doces.
Não terei a serenidade dos retratos
de mulheres que pouco falaram ou comeram.
Porque o frade se matou
no pequeno bosque fora do seu convento.
De outras vezes já disse: não haverá consolo. E houve:
música, poema, passeatas.
O amor tem ritmos que não são de tristeza:
forma de ondas, ímpeto, água corrente.
E agora? Que digo ao homem, ao trem, ao menino que
                                        [me espera,
à jabuticabeira em flores, temporã?
Contemplar o impossível enlouquece.
Sou uma tênia no epigastro de Deus:

E agora? E agora? E agora?
Onde estavam o guardião, o ecônomo, o porteiro,
a fraternidade onde estava quando saíste,
ó desgraçado moço da minha pátria,
ao encontro desta árvore?
Meu inimigo sou eu. Os torturadores todos enlouquecem
[ao fim,
comem excrementos, odeiam seus próprios gestos
[obscenos,
os regimes iníquos apodrecem.
Quando andavas em círculos, a alma dividida,
o que fazia, santa e pecadora, a nossa Mãe Igreja?
Promovia tômbolas, é certo, benzia edifícios novos,
mas também te gerava, quem ousará negar, a ti
e a outros santos que deixam as bíblias marcadas:
"Na verdade carregamos em nós mesmos nossa sentença
[de morte."
"Amai vossos inimigos."
O que disse: "Quem crer viverá para sempre", este também
balouçou do madeiro como fruto de escárnio.
Nada, nada que é humano é grandioso.
Me interrompe da porta a mocinha boçal. Quer mudas de
[trepadeira.
Meus cabelos levantam-se. Como um torturador eu piso
[e arranco
a muda, os olhos, as entranhas da intrusa
e não sendo melhor que Jó choro meus desatinos.
Sempre há quem pergunte a Judas qual a melhor árvore:
os loucos lúcidos, os santos loucos,
aqueles a quem mais foi dado, os quase sublimes.
Minha maior grandeza é perguntar: haverá consolo?
Num dedal cabem minha fé, minha vida e meu medo maior
[que é viajar de ônibus.
A tentação me tenta e eu fico quase alegre.

É bom pedir socorro ao Senhor Deus dos Exércitos,
ao nosso Deus que é uma galinha grande.
Nos põe debaixo da asa e nos esquenta.
Antes, nos deixa desvalidos na chuva,
pra que aprendamos a ter confiança n'Ele
e não em nós.

MISERERE

Eu desenhava no papel de seda uma flor de cinco pétalas
quando me ocorreu a vingança contra os donos do
                                                       [mundo.
Tentando versos com que vos narrar minha trama,
adormeci sentada, o queixo desabado no peito.
Coitada, diríeis, é aquela que vimos esbravejar no
                                                       [seminário?
Cismei que adoecia e procurei o médico.
Ele não foi perspicaz.
Auscultou, profissional, minhas cavidades
e prescreveu ginástica, redução de calorias, vida calma.
Doía tudo. Aqui dói, doutor, aqui também.
É certo que o senhor nunca deglutiu pedras,
mas, afianço-lhe, mesmo a água que bebo
é indigesta coisa sólida no meu bucho.
Ele precaveu-se, intimidado pela minha fluência,
pelo manuseio intimorato que dispenso às palavras.
Dependendo da atividade intelectual,
da sensibilidade de cada um,
tais sintomas ocorrem, minha senhora.
E mostrou as garras, defensivo,
mais uns grãos de enfado.

Eu não estava doente. E estava muito.
O medo de morrer, habitualmente grande,
trinta vezes aumentado.
Comecei a rezar no registro dos náufragos:
Perdoa-me, Senhor. Lembra-Te de que és meu Pai.
Como gostaria de nascer de novo
e começar tudo generosamente.
Olha pelos filhos que deixarei,
por meu marido que talvez não se case mais.
Onde achará, neste lugar pequeno, outra mulher que lhe
                                            [ofereça
tantos motivos pra mortificar-se?
Passeava na casa, amargando a saudade prévia dos seus
                                                  [cantos.
Doía tudo, até que,
até que nada, não dói mais.
Recolhi-me ao corriqueiro estatuto
de comer, dormir, lavar-me,
recuperado o saudável desejo de que se fodam bem
determinadas pessoas em suas empresas.
Continuo passando a língua no molar obturado,
desgostosa, porque se não sou eu a cuidar da cozinha,
uma lata de óleo é a conta de dois dias.
Confesso-vos: quando comecei a escrever
o que eu queria era fazer um teatro.
Fostes salvos do sacrifício de uma opinião
por este grito que me interrompeu:
acode aqui, dona Wíllia, o seu cachorro deu convulução!
Judith entrou de noite no acampamento inimigo
e decapitou Holofernes.
Pergunto-vos, sem que nos ouçam os fracos e os ímpios:
poderia eu também?
Não durmo porque nada se exaure, requerendo atenção,
matança, oferta de comida, futuros de paz, empregos;
e eu tenho um corpo talhado para prazeres só e guerra.

Posso? Comer? Dormir? Gostar de homens?
Louvar-Vos — em perfeita alegria — neste tempo
                    [cinzento e pegajoso?
Não é possível conseguir a atenção de uma cidade inteira
— há misteres inadiáveis nos banheiros,
nas casas com menino pequeno —
nem silêncio. Há os aparelhos eletrônicos e as línguas
                                [compridas.
Mas duzentas pessoas numa sala,
com olhos fixos na cena,
verão que a vida é doida, doida,
que o ser humano até hoje está sem calças,
que Deus é bom e duro.
Que Jesus Cristo quando ri alucina as pessoas
e atrai a todos quando diz: AMAI-VOS.
Eu estou apaixonada.
Ó meu Deus, me ajuda a escrever um drama.

QUERIDO IRMÃO

Como é possível, disse meu irmão,
nem um amigo levantou sua voz em meu favor.
Não sei para onde ir, sinto um desterro.
Vamos a nosso pai, pedi.
Queixemos a nossa mãe o que nos fazem.
Já morreram, ele disse, como nos ouvirão?
Nosso pai, falei, após enterros, desastres,
após extrair os dentes, sentava e comia.
Escuta a mãe cantando:

o Averno ruge, enfurecido,
altar e trono quer destruídos...

Temos poderes para evocar um campo,
dilatar ao infinito a curta vida, em mil e uma noites de
[lembranças:

se nos proteges, ó mãe potente,
contra a inimiga, cruel serpente...

Um dia disseste: não vou no açougue não. E te enfurnaste.
Nosso pai disse: vai porque vai, seu estudantezinho.
E foste. Porque nosso pai bramia em seu brutal amor.
Tens de nossa mãe poucas lembranças,
mas eu te digo, foi corajosa e triste. Seríamos fundadores.

de mil soldados não teme a espada...

cantava ela, como ordem e predição.
Somos órfãos e não.
Teu terninho marrom foi dona Zica quem fez,
dona Zica Peru
que foi ser freira, lá longe...
Teu primeiro retrato tem um olho zarolho.
Magnificat! Magnificat!
Os olhos de nossa mãe resplandeciam:
tiraste dez na escola? *Introibo ad altare Dei,*
qual é a resposta?
Ajoelha e jura que nunca mais farás isto.
Agora come. Para de chorar e come, ordenava nosso pai,
as bravatas católicas concitantes.
Tan-ta-ra-ran ta-ra-ran tan-tan,
como em festa de igreja, em procissão de enterro,
a banda atrás de tudo,

a grande dor musicada, o grito agarrado em Deus,
na orla do manto da Virgem.
Uma fé humilde e engraçada, uma fé verdadeira.
Somos órfãos?
Pois sim, pois não. A medida da vida é o sofrimento.
Alegra-te, meu irmão. Que belo destino o nosso,
semear em lágrimas o chão.
Numa bandeja de prata, foi-se a cabeça de João.
Que a nossa role também,
que os anjos digam amém
e restemos nus.
No vento, na chuva, na casa destelhada,
na cova aberta na terra onde estão nossos pais
esperando a corneta,
esperando a banda, a trombeta, esperando os filhos
pra pôr na fila com eles
e entrar com eles no céu.

SAGRAÇÃO

...Vem! Vou mostrar-te a noiva...
Apocalipse 21,9

SAGRAÇÃO

Na casa de meus pais, minha mãe cozinhava,
eu tomava conta de menino pequeno.
Inquieta, porque o moço aguardava-me.
O neném está molhado, dizia-lhe,
vou lhe trocar as fraldas.
Fui para o quarto, minha mãe me passando olhos,
eu experimentando vestidos pra chegar na porta
e conversar com o moço sussurrando-me:
quero comer suas pernas, sua barriga, seus peitos,
quero tocar você.
E deveras tocava-me com o fundo da alma dele
reluzindo nos olhos:
Você trocou o neném?
Você é tão esquisita!
Para de falar em amigos e me escuta.
Comecei a chorar de prazer e vergonha.
Olhando meus pés descalços ele riu.
As vibrações da carne entoam hinos,
também às que se vira o rosto como a fornicações:
flatulência (disse num meu ouvido),
bocejos (disse no outro),
pulsações de prazer.
— Estive ataviada o tempo todo...
— E é tão simples e nu, continuou,
uma mulher fornida em sua cama
pode louvar a Deus,
sendo apenas fornida e prazerosa.
— Os pobres já sabem...
— Sim, quando escrevem nos muros
    OS MENDIGOS SAÚDA-VOS Ó DEUS.
Parecia um anjo falando as sabedorias...
Hélios, chamei-lhe, também luminescente,

o corpo representa o espírito.
— Aprendes rapidamente, louvado seja Nosso Senhor
[Jesus Cristo!
entoou com os abismos de sua alma cristã
e me atraiu para sempre.
Quem é o papa, perguntei-lhe, ansiosa por sacramentos.
— É nosso pai abençoando-nos.
E me chamou vaca, como se dissesse flor, santa,
prostituta feliz.

O PELICANO

Foi bom pra mim ser afligido.
Do Salmo 118

LICOR DE ROMÃS

*Pela manhã iremos às vinhas,
para ver se a vinha lançou rebentos,
se as romãzeiras estão em flor.*

Do Cântico dos Cânticos

GENESÍACO

Um homem na campina olhava o céu. As estrelas
pareciam aumentadas, de tamanho brilho.
Estrela, ó estrela, estrelas,
ele suplicou como se injuriasse.
Os que alimentavam o fogo
aproximaram-se admirados:
nós também queremos, repeti para nós.
Ó noite de mil olhos, reluzente.
Os vocativos
são o princípio de toda poesia.
Ó homem, ó filho meu,
convoca-me a voz do amor,
até que eu responda
ó Deus, ó Pai.

FIBRILAÇÕES

Tanto faz
funeral ou festim,
tudo é desejo
o que percute em mim.
Ó coração incansável à ressonância das coisas,
amo, te amo, te amo,
assim triste, ó mundo,
ó homem tão belo que me paralisa.
Te amo, te amo.
E uma língua só,
um só ouvido, não absoluto.
Te amo.

Certa erva do campo tem as folhas ásperas
recobertas de pelos,
te amo, digo desesperada
de que outra palavra venha em meu socorro.
A relva estremece,
o amor para ela é aragem.

LIRIAL

Lírios, lírios,
a vida só tem mistérios.
Destruo os lírios,
eles me põem confusa.
Os finados se cobrem deles,
os canteiros do céu,
onde as virgens passeiam.
Como cabeças de alho,
os bulbos ficam na terra
esperando novembro para que eu padeça.
Como pessoas, esta flor espessa;
branca, d'água, roxo-lírio,
lírio amarelo — um antilírio —,
lírio de nada, espírito de flor,
hausto floral do mundo,
pensamento de Deus inconcluído
nesta tarde de outubro em que pergunto:
para que servem os lírios,
além de me atormentarem?

Um lírio negro é impossível.
Inocente e voraz o lírio não existe
e esta fala é delírio.

AS SEIS BADALADAS DO ENTARDECER

Cantores populares no Brasil
fizeram fama e fortuna
cantando-lhe o doce encanto.
Pinhos plangeram,
mágoas rolaram, dolentes,
flores após langores
e até lívidas papoulas
estremeceram de frio nestes versos:
'Como lívidas papoulas
são teus olhos lantejoulas.'
Envém a noite com seu negro manto,
restos de luz no poente,
também chamado ocaso
e mais lindamente crepúsculo,
na voz do cantor do rádio.
Papai já jantou faz tempo,
mamãe já morreu faz tempo,
faz tempo que estou aqui
fingindo fazer chalaça.
Papai olha o relógio:
'6 horas já. Quem não fez não faz mais.'
Vermelhidões de incêndio,
os rostos meio pálidos fulguravam.

MORTE MORREU

Quando o ano acinzenta-se em agosto
e chove sobre árvores
que mesmo antes das chuvas já reverdeceram,
da mesma estação levantam-se
nossos mortos queridos
e os passarinhos que ainda vão nascer.
"Ó morte, onde está tua vitória?"
Eh tempo bom, diz meu pai.
A mãe acalma-se,
tomam-se as providências sensatas.
Todos pra janela, espiar as goteiras:
"Chuva choveu, goteira pingou
Pergunta o papudo se o papo molhou."
Pergunta a menina se a vida acabou.

A ROSA MÍSTICA

A primeira vez
que tive a consciência de uma forma,
disse à minha mãe:
dona Armanda tem na cozinha dela uma cesta
onde põe os tomates e as cebolas;
começando a inquietar-me pelo medo
do que era bonito desmanchar-se,
até que um dia escrevi:
'neste quarto meu pai morreu,
aqui deu corda ao relógio
e apoiou os cotovelos
no que pensava ser uma janela

e eram os beirais da morte'.
Entendi que as palavras
daquele modo agrupadas
dispensavam as coisas sobre as quais versavam,
meu próprio pai voltava, indestrutível.
Como se alguém pintasse
a cesta de dona Armanda
me dizendo em seguida:
agora podes comer as frutas.
Havia uma ordem no mundo,
de onde vinha?
E por que contristava a alma
sendo ela própria alegria
e diversa da luz do dia
banhava-se em outra luz?
Era forçoso garantir o mundo,
da corrosão do tempo, o próprio tempo burlar.
Então prossegui: 'neste quarto meu pai morreu...
Podes fechar-te, ó noite,
teu negrume não vela esta lembrança'.
Foi o primeiro poema que escrevi.

A ESFINGE

Ofélia tem os cabelos tão pretos
como quando casou.
Teve nove filhos, sendo que
tirante um que é homossexual
e outro que mexe com drogas,
os outros vão levando no normal.
Só mudou o penteado e botou dentes.

Não perdeu a cintura, nem
aquele ar de ainda serei feliz,
inocente e malvada
na mesma medida que eu,
que insisto em entender
a vida de Ofélia e a minha.
Ainda hoje passou de calça comprida
a caminho da cidade.
Os manacás cheiravam
como se o mundo não fosse o que é.
Ora, direis. Ora digo eu. Ora, ora.
Não quero contar histórias,
porque história é excremento do tempo.
Queria dizer-lhes é que somos eternos,
eu, Ofélia e os manacás.

A TRANSLADAÇÃO DO CORPO

Eu amava o amor
e esperava-o sob árvores,
virgem entre lírios. Não prevariquei.
Hoje percebo em que fogueira equívoca
padeci meus tormentos.
A mesma em que padeceram
as mulheres duras que me precederam.
E não eram demônios o que me punha um halo
e provocava o furor de minha mãe.
Minha mãe morta,
minha pobre mãe,
tal qual mortalha seu vestido de noiva

e nem era preciso ser tão pálida
e nem salvava ser tão comedida.
Foi tudo um erro, cinza
o que se apregoou como um tesouro.
O que tinha na caixa era nada.
A alma, sim, era turva
e ninguém via.

DEUS NÃO REJEITA A OBRA DE SUAS MÃOS

É inútil o batismo para o corpo,
o esforço da doutrina para ungir-nos,
não coma, não beba, mantenha os quadris imóveis.
Porque estes não são pecados do corpo.
À alma, sim, a esta batizai, crismai,
escrevei para ela a *Imitação de Cristo*.
O corpo não tem desvãos,
só inocência e beleza,
tanta que Deus nos imita
e quer casar com sua Igreja
e declara que os peitos de sua amada
são como os filhotes gêmeos da gazela.
É inútil o batismo para o corpo.
O que tem suas leis as cumprirá.
Os olhos verão a Deus.

OBJETO DE AMOR

De tal ordem é e tão precioso
o que devo dizer-lhes
que não posso guardá-lo
sem que me oprima a sensação de um roubo:
cu é lindo!
Fazei o que puderdes com esta dádiva.
Quanto a mim dou graças
pelo que agora sei
e, mais que perdoo, eu amo.

RESPONSÓRIO

Santo Antônio,
procurai para mim a carteira perdida,
vós que estais desafadigado,
gozando junto de Deus a recompensa dos justos.
Estão nela a paga do meu trabalho por um mês,
documentos e um retrato
onde apareço cansada, com uma cara
que ninguém olhará mais de uma vez
a não ser vós, que já em vida
vos apiedáveis dos tormentos humanos:
sumiu a agulha da bordadeira,
sumiu o namorado,
o navio no alto-mar,
sumiu o dinheiro no ar.
Tenho que comprar coisas, pagar contas,
dívidas de existir neste planeta convulso.
Prometo-vos uma vela de cera,

um terço do meu salário
e outro que rezarei
pra entoar vossos louvores, ó Martelo dos Hereges,
cuja língua restou fresca
entre vossos ossos, intacta.
Servo do Senhor, procurai para mim a carteira perdida
e, se tal não aprouver a Deus para a salvação da minha
                                            [alma,
procurai antes me ensinar
a viver como vós,
como um pobre de Deus.
Amém!

A VIDA ETERNA

Meio século.
O peso desta palavra ia me deixar de cama.
Não vai mais. Aprendo sabedorias.
Os alquimistas não são contraventores,
cândidos, sim, às vezes, como os santos,
acreditando em pedra, em peixe de sonho,
em sinal escrito no céu.
Onde está Deus?
Abril renasce é do cosmos,
no mais perfeito silêncio.
É dentro e fora de mim.

A BELA ADORMECIDA

Estou alegre e o motivo
beira secretamente à humilhação,
porque aos 50 anos
não posso mais fazer curso de dança,
escolher profissão,
aprender a nadar como se deve.
No entanto, não sei se é por causa das águas,
deste ar que desentoca do chão as formigas aladas,
ou se é por causa dele que volta
e põe tudo arcaico como a matéria da alma,
se você vai ao pasto,
se você olha o céu,
aquelas frutinhas travosas,
aquela estrelinha nova,
sabe que nada mudou.
O pai está vivo e tosse,
a mãe pragueja sem raiva na cozinha.
Assim que escurecer vou namorar.
Que mundo ordenado e bom!
Namorar quem?
Minha alma nasceu desposada
com um marido invisível.
Quando ele fala roreja,
quando ele vem eu sei,
porque as hastes se inclinam.
Eu fico tão atenta que adormeço
a cada ano mais.
Sob juramento lhes digo:
tenho 18 anos. Incompletos.

MISSA DAS 10

Frei Jácomo prega e ninguém entende.
Mas fala com piedade, para ele mesmo,
e tem mania de orar pelos paroquianos.
As mulheres que depois vão aos clubes,
os moços ricos de costumes piedosos,
os homens que prevaricam um pouco em seus negócios
gostam todos de assistir à missa de frei Jácomo,
povoada de exemplos, de vida de santos,
da certeza marota de que ao final de tudo
uma confissão *in extremis* garantirá o paraíso.
Ninguém vê o Cordeiro degolado na mesa,
o sangue sobre as toalhas,
seu lancinante grito,
ninguém.
Nem frei Jácomo.

HERÁLDICA

Grande luxo é ser pobre por escolha,
tentação de ser Deus que nada tem,
orgulho incomensurável.
Por causa disto sou advertida
de que muitos me precederão no Reino,
os ladrões, os maus poetas
e pior: os bajuladores que os louvam.
Sofro pelo pensamento
de que no palácio devem ficar os reis
e na fábrica os operários, nos armazéns de cereais.
Que dura sentença espera

aos que, como eu,
ofusca uma lucidez tão grande!
Sei quando um verso é mau,
quando não vem desgarrado
da margem ignota da alma.
O que me possui é orgulho,
ou alegria — que não reconheço —
travestida de andrajos?
Só posso dizer que é amor
esta fadiga de catar as pérolas,
descobrir nos brasões a milenar linhagem.
Ninguém sabe o que diz quando fala dos pobres.

O NASCIMENTO DO POEMA

O que existe são coisas,
não palavras. Por isso
te ouvirei sem cansaço recitar em búlgaro
como olharei montanhas durante horas,
ou nuvens.
Sinais valem palavras,
palavras valem coisas,
coisas não valem nada.
Entender é um rapto,
é o mesmo que desentender.
Minha mãe morrendo,
não faltou a meu choro este arco-íris:
o luto irá bem com meus cabelos claros.
Granito, lápide, crepe,
são belas coisas ou palavras belas?

Mármore, sol, lixívia.
Entender me sequestra de palavra e de coisa,
arremessa-me ao coração da poesia.
Por isso escrevo os poemas
pra velar o que ameaça minha fraqueza mortal.
Recuso-me a acreditar que homens inventam as línguas,
é o Espírito quem me impele,
quer ser adorado
e sopra no meu ouvido este hino litúrgico:
baldes, vassouras, dívidas e medo,
desejo de ver Jonathan e ser condenada ao inferno.
Não construí as pirâmides. Sou Deus.

DUAS HORAS DA TARDE NO BRASIL

Tanto quanto a vida amo este calor,
esta claridade metafísica,
este pequeno milagre:
no ar tórrido os alecrins de seda não se crestam,
espalmam como os jovens hebreus cantando na fornalha.
Quem sofre é meu coração,
às duas horas da tarde quer rezar.
Quem me chama é Deus?
É Seu olho centrífugo o que me puxa?
A vida tão curta e ainda não tenho estilo,
palavras como astrolábio desviam-me de meus deveres,
a forma de um nariz por semanas ocupa-me,
seu jeito triste de fechar a boca.
A quem amo enfim?
Acaso fui seduzida pelo Filho do Homem

e confundo você, mesquinho,
e confundo você, vaidoso,
com o que me quer com ele
gemendo na sua cama de cruz?
O europeu diz-se aturdido com o desperdício do sol.
Obrigada, respondo, com vergonha de carnaval,
de batuques, de meus quadris excessivos.
Jesus é búlgaro? Afegão? Holandês da colônia?
Brasileiro não é. Estranhíssimo, sim,
com seu corpo desnudo e perfurado,
mendigando carinho, igual ao meu.
Minha pátria, como as outras, tem folclore,
cantigas cheias de melancolia.
Como posso aceitar que morreremos?
E a alma do povo, a quem aproveitaria?
Frigoríficos são horríveis
mas devo poetizá-los
para que nada escape à redenção:
Frigorífico do Jiboia
Carne fresca
Preço joia.
De novo quero rezar pra não ficar estrangeira
meu Deus, meu Deus, por que me abandonastes?
Dizei-me quem sois Vós e quem sou eu,
dizei-me quem sois Vós e quem sou eu.

O JARDIM DAS OLIVEIRAS

*Por que escondes de mim a Tua Face
e por que me consideras
como a um inimigo?*

Do Livro de Jó

A TREVA

Me escolhem os claros do sono
engastados na madrugada,
a hora do Getsêmani.
São cruas claras visões,
às vezes pacificadas,
às vezes o terror puro
sem o suporte dos ossos
que o dia pleno me dá.
A alma desce aos infernos,
a morte tem seu festim.
Até que todos despertem
e eu mesma possa dormir,
o demônio come a seu gosto,
o que não é Deus pasta em mim.

NIGREDO

Mais é de noite, quando a alma vigia,
e um olho, que não o do corpo,
                                espia.
Deus! Clamo no escuro,
ó Deus, Deus!
Mas não sou eu quem chama,
é Ele próprio quem se chama
com minha boca de medo.
O fundo do rio rui.
Meus filhos, meus filhos,
o homem que me escolheu,
eu eu eu

que sol mais cru no centro desta treva:
'mãe, guarda a janta pra mim'.
Nem a terra toda cobre esta nudez,
nem o mar, nem Deus que me trata
como se eu fora divina.
Ele não é o que dizem,
grita, convoca à loucura,
furta de mim as delícias
que nos sonhos concede:
os peixes dentro da rocha,
primeiro de vidro,
depois vivos, frementes,
da mãe do cristal pendentes,
da mãe da ametista.
A boca está seca, é sede.
Ele quer água, eu bebo,
quer urinar, levanto-me,
sem roupas ando na casa,
tem piedade de mim.
A humilhação me prostra,
meia-noite, meio da vida a pino,
a cova, a mãe, o grande escuro é Deus
e forceja por nascer da minha carne.

O BOM PASTOR

Me deixo estar inerte,
porque não há em mim qualquer coragem.
Não posso ter, nem ser,
nem morrer, nem viver,
não posso entrar nem sair.

Clamo por Deus e Ele me devolve ao tempo,
às notas fiscais que
— por ordem do governo —
devo exigir dos maus negociantes.
Por que todo este peso sobre mim?
Não quero ser fiscal do mundo,
quero pecar, ser livre,
devolver aos ladrões
sua obrigação com os impostos.
Tudo me está vedado,
não há lugar para mim,
parece que Deus me bate,
parece que me recusa,
pedir auxílio é pecar,
não pedir é loucura,
é consentir no auxílio do diabo.
Quem é o estranho a quem chamo de Jonathan?
Por Deus, quem sou?
Escorpião está no céu,
em dias felizes eu faria um verso:
'brilho de escorpião na friagem da noite'.
Soa agora como bajulação à divindade,
a fala de um mentiroso,
de um falastrão covarde.
Não ireis acreditar
se pensáveis que líeis um poema —
alguém me entrega uma carta:
"eu agora coloquei dentes,
estou mais jovem,
só a canseira de velho continua".
O terror sumiu,
porque ao reproduzir-vos a carta
corrigi duas palavras
e não há quem às portas do inferno
socorra-se das gramáticas.

Portanto, um poder novo me salva,
uma compaixão,
que usa as constelações e os correios
e a mesma língua materna
que me ensinou a gemer.
O Misericordioso pôs nos ombros
Sua ovelha mais fraca.

A CÓLERA DIVINA

Quando fui ferida,
por Deus, pelo diabo, ou por mim mesma
— ainda não sei —,
percebi que não morrera, após três dias,
ao rever pardais
e moitinhas de trevo.
Quando era jovem,
só estes passarinhos,
estas folhinhas bastavam
para eu cantar louvores,
dedicar óperas ao Rei.
Mas um cachorro batido
demora um pouco a latir,
a festejar seu dono
— ele, um bicho que não é gente —,
tanto mais eu que posso perguntar:
por que razão me bates?
Por isso, apesar dos pardais e das reviçosas folhinhas,
uma tênue sombra ainda cobre meu espírito.
Quem me feriu perdoe-me.

A SAGRADA FACE

A dentadura encravou-se? Rezai,
prometei abstinência por um ano
para que a prótese malfeita se despregue da boca.
Ó Deus, como éreis bom,
rosas, dentes postiços,
touceiras de coqueirinho,
a profusão dos milagres.
Casimiro de Abreu, que não era santo,
mas que estava nos livros,
também ele dizia, como Jó,
como meu pai e minha mãe diziam:
"Um Ser que nós não vemos
é maior que o mar que nós tememos..."
Que faço agora que Vos descubro em silêncio,
mas, dentro de mim, em meus ossos,
vertiginosa doçura?
Os dentistas fazem as próteses, não Vós,
a terra é quem gera as rosas.
Desde a juventude pedi: quero ver Teu Rosto,
mostra-me Tua Face.
Então é este o esplendor,
este deserto ardente, claro,
de tão claro sem caminhos!
Esta doçura nova me empobrece,
nascer sem pai, sem mãe,
objeto de um amor em mim mesma gerado.
Flor não é Deus, terra não é, eu não sou.
Pobre e desvalida entrego-me ao que seja
esta força de perdão e descanso,
paciência infinita.
Quase posso dizer, eu amo.

O PELICANO

Estou enferma de amor.
Do Cântico dos Cânticos

A BATALHA

Perdi o medo de mim. Adeus.
Vou às paisagens do frio atrás de Jonathan.
Deve ser assim que se vive,
na embriaguez deste voo
no rumo certo da morte.
Amo Jonathan.
Eis aí o monocórdico, diarreico assunto.
'Ele quer te ver', alguém disse no sonho.
E desencadearam-se as formas onde Deus se homizia.
Pode-se adorar tufos de grama, areia,
não se descobre donde vêm os oboés.
Jonathan quer me ver.
Pois que veja.
O diabo uiva algemado nas profundezas do inferno,
enquanto eu
tiro o corpo da roupa.

MEMÓRIA AMOROSA

Quando ele aparece
bonito e mudo se posta
entre moitas de murici.
Faz alto-verão no corpo,
no tempo dilatado de resinas.
Como quem treina para ver Deus,
olho a curva do lábio, a testa,
o nariz afrontoso.
Não se despede nunca.
Quando sai não vejo,
extenuada por tamanha abundância:
seus dedos com unhas, inacreditáveis!

A TERCEIRA VIA

Jonathan me traiu com uma mulher
que não sofreu por ele
um terço do que eu sofri;
uma mulher turista espairecendo na Europa.
Jonathan é bastante tolo.
Estou sem saber se me mudo
para alguém mais ladino,
se espero Jonathan crescer.
Sem descasar-me, sem gastar um tostão,
o moço oferece-me pensamentos diários
com irresistível margem de perigos:
posso ficar tísica,
posso engordar,
posso entender de física,
posso jejuar
produzindo sua imagem na hora mais quente do dia.
Ismália me diz: 'Deus é um tijolo,
está aqui no nariz do meu cachorro.
Eu sou puro pecado.'
E imediatamente come docinho de aletria
com descansada certeza:
'Irei salvar-me porque Deus me ama.'
Não tenho o peito de Ismália
pra chegar perto de Deus.
Por isso fico ganindo
e chego perto dos homens,
cheiro a camisa de Pedro,
o travo ingrato de Jonathan.
Todos viram que minha boca secou
quando disse muito prazer e desfaleci na cadeira.
O amor me envergonha.
Da geração da cachaça,

do é ou não é,
do ou casa ou vai pro convento,
não posso ser *gay* e dizer: depende,
vou ver, vou tratar do seu caso.
Comigo é na pândega
ou na santidade mais rigorosa.
Eu não servia para ter nascido,
para comer com boca, andar com pés
e ter dentro de mim oito metros de tripas
desejando a filigrana de tua íris
cuja cor não digo para não estragar tudo
e novamente ficar coberta de ridículo.
Sei agora, a duras penas,
por que os santos levitam.
Sem o corpo a alma de um homem não goza.
Por isto Cristo sofreu no corpo a sua paixão,
adoro Cristo na Cruz.
Meu desejo é atômico,
minha unha é como meu sexo.
Meu pé te deseja, meu nariz.
Meu espírito — que é o alento de Deus em mim —
                                    [te deseja
pra fazer não sei o que com você.
Não é beijar, nem abraçar, muito menos casar
e ter um monte de filhos.
Quero você na minha frente, estático
— Francisco e o Serafim, abrasados —,
e eu para todo o sempre
olhando, olhando, olhando...

CADERNO DE DESENHO

Quem verazmente se importa
de que esteja tão abatida com as respostas do oráculo?
Ele me ama? perguntei.
Por quatro vezes respondeu silêncio, conflito,
infortúnio e outra vez silêncio.
Terá Vosso amor, ó Deus, tanta beleza,
Vós que não tendes mãos, nem pés,
nem aquele nariz perfeito
por quem ardo até a última estrela?
Se Jonathan me amasse...
Mas quem me ama é João
e amo Jonathan desde os 12 anos,
desde a única boa lembrança de irmã Guida
que ensinava desenho,
as formas escapando de conselhos, doutrinas,
mais antigas que o pai, a mãe,
mais antigas que o avô,
reclamando de mim uma providência,
para que perdurassem, ficassem ali comigo no caderno.
Eu desenhava mal entusiasmadamente,
furando o papel com o lápis,
querendo expulsar de mim, hoje sei
— e queria mais não saber —,
aquela beleza mortal.
Eu lutava com o Anjo,
com o Mensageiro que nunca mais me deixou.
Que nome tem o que não morre?
O nome de Deus é qualquer,
pois, quando nada responde,
ainda assim uma alegria poreja.

SILABAÇÃO

Na falha do dente mesma
ou entre ela e a estrela vermelha sobre o rio
cabem aviões e perguntas.
Fazem tediosas sentenças
sobre meu vestido e cabelos
enquanto eu faço um livro
que, segundo comadre minha,
'deixa muitas recordações'.
Meu aspecto campônio
já perturbou um moço refinado
e passei maus bocados
com minha mãe me infernizando o ouvido:
'vai arear seus pezinho à toa,
esse tal de Notajan
casa é com moça rica'.
Preferível seu ódio
a ouvir o nome querido
massacrado em sua boca.
Ó Jonathan, as palavras me matam,
as perfeitas e as cruas.
Milho, pó de café, sabão,
minha pobre mãe me preparou pra vida,
este vale de lágrimas.
Vale de lágrimas! Que palavra estupenda!
Assim diria, se soubesse,
em toda língua humana conhecida,
vale de lágrimas!
Os olhos da humanidade se exaurindo,
enchendo gargantas,
fossos entre os penhascos,
até virar um mar,

um mar salgado e amargo.
Mar, não, até virar um rio,
porque dizer assim vale de lágrimas
não é desesperado como o mar,
nem tão imenso.
O rio tem margens,
margens espraiam-se,
vegetação, animais, guardadores de gado,
o grito é ouvido.

O DESPAUTÉRIO

Insinua-se a tentação de rejeitar a forma
e não sei se vem do Bem ou do Mal.
Um enfado pelo que só se mostra
à força de palavras desse
e não de outro jeito dispostas.
É quando mais sei que não sou Deus.
Jonathan, Jonathan,
minha mãe não aprende a soletrar seu nome,
seu ódio desloca as tônicas
e mais ainda os motivos
de seus terríveis conselhos.
Também quero infringir.
Quem ama mata o cacófato,
acha bonita a ruidosa máquina do corpo.
Tens dormido bem, meu pai?
Muito bem, respondia
informando inocente sobre galos,

choro noturno de recém-nascidos.
Mas este relato é belo.
Se a mãe tiver razão estou perdida.
Sempre disse: a poesia é o rastro de Deus nas coisas
e cantava o rastro,
quando é aos pés que se deve adorar.
Pobre beleza esta,
serva agrilhoada,
passarinho cego trinando.
No entanto está escrito: "Sois deuses!"
E somos.
Quero me oferecer à divindade
na mais perfeita pobreza
e ela só me recebe
na mais perfeita alegria.
Dentro da lâmpada acesa
o núcleo parece um ovo,
parece um pintinho novo.
Preciso mentir um pouco
para que o ritmo aconteça
e eu própria entenda o discurso.
Faça-se a dura vontade
do que habita meu peito:
vem, Jonathan,
traz flores pra minha mãe
e um par de algemas pra mim.

RAIVA DE JONATHAN

Fui te procurar na rua,
meti a cabeça no poste,
sangrou, solucei, dormi,
sonhei com astros movendo-se
e formas vegetais humanizadas.
O corpo é pagão e assim deve ficar
para que lembre Deus constantemente
Seu dever de salvar-nos.
Me desgosta este harpejo de líquidos
no seu abdômen branco,
homem mortal e cruel.
Sai pra lá, cachorrinha imbecil,
vai passar fome hoje,
o osso é meu.
As más companhias te perdem, meu amor,
e exaurem teu poder de construir bons versos.
Você se distrai, me esquece,
dá entrevistas pernósticas.
Um ovo de duas gemas
ao mais frio dos homens há de comover,
não a mim, não hoje,
que não quero saber da barra grega.
Desenho mal, é verdade,
mas precisava irmã Guida
exibir-se às minhas custas?
Se Brígida me provocar
vou lhe dizer assim como um doutor:
o mal que você faz é inconsciente, Brígida.
Só isto vai humilhá-la tanto quanto desejo,
limpar a gosma destes versos horrendos:
'rubor, febre, pudicícia,
minha honra feminina em convulsão,

percutindo em meu peito, ultrassônica,
a retornada, cíclica paixão'.
Sai, travesti poético. Arre! Credo!
Mas, como ia dizendo,
vem, Jonathan,
qualquer hora é hora,
o que vale é ser feliz,
mais vale um pássaro na mão,
vem, ó galante, do que dois avoando,
imploro-te,
mas vem logo, desgraçado,
senão eu te furo
e não tou nem aí.
Vestida de noiva,
vais me achar discursando
com um repolho na mão:
Querida massa, excelentíssima massa...
vais ficar tão bonito no caixão!
Só uma coisinha à toa me detém:
se cometer o crime,
como será depois,
quando me deparar com o desmazelo,
sua desgraciosa, humílima, utilíssima forma?
E a quem servirá a palavra de Isaías
que escreveu para mim o seu oráculo?
"Deem força aos joelhos vacilantes,
o coxo saltará como um cabrito."
Hein, Jonathan? Responde.

PRANTO PARA COMOVER JONATHAN

Os diamantes são indestrutíveis?
Mais é meu amor.
O mar é imenso?
Meu amor é maior,
mais belo sem ornamentos
do que um campo de flores.
Mais triste do que a morte,
mais desesperançado
do que a onda batendo no rochedo,
mais tenaz que o rochedo.
Ama e nem sabe mais o que ama.

O SACRIFÍCIO

Não tem mar, nem transtorno político,
nem desgraça ecológica
que me afastem de Jonathan.
Vinte invernos não bastaram
pra esmaecer sua imagem.
Manhã, noite, meio-dia,
como um diamante,
meu amor se perfaz, indestrutível.
Eu suspiro por ele.
Casar, ter filhos,
foi tudo só um disfarce, recreio,
um modo humano de me dar repouso.
Dias há em que meu desejo é vingar-me,
proferir impropérios: maldito, maldito.
Mas é a mim que maldigo,

pois vive dentro de mim
e talvez seja Deus fazendo pantomimas.
Quero ver Jonathan
e com o mesmo forte desejo
quero adorar, prostrar-me,
cantar com alta voz *Panis Angelicus*.
Desde a juventude canto.
Desde a juventude desejo e desejo
a presença que para sempre me cale.
As outras meninas bailavam,
eu estacava querendo
e só de querer vivi.
Licor de romãs,
sangue invisível pulsando na presença Santíssima.
Eu canto muito alto:
Jonathan é Jesus.

ADORAÇÃO NOTURNA

É como um olhar,
como um olhar imóvel.
Beijam-me quando assim me tomas,
admirados
de que não repila a comiseração:
'Não é a que tem desejos e sandálias?'
Vossos pés me ocupam, vossos dedos
cuja perfeição esgota a eternidade.
Quem mais adora quando me arrebatas?
Meus sapatos são os vossos,
de ouro,

iguais são nossos joelhos,
as rótulas sobre as quais
— eu, ou vós? — descansamos as mãos.
Necessária como Deus,
coberta de meus pecados resplandeço.

O PELICANO

Um dia vi um navio de perto.
Por muito tempo olhei-o
com a mesma gula sem pressa com que olho Jonathan:
primeiro as unhas, os dedos, seus nós.
Eu amava o navio.
Oh! eu dizia. Ah, que coisa é um navio!
Ele balançava de leve
como os sedutores meneiam.
À volta de mim busquei pessoas:
olha, olha o navio
e dispus-me a falar do que não sabia
para que enfim tocasse
no onde o que não tem pés
caminha sobre a massa das águas.
Uma noite dessas, antes de me deitar
vi — como vi o navio — um sentimento.
Travada de interjeições, mutismos,
vocativos supremos balbuciei:
Ó Tu! e Ó Vós!
— a garganta doendo por chorar.
Me ocorreu que na escuridão da noite
eu estava poetizada,

um desejo supremo me queria.
Ó Misericórdia, eu disse
e pus minha boca no jorro daquele peito.
Ó amor, e me deixei afagar,
a visão esmaecendo-se,
lúcida, ilógica,
verdadeira como um navio.

COLMEIAS

Escuta, minha filha; vê e presta atenção: esquece teu povo e a casa de teu pai; que o rei se encante com a tua formosura!

Do Salmo 44

A CRIATURA

Quero ver Jonathan,
aqui ou onde mora
exilado de mim.
Está meio chuvoso e é domingo,
feito um domingo antigo,
quando Ormírio chegou com Antônia,
sua filha de criação,
e me deu um cacho de uvas.
Da mesma natureza é a saudade que sinto
por aquele domingo e por Jonathan.
Como Antônia era tola eu era feliz,
o eixo da terra girava devagar,
eu cantava
a propósito de tudo
a música de que mais gostava.
Quando me apaixonei por Jonathan,
escrevia seu nome pela casa,
meu pai dizia: O que é isso?
É o nome de um príncipe, eu falava.
Pronuncia-se Narratanói e está nas mil e uma noites...
Meu pai, plebeu
a quem certas palavras subjugavam,
orgulhava-se de mim
que lhe dava poder sobre os signos migrados.
Oh, Jonathan, descubro que te amo
desde o tempo da guerra,
quando os aliados batiam os alemães.
Vovô dizia usaliados,
e até mamãe, imagine!
E principalmente eu:
'usaliados vão ganhar a guerra',
sabendo, por divina inspiração:

'o poder é de quem detém a palavra'.
Poder que ia usar contra você,
que teria minha mãe usado contra mim:
'Você é da classe operária,
ele é muito bonito,
vai te deixar sozinha!'
Não deixou, minha mãe, como não me deixa,
apesar dos pesares,
esta vocação para a alegria perfeita.
Vê, são passadas décadas
e é a mesma em mim
a prontidão para a chuva,
as goiabas verdes,
para o sol que ateia nos telhados
as labaredas brancas do meio-dia.
É como se estivésseis aqui
com meu pai, meu avô,
Ormírio e o cacho de uvas,
como quando entoei impropriamente
à véspera de um Natal o *Tantum Ergo*.
Que grande cortesã eu me ensaiava,
porque era uma orgia
aquela felicidade sobre nadas,
era tudo tão pobre.
Eu já amava Jonathan,
porque Jonathan é isto,
fato poético desde sempre gerado,
matéria de sonho, sonho,
hora em que tudo mais desce à desimportância.
Agora que me decido à mística,
escrevo sob seu retrato:
'Jesus, José, Javé, Jonathan, Jonathan,
a flor mais diminuta é meu juiz.
Me deixem no deserto resgatada,

pedra que dentro é pedra,
sobre pedra pousada.'
Rimo por boniteza, não é triste o que sinto.
"A supliciada" podíeis chamar a tais versos,
no entanto, confirmo, estou feliz,
feliz para o desperdício
do que busquei amealhar
e estava certa,
o que o tempo não rói.
Um mel derrama-se,
uma ave amorosa me alimenta.
Negro céu com relâmpagos
e esta doçura que não tem repouso.
São feitos para mim estes legumes,
mais que as flores são feitos para mim
que os converto no ventre em ouro simbólico.
Nada há mais parecido com o que sou
a não ser outro homem e outro mais
e mais outro homem.
A visão de um recém-nascido me transporta.
Experimento dizer: 'dentro da terra,
sobre leitos de areia os lençóis d'água';
é como ferir o peito com uma lança,
estremeço de amor pelas torrentes,
como de amor por Jonathan.
Os peixes gostam de mim, os fetos.
Antes que o façam eu abraço os homens,
eu os desarmo,
como a abelha em seu afinco
trabalho para que entendam:
a vida é tão bonita,
basta um beijo
e a delicada engrenagem movimenta-se,
uma necessidade cósmica nos protege.

Os espíritos imundos confessavam o Cristo,
se enfiavam nos porcos confessando,
esta alegria nova me confessa,
a mesma, a antiga,
a de quando ganhei as uvas e chovia
e gostava de Antônia,
aquela menina tola.
'A ira bordeja como um peixe mau'
é só um verso bonito.
Não há como voltar deste país:
o homem à janela canta
— sem ter costume — a melodiazinha.
Deus põe no céu o arco-íris,
uma palavra selada,
seu hieróglifo.
Não tenho mais tempo algum,
ser feliz me consome.

A FACA NO PEITO

Coração da gente — o escuro, escuros.

João Guimarães Rosa em
Grande sertão: veredas

**POR CAUSA DA
BELEZA DO MUNDO**

BIOGRAFIA DO POETA

Era uma casa com árvores de óleo,
           duas árvores grandes...
Assim começa meu amor por Jonathan,
           com este belo relato.
Referia-se meu pai aos óleos como se recontasse:
'Destes troncos que vês, Deus falou a Moisés.'
Pois bem. Duas árvores de óleo,
duas horas da tarde,
e um café que todo mundo,
àquela hora, fazia.
Uma voz intrometeu-se:
'Você e seu irmão podem brincar aqui que não chateiam.'
Chamavam poeta ao que sabia rimar,
o mundo intimava.
Nem Salomão em sua glória foi mais feliz que eu.
Pode-se transformar em amor o horror às fezes?
Ainda que tênues,
       desconforto e estranheza não devem permanecer
              para que eu siga humana?
Queria ter inventado o ponto de cruz e o fermento
— pequena humilhação seguir receitas.
      Borboletinhas, computadores,
         fios dágua com peixes,
cabos telegráficos sob o mar.
Descubro que nunca vi a vera face de Deus.
Há mulheres no meu grupo que rezam sem alegria
e de cabo a rabo recitam o livro todo,
incluindo *imprimatur*, edições, prefácio,
endereço para comunicar as graças alcançadas.
Eu só quero dizer: Ó Beleza, adoro-Vos!
Treme meu corpo todo ao Vosso olhar.

O DESTINO DO ALVISSAREIRO

O poeta sofre o ridículo
        de passear na cidade
        com a coroa de louros.
Salve, 'cantor das multidões'!
Assim o saúda o tolo,
        com picardia e desdém.
Amém, ele responde, amém, amém,
desespero impossível,
amor não correspondido,
        ainda assim, amém,
cruz sobre terra plantada.
Eis que os ossos são brancos,
eis que são belos também,
eis que este anúncio me mata
e esta grande dor me confina,
mas ainda que o mundo acabe
esta canção não termina.

A FORMALÍSTICA

O poeta cerebral tomou café sem açúcar
e foi pro gabinete concentrar-se.
Seu lápis é um bisturi
        que ele afia na pedra,
na pedra calcinada das palavras,
imagem que elegeu porque ama a dificuldade,
        o efeito respeitoso que produz
            seu trato com o dicionário.
Faz três horas já que estuma as musas.
O dia arde. Seu prepúcio coça.

Daqui a pouco começam a fosforescer coisas no mato.
A serva de Deus sai de sua cela à noite
                  e caminha na estrada,
passeia porque Deus quis passear
                          e ela caminha.
O jovem poeta,
      fedendo a suicídio e glória,
rouba de todos nós e nem assina:
      'Deus é impecável.'
As rãs pulam sobressaltadas
      e o pelejador não entende,
quer escrever as coisas com as palavras.

A MORTE DE D. PALMA OUTEIROS CONSOLATA

Ficou severo na morte o pobre corpo,
o rosto ancestralmente conhecido.
Olhei-a no caixão durante horas.
Depois da oração fúnebre,
da água benta aspergida,
depois do hino do mártir
cantado em sua memória,
vai suavizar-se o rosto, pensei,
a boca vai conformar-se
à alegria de quem sempre soube:
a vida é uma dor contínua, mas Deus é pai amoroso.
Em vão.
Chegou o filho de longe, o último,
      a neta bastarda
por quem seus peitos velhos renasceram,
em vão.

D. Palma não abriu os olhos,
não ameaçou sorrir, os lábios colados.
Só uma pessoa falou: 'Que semblante sereno!'
Mas não era verdade, eu não tive o sinal.
Um dia me ofereceu um livro,
o mais bonito e mais caro que
comprou em sua vida,
o livro cuja palavra
resgatou sua tristeza da astúcia de satanás.
Pois vou abri-lo ao acaso
pra que um novo mistério me conforte.
Eis, creia no que lhe digo, assim está:
"Cantemos um hino ao Senhor,
Cantemos um novo hino ao nosso Deus!"

LAETITIA CORDIS

Sossegai um minuto para ver o milagre:
está nublado o tempo, de manhã,
um pouco de frio e bruma.
Meu coração, amarelo como um pequi,
        bate desta maneira:
        Jonathan, Jonathan, Jonathan.
        À minha volta dizem:
'Apesar da névoa, parece que um sol ameaça.'
        Penso em Giordano Bruno
e em que amante incrível ele seria.
Quero dançar
e ver um filme eslavo, sem legenda,
adivinhando a hora em que o som estrangeiro

                 está dizendo eu te amo.
Como o homem é belo,
        como Deus é bonito.
Jonathan sou eu apoiada em minha bicicleta,
                posando para um retrato.
Quando ficam maduros
              os pequis racham e caem,
formam ninhos no chão de pura gema.
Meu coração quer saltar,
bater do lado de fora,
     como o coração de Jesus.

HISTÓRIA

Me aflige que escrevam:
'Foi em mil oitocentos e tanto que apareceu
                 a primeira bicicleta.'
Preciso que seja eterna. Deus entende o que digo,
Deus e os que leem poemas como penso em Jonathan.
Meu pai contando:
'Meu avô contava que seu tetravô
tinha uma bicicleta engraçada
onde carregava os queijos, também eternos,
e ovos, desde sempre existentes.
Já usava este sobrenome que você tem,
               minha filha,
e que dará a seu filho, que o dará a seu neto,
cordão plantado no umbigo do Pai Eterno.'
Assim não corro perigo de não ter conhecido Jonathan,
alegria da minha vida por quem espero

"mais que o guarda pela aurora".
A história do homem é pitoresca. As datas,
                    brinquedo de pesquisadores.
Quando Deus criou o mundo
criou junto a bicicleta e o caminho relvado
onde Jonathan me espera para esta bela sequência:
à passagem dos amantes,
                    o capim florido estremece.

O HOLOCAUSTO

Uns calores no corpo inauguraram-se,
há avisos de que um ciclo se fecha
          sobre o que em mim nunca mais
    será rosa ou cetim.
No entanto, entre flores dessecadas
e fotografias — hoje tornadas risíveis —
perduram inalterados
cardumezinhos, corolas,
hastes dançando à viração da tarde.
Como é possível peixes tão pequeninos
e este amarelo, o amarelo?
Os peixinhos ficam na água e não se afogam!
Tomai minha vida, ainda direi a Deus
          pra lhe provar minha alegria.
Hoje quero rir desta invenção engraçada:
          "uma carroça cheia de diabos".
Carroças são pacíficas
e a tais diabos gritos afugentam.
Na raiz da tristeza este anticorpo:

o que quer que seja o amarelo,
dele é feita minha alma e sua felicidade,
a beleza do mundo e a alma de Cristo.

OPUS DEI

As borboletas não desistem,
inconscientes de seu nome impróprio.
As estações renovam-se sem erro
e teimas ainda em te certificares
    de que não é pecado dizer:
ó beleza, sois a minha alegria.
Abre-te,
    Jonathan é apenas um homem,
se lhe torceres o lábio zombeteira
a lança dele reflui.
Um inseto esgota a razão toda,
rói com sabedoria as sumas,
uma gota de seiva mata um homem.
Portanto entrega-te
ao que te faz tão bela quando ris.
    A ópera não é bufa,
é só um não-saber rasgado de clarões.
    Se Jonathan for deus estarás certa
    e se não for, também,
    porque assim acreditas
e ninguém é condenado porque ama.

EM PORTUGUÊS

Aranha, cortiça, pérola
e mais quatro que não falo
são palavras perfeitas.
Morrer é inexcedível.
Deus não tem peso algum.
Borboleta é *atelobrob*,
um sabão no tacho fervendo.
Tomara estas estranhezas
sejam psicologismos,
corruptelas devidas
ao pecado original.
Palavras, quero-as antes como coisas.
Minha cabeça se cansa
                  neste discurso infeliz.
Jonathan me falou:
          'Já tomou seu iogurte?'
Que doçura cobriu-me, que conforto!
As línguas são imperfeitas
             pra que os poemas existam
e eu pergunte donde vêm
         os insetos alados e este afeto,
          seu braço roçando o meu.

ARTEFATO NIPÔNICO

A borboleta pousada
ou é Deus
ou é nada.

PARÂMETRO

Deus é mais belo que eu.
E não é jovem.
Isto, sim, é consolo.

AS PALAVRAS E OS NOMES

Me atordoam da mesma forma os místicos
e as lojas de roupa com seus preços.
O dente apodrece
sem que eu levante um dedo pra salvá-lo,
já que escolhi o medo como meu deus e senhor.
Tem pó demais na prateleira dos livros
           e livros em demasia
e cartas cheias de si me atravancando o caminho:
'Escrever para mim é uma religião.'
Os escritores são insuportáveis,
         menos os sagrados,
os que terminam assim as suas falas:
         'Oráculo do Senhor.'
Eu fico paralisada
porque desejo a posse deste fogo
e a roupa de talhe certo,
         com tecidos de além-mar.
Ai, nunca vou fazer 'cantar d'amigo'.
No entanto, como se eu fora galega,
na minh'alma arrulham pombos,
tem beirais, tem manhãzinhas,
         costureirinhas, pardais.
Meu nome agora é nenhum,

diverso dos muitos nomes
que se incrustaram no meu,
Délia, Adel, Élia e Lia
e para desgraça minha
ainda Leda, Lea, Dália,
Eda, Ieda e ainda Aia.
O melhor!
Aia, a criada de dama nobre,
     a dama de companhia,
a que tem por ofício
     anotar no papel a vida
e espiar pela fresta
a ama gozando com o rei.
Borboleta, esta grafia,
     este som é um erro
e os erros me interessam,
sacrifico as aranhas pra saber de onde vêm.
A natureza obedece e é feliz,
a natureza só faz sua própria vontade,
     não esborda de Deus.
Mas eu o que sou?

O DEMÔNIO TENAZ QUE NÃO EXISTE

A glória de Deus é maior que este avião no céu.
E Seu amor, de onde o meu medo vem,
mar de delícias onde caem aviões e barcos naufragam,
eu sei, eu sei
e sei também a coisa desastrosa, ser o corpo do tempo,
          existir,
o intermitente pavor.

Jonathan, a morte é amor
            e por que, se tenho certeza, ainda temo?
Por que um peixe é feliz e eu não sou?
É esquisito ser gente.
Quando abri a porta de noite,
lá estava um sapo de pulsante papo,
      um pacífico sapo.
Pensei: é Jonathan disfarçado, veio aqui me visitar.
Ainda assim empurrei-o com a vassoura
            e fui ver televisão.
Sob céu estrelado, ficarei sem dormir, admirada.
O amor de Deus é Sua Beleza,
                igualam-se.
Quero ser santa como santa é Agnes,
a que voa nas asas dos besouros,
      cantando pra me acalmar com sua voz de menina:
"desvencilha-te das cadeias que te prendem o pescoço,
      ó filhinha cativa de Sião".
      Os aviões causam medo porque Deus está neles.
Me abraça, Deus, com Teu braço de carne,
    canta com Tua boca pra eu ficar inocente.

COMO UM BICHO

O ritmo do meu peito é amedrontado,
Deus me pega, me mata, vai me comer
                o deus colérico.
Tan-tan, tan-tan,
um tambor antiquíssimo na selva
        cada vez mais perigoso

      porque o dia deserta,
             tan-tan, tan-tan,
as estrelas são altas e os répteis astuciosos.
        Tan-tan, meu pai, tan-tan,
               ó minha mãe,
ponta de faca, dentes,
                 água,
água, não. Um pastor com sua flauta no rochedo,
o que nada pode erodir.
Assim meus pés descansam
e minha alma pode dormir.
        Tan-tan, tan-tan,
        cada vez mais fraco.
        Não é meu coração,
             é só um tambor.

POR CAUSA DO AMOR

MATÉRIA

Jonathan chegou.
E o meu amor por ele é tão demente
que me esqueci de Deus,
eu que diuturnamente rezo.
Mas não quero que Jonathan se demore.
Há o perigo de eu falar
          na presença de todos
uma coisa alucinada.
O que quer acontecer pede um metro imprudente,
              clamando por realidade.
Centopeias passeiam no meu corpo.
      Ele me chama Agnes
      e fala coisas irreproduzíveis:
'entendo que uma jarra pequena
           com três rosas de plástico
      possam inundar você de vida e morte'.
      Você existe, Jonathan?

FORMAS

De um único modo se pode dizer a alguém:
          'não esqueço você'.
A corda do violoncelo fica vibrando sozinha
          sob um arco invisível
e os pecados desaparecem como ratos flagrados.
      Meu coração causa pasmo porque bate
      e tem sangue nele e vai parar um dia
      e vira um tambor patético
          se falas no meu ouvido:
              'não esqueço você'.

Manchas de luz na parede,
      uma jarra pequena
            com três rosas de plástico.
Tudo no mundo é perfeito
     e a morte é amor.

POEMA COMEÇADO DO FIM

Um corpo quer outro corpo.
Uma alma quer outra alma e seu corpo.
Este excesso de realidade me confunde.
Jonathan falando:
        parece que estou num filme.
Se eu lhe dissesse você é estúpido
ele diria sou mesmo.
Se ele dissesse vamos comigo ao inferno passear
            eu iria.
As casas baixas, as pessoas pobres
         e o sol da tarde,
imaginai o que era o sol da tarde
        sobre nossa fragilidade.
Vinha com Jonathan
pela rua mais torta da cidade.
       O Caminho do Céu.

A CICATRIZ

Estão equivocados os teólogos
quando descrevem Deus em seus tratados.
Esperai por mim que vou ser apontada
como aquela que fez o irreparável.
Deus vai nascer de novo para me resgatar.
Me mata, Jonathan, com sua faca,
me livra do cativeiro do tempo.
Quero entender suas unhas,
o plano não se fixa, sua cara desaparece.
Eu amo o tempo porque amo este inferno,
este amor doloroso que precisa do corpo,
da proteção de Deus para dizer-se
nesta tarde infestada de pedestres.
Ter um corpo é como fazer poemas,
pisar margem de abismos,
     eu te amo.
Seu relógio,
     incongruente como meus sapatos,
uma cruz gozosa, ó *Felix Culpa*!

O CONHECIMENTO BÍBLICO

Deus me deu um amor e estas palavras
pra que eu possa erigi-lo,
palavras e um rito,
um lugar entre ruínas, longe
de todo bulício humano conhecido.
A felicidade é tão grande
     que desperta os demônios,

os que se ocupam em gerar o medo,
pois de onde mais pode vir
              este pensamento sujo:
você exposto, nu,
à minha sanha de perfeição.
São teus pés que nunca vi
              que ameaçam minha vida
porque tua alma já é minha;
teu amor por orquestras,
tua inacreditável humildade.
Eu só quero o que existe,
por isso erijo este sonho,
concreto como o que mais concreto pode ser,
vivo como minha mão escrevendo
              eu te amo,
não em português. Em língua nenhuma,
em diabolês, que quer dizer também
              eu te odeio,
me deixa em paz,
não exija de mim tanta coragem.
Me deem um lugar no mundo,
onde não tenha ninguém,
um lugar entre ruínas.
O dia da santidade se aproxima,
o dia pagão em que nascerá minha vida.
Jonathan, antes de Cristo
              eu te amo.

O ENCONTRO

Jonathan,
se resolvermos que o céu
        é este lugar onde ninguém nos ouve,
quem poderá salvar-nos?
Quanto tempo resistiríamos
sem falar a ninguém deste acontecimento?
Acompanhei com os dedos
        o desenho miraculoso do teu lábio,
    contornei-lhe as gengivas,
    bati-lhe no dente escuro
        como em um cavalo,
um cavalo meu na campina.
Pedi-lhe: faz com tua unha um risco
        na minha cara,
o amor da morte instigando-nos
    com nunca vista coragem.
    Vamos morrer juntos
    antes que o corpo alardeie
        sua mísera condição.
Agora, Jonathan,
    neste lugar tão ermo,
    neste lugar perfeito.

A SEDUZIDA

Por causa de Jonathan
    minha idade regride.
Por certo morrerei
se insistir em só amar,
    sem comer nem dormir.

Amor e morte são casados
e moram no abismo trevoso.
Seus filhos,
o que se chama Felicitas
tem o apelido de Fel.
O centro da luz é escuro
          do negrume de Deus,
é sombra espessa de dia,
de noite tudo reluz.
Comigo os séculos porfiam
na encarnação de Jesus.

O MAIS LEVE QUE O AR

O que me leva a Jonathan?
A bicicleta do sonho,
mais veloz que avião.
Anda no mar, encantada,
    transpõe montanhas,
        para no portão florido.
Jonathan está no escritório
    com a luz do abajur acesa.
Demoro um pouco a bater,
    pro coração sossegar.
Jonathan me pressente
    e abre a cortina brusco,
        brincando de me assustar.
        As bicicletas são duas na planície.

ADIVINHA

Escolhe um mês,
 falei à santa.
Ela escolheu outubro.
E também a menina a quem pedi
falou, sem saber, outubro.
Não pergunto a mais ninguém
pois será neste mês
que vou lavrar o ouro bruto
 encastelado em seu nome.
Pensava em Jonathan quando armei o brinquedo,
penso nele agora
 fazendo o que sei melhor,
mandar mensagens de amor
com a força do pensamento:
 Jonathan, escuta,
 sou eu a mosca adejante:
 junto às ruínas, em outubro.

CITAÇÃO DE ISAÍAS

A matéria de Deus é Seu amor.
Sua forma é Jonathan,
o que dói e perece
e me diz, com tremor da criação inteira:
"És preciosa aos meus olhos,
 porque eu te aprecio e te amo,
 permuto reinos por ti."

GRITOS E SUSSURROS

Este ano é bissexto, Jonathan.
No céu ou no inferno,
um dia inteiro pra nós.

MANDALA

Minha ficção maior é Jonathan,
mas, como é poética, existe
e porque existe me mata
e me faz renascer a cada ciclo
de paixão e de sonho.

MAIS UMA VEZ

Não quero mais amar Jonathan.
Estou cansada deste amor sem mimos,
destinado a tornar-se um amor de velhos.
Oh! nunca falei assim —
      um amor de velhos.
Ainda bem que é mentira.
Mesmo que Jonathan me olvide
     e esta canção desafine
como um bolero ruim,
permaneço querendo a bicicleta holandesa
e mais tarde a cripta gótica

pra nossos ossos dormirem.
      Ó Jonathan,
não depende de você
que a cornucópia invisível jorre ouro.
      Nem de mim.
Quero enfear o poema
      pra te lançar meu desprezo,
          em vão.
Escreve-o quem me cita as palavras,
escreve-o por minha mão.

CARTA

Jonathan,
por sua causa
começam a acontecer coisas comigo.
Ando cheia de medo.
Quero me mudar daqui.
Enfarei dos parentes,
do meu cargo na paróquia
e cismei de arrumar os cabelos
como certas cantoras.
Não tenho mais paciência
com assuntos de quem morreu,
quem casou,
caí no ciclo esquisito de quando te conheci.
Fico sem comer por dias,
meu sono é quase nenhum,
ensaiando diálogos
pra quando nos encontrarmos

naquele lugar distante
dos olhos da Marcionília
que perguntou com maldade
se vi passarinho verde.
Me diga a que horas pensa em mim,
pra eu acertar meu relógio
pela hora de Madagascar,
onde você se aguenta
sem me mandar um postal.
A não ser o Soledade e minha querida irmã,
ninguém sabe de nós.
Só a eles conto o meu desvario.
Bem podia você telefonar,
escrever,
telegrafar,
mandar um sinal de vida.
Há o perigo de eu ficar doente,
me surpreendi grunhindo,
beijando meu próprio braço.
Estou louca mesmo.
De saudade.
Tudo por sua causa.
Me escreve.
Ou inventa um jeito
de me mandar um recado.
Da janela do quarto onde não durmo
fico olhando Alfa e Beta,
que, na minha imaginação,
representam nós dois.
Você me acha infantil, Jonathan?
Pediram insistentemente
para eu saudar o Embaixador.
Respondi: não.

Com todas as letras: não.
Só pra me divertir, expliquei
que aguardo na mesma data
visita da Manchúria,
professor ilustre vem saber
por que encho tantos cadernos
com este código espelhado:
OMAETUE NAHTANOJ.
Torço pra estourar uma guerra
e você se ver obrigado
a emigrar para Arvoredos.
Me inspecionam.
Devo ter falado muito alto.
Beijo sua unha amarela
e seus olhos que finge distraídos
só para aumentar minha paixão.
Sei disso e ainda assim ela aumenta.
Alfa querido, *ciao*.
Sua sempre Beta.

BILHETE DA OUSADA DONZELA

Jonathan,
há nazistas desconfiados.
Põe aquela sua camisa que eu detesto
— comprada no Bazar Marrocos —
e venha como se fosse pra consertar meu chuveiro.
Aproveita na terça que meu pai vai com minha mãe
visitar tia Quita no Lajeado.
Se mudarem de ideia, mando novo bilhete.

Venha sem guarda-chuva — mesmo se estiver chovendo.
Não aguento mais tio Emílio que sabe e finge não saber
que te namoro escondido e vive te pondo apelidos.
O que você disse outro dia na festa dos pecuaristas
até hoje soa igual música tocando no meu ouvido:
'não paro de pensar em você'.
Eu também, Natinho, nem um minuto.
Na terça, às duas da tarde,
hora em que se o mundo acabar
                    eu nem vejo.

              Com aflição,
                Antônia.

FIEIRA

Posso me esforçar à vontade
que a letra não sai redonda.
            Deus meu vê.
Não escrevo mais cartas,
só palavrões no muro:
        Foda-se. Morra.
Estou cansada de dizer eu te amo.
Não tem começo nem fim minha paciência.
Não paro de pensar em Jonathan.
           Detesto escrita elegante.
           As tragédias são doces.
Aprendi a falar desde pequenininha.
        Tudo que digo é vaidade.
É impossível viver sem dizer eu,

        palavra a Deus reservada.
            Não sei como ser humana.
Saberei, se Jonathan me amar:
        'que unha forte!',
        'você me lembra alguém',
        'quase lhe mando um cartão'.
            Migalhas, Jonathan,
        você também vai morrer,
                      fala,
        descansa meu coração.

PRODÍGIOS

Hoje quase tive um êxtase
    no meu querer intenso de um milagre:
que esta flor desabroche na minha frente,
que a luz pisque três vezes.
Assim sem mais, o pensamento de que vivo em pecado,
                Cristo me advertindo:
        "Quem olhar uma mulher cobiçando-a
        já adulterou com ela em seu coração."
Mas Jonathan nem é mulher
    e quem hoje, senão às escondidas,
cumpre o preceito bíblico
de vergastar até o sangue
as costas do escravo ruim?
Ó andorinha,
pousa em meu ombro como um sinal.
Ó escorpião,
    move tua cauda azul,

rodopia no céu, lua crescente.
Me diz, bíblia velha, onde está o erro.
"Quantas vezes no deserto O provocaram
e na solidão O afligiram."
Estes poemas belíssimos
dizem de Deus:
"Matou os primogênitos no Egito."
"Seu hálito queima como brasa."
A lei me afasta de Jonathan
　　　　　que me aproxima de Deus
　　　　porque é belo e me ama
　　e não teme tocar os meus
　　com seus lábios de carne.
Bons tempos em que se matava
　　a adúltera a pedradas.
O que segura o mar nos seus limites
　　　　tem carinho com o mar.
Por que não terá comigo que também sei bramir?
　　Amo Deus, amo Jonathan,
　　amo, amo, amo.

TRINDADE

Deus só me dá o sonho.
O resto me toma, indiferente aos gritos,
porque o sonho é Ele próprio travestido de Jonathan
e sua cara de mármore inalcançável.
Minhas bravatas! Nunca fui além de seus dedos
　　　　　　　　　por debaixo do pires:
Mais café, Jonathan? Mais café?

Ele me achando ousada porque olhei seus sapatos
                e em seguida a janela
para que lesse nessa linha oblíqua
                      a urgência da minha alma.
Me beijou algum dia ou foi sonho, excessivo desejo?
Deus me separa de Deus, é frágua seu coração
ardendo de amor por mim que ardo de amor por Jonathan
que observa Orion, impassível como um rochedo.
"Tomai cuidado, vossas fantasias se cumprem."
Imagino que peço a Jonathan:
me deixa ferir teu lábio pra me provares que existes.
Jonathan que amo é divino,
acho que é humano também.
Um dia vai tomar minha cabeça com insuspeitada doçura.
Então,
eu Te amo, Deus,
contra mim mesma é o que direi,
Te amo.

NÃO-BLASFEMO

Deus não tem vontade. Eu, sim,
porque sou impressionável e pequena
e nunca mais tive paz desde que há muitos anos
                pus meus olhos em Jonathan.
Meus olhos e em seguida minha alma.
Nada mais quis até hoje.
Como serei julgada,
se meu medo se esvai, o meu medo do inferno,
da face do Deus raivoso?

O princípio da sabedoria é agora minha coragem
de viajar pressurosa para onde ele estiver.
Meu coração não pensa
e meu coração sou eu e seu desejo incansável.
A menina falou espantosamente:
'É impossível pensar em Deus.'
E foi este o meu erro todo o tempo,
Deus não existe assim pensável.
Não sei vos reproduzir como é a testa de Jonathan,
mas quando ele me toca é no seio de Deus que eu fico,
um seio que não me repele.
Assim,
cumpro o desígnio da divina vontade:
seu queixo agora, Jonathan,
seu riso quase escarninho,
seu modo de não me ver.
Entalho a beleza de Deus.

A SANTA CEIA

Começou dizendo: o amor...
mas não pôde concluir
pois alguém o chamava.
O amor... como se me tocasse,
falava só para mim,
ainda que outras pessoas estivessem à mesa.
O amor... e arrastou sua cadeira
                         pra mais perto.
Não levantava os olhos, temerosa
            da explicitude do meu coração.
A sala aquecia-se

do meu respirar de crepitação e luzes.
O amor...
Ficou só esta palavra do inconcluído discurso,
alimento da fome que desejo perpétua.
Jonathan é minha comida.

PASTORAL

Quando, por demasiada,
   a saudade de Jonathan me perturba
      eu vou pra roça.
    Nas ruas de café,
   entre canas de milho e folhas de bugre lustrosas,
         sua presença anímica me acalma.
    O cheiro dele é resinas, sua doçura,
escondida em cupins, cascas de pau,
         mel que nunca provei.
Meu coração implora à ordem amorosa do mundo:
    vem, Jonathan. E aparece um besouro
         com o mesmo jeito dele caminhar.
    Descubro que passarinhos
         só fazem o que lhes dá gosto
         e me incitam do bambual:
Você também, pequena mulher,
         deve cumprir seu destino.
Há um sacramento chamado
         da Presença Santíssima, um coração
dizendo o mesmo que o meu:
         vem, vem, vem.
Conheci a cólera de Deus,
    agora, seu vigilante ciúme.

Até a raiz das touceiras,
até onde vejo e não vejo,
rastro imperceptível de formigas,
Ele, Jonathan, e eu,
    faca, doçura e gozo,
dor que não deserta de mim.

O APRENDIZ DE ERMITÃO

É muito difícil jejuar.
Com a boca decifro o mundo, proferindo palavras,
beijando os lábios de Jonathan que me chama Primora,
nome de amor inventado.
Flauta com a boca se toca,
do sopro de Deus a alma nasce,
dor tão bonita que eu peço:
dói mais, um pouquinho só.
Não me peça de volta o que me destes, Deus.
Meu corpo de novo é inocente,
como a pastos sem cerca amo Jonathan,
    mesmo que me esqueça.
Ó mundo bonito!
Eu quero conhecer quem fez o mundo
               tão consertadamente descuidoso.
Os papagaios falam, Jonathan respira
e tira do seu alento este som: Primora.
"Tomai e comei."
Vosso Reino é comida?
Eu sei? Não sei.
Mas tudo é corpo, até Vós,
    mensurável matéria.

O espírito busca palavras,
quem não enxerga ouve sons,
quem é surdo vê luzes,
o peito dispara a pique de arrebentar.
Salve, mistérios! Salve, mundo!
Corpo de Deus, boca minha,
espanto de escrever arriscando minha vida:
eu te amo, Jonathan,
acreditando que você é Deus e
me salvará a palavra dita por sua boca.
Me saúda assim como à *Aurora Consurgens*:
        Vem, Primora.
Falas como um homem,
mas o que escuto é o estrondo
que vem do Setentrião.
Me dá coragem, Deus, para eu nascer.

ORÁCULOS DE MAIO

Quero vocativos para chamar-te, ó maio.

ROMARIA

O POETA FICOU CANSADO

Pois não quero mais ser Teu arauto.
Já que todos têm voz,
por que só eu devo tomar navios
de rota que não escolhi?
Por que não gritas, Tu mesmo,
a miraculosa trama dos teares,
já que Tua voz reboa
nos quatro cantos do mundo?
Tudo progrediu na terra
e insistes em caixeiros-viajantes
de porta em porta, a cavalo!
Olha aqui, cidadão,
repara, minha senhora,
neste canivete mágico:
corta, saca e fura,
é um faqueiro completo!
Ó Deus,
me deixa trabalhar na cozinha,
nem vendedor nem escrivão,
me deixa fazer Teu pão.
Filha, diz-me o Senhor,
eu só como palavras.

O AJUDANTE DE DEUS

Invoquei o Santo Espírito,
Ele me disse: sofre,
come na paciência
esta amargura,

porque tens boca
e eu não.
Toma o pequeno cálice,
massa de cinza e fel
não transmutados.
É pão de mirra,
come.

SALVE RAINHA

A melancolia ameaça.
Queria ficar alegre
sem precisar escrever,
sem pensar
que labor de abelhas
e voo de borboletas
precisam desse registro.
Chorando seus casamentos
vejo mulheres que conheci na infância
como crianças felizes.
A vida é assim, Senhor?
Desabam mesmo
pele do rosto e sonhos?
Não é o que anuncio
— já vejo o fim destas linhas,
isto é um poema, tem ritmo,
obedece à ordem mais alta
e parece me ignorar.
Me acontecem maus sonhos:
a casa só tem uma porta,

casa-prisão,
paredes altas, cômodos estreitos.
Chamo pelo homem, ele já se foi,
quem se volta é um negro,
indiferente.
A criança que se perdera,
ou deixei perder-se de mim,
é um menino-lobo,
eu a encontro grunhindo,
com um casal velho de negros.
Por que os negros de novo?
Por que este sonho?
Gasto minhas horas em pedir socorro,
esgotando-me, monja extramuros,
em produzir espaços de silêncio
para encontrar Tua voz.
É medo meu apregoado amor,
uma fita gravada, meu contentamento.
O primeiro santo do Brasil
invocou para um pobre:
"*Post-partum, Virgo Inviolata permansisti.
Dei Genitrix, intercede pro nobis.*"
Ó Virgem,
volte à minha alma a alegria,
também eu
estendo a mão a esta esmola.

O TESOURO ESCONDIDO

Tanto mais perto quanto mais remoto,
o tempo burla as ciências.
Quantos milhões de anos tem o fóssil?
A mesma idade do meu sofrimento.
O amor se ri de vanglórias,
de homens insones nas calculadoras.
O inimigo invisível se atavia
pra que eu não diga o que me faz eterna:
te amo, ó mundo, desde quando
irrebelados os querubins assistiam.
De pensamentos aos quais nada se segue,
a salvação vem de dizer: adoro-Vos,
com os joelhos em terra, adoro-Vos,
ó grão de mostarda aurífera,
coração diminuto na entranha dos minerais.
Em lama, excremento e secreção suspeitosa,
adoro-Vos, amo-Vos sobre todas as coisas.

STACCATO

Uma formiga me detém o passo,
aonde vais, celerado, que não me ajudas?
Mas não é dela a voz,
é dele interceptando-me,
o deus carente.
Se não lhe disser Vos amo,
sua dor nos congela.

HOMILIA

Quem dentre vós
dirá convictamente:
os alquimistas morreram
— aqueles simples —,
morreram os conquistadores,
os reis,
os tocadores de alaúde,
os mágicos.
Oh, engano!
A vida é eterna, irmãos,
aquietai-vos, pois, em vossas lidas,
louvai a Deus e reparti a côdea,
o boi, vosso marido e esposa
e sobretudo
e mais que tudo
a palavra sem fel.

DOMUS

Com seus olhos estáticos na cumeeira
a casa olha o homem.
A intervalos
lhe estremecem os ouvidos,
de paredes sensíveis,
discernentes:
agora é amor,
agora é injúria,
punhos contra a parede,
pânico.

Comove Deus
a casa que o homem faz para morar,
Deus
que também tem os olhos
na cumeeira do mundo.
Pede piedade a casa por seu dono
e suas fantasias de felicidade.
Sofre a que parece impassível.
É viva a casa e fala.

A BOA MORTE

Dona Dirce chorava a morte da filha
e com sincera dor o fazia,
estendendo a mão em direção ao café
que a irmã da morta servia.
Eu prestava atenção em Dona Dirce
que escutava Alzirinha, admirada:
...o médico me proibiu expressamente...
Alguém pôs a cara na porta procurando Dona Dirce:
A senhora sabe a placa da caminhonete do Artur?
Alzirinha não queria café, por motivo de regime,
era possível que Artur não fosse avisado a tempo.
A adolescente sardenta, visivelmente feliz,
chorava a morte da mãe.
Também eu quis chorar,
por diversos outros motivos,
mas era impossível ali,
celebrava-se a vida
sob as caras contritas,

sob os véus da morte,
mais que sete.
A cada desnudamento
ela própria cobria-se
visivelmente pra nos proteger:
Ninguém quer café mais não?
Modesta a morte, companheira,
nos consolando, quase da família.
Lucinda virou santa.
Não contei a ninguém,
pra não amolar a tristeza.

POEMA PARA MENINA-APRENDIZ

Hoje aqui em Divinópolis
está desesperador
mas ninguém escapará
à sedução da minha paciência.
A meninazinha insiste
em arrumar a cozinha para mim,
parece uma imperatriz: 'sai daqui'.
O homem sério insinua-se:
'te aprecio mais sem óculos',
um homem desanimador.
Pelo que disse
sobre a memória histórica da aldeia,
a edilidade vai me ovacionar;
no entanto,
se me escavarem nada encontrarão
a não ser desejo,

quase ingratidão.
Sai a romaria para Congonhas do Campo,
quero ir também,
pegar poeira por debaixo das unhas.
Tem mais alguma coisa pra lavar?
Tem, sim, o encardido da alma,
um grão de esperança lava.
Pode ir brincar, Beatriz.

DO AMOR

Assim que se é posto à prova,
na cinza do óbvio, quando
atrás de um caminhão vazando
o homem que pediu sua mão
informa:
'está transportando líquido'.
Podes virar santa se, em silêncio,
pões de modo gentil a mão no joelho dele
ou a rainha do inferno se invectivas:
claro, se está pingando,
querias que transportasse o quê?
Amar é sofrimento de decantação,
produz ouro em pepitas,
elixires de longa vida,
nasce de seu acre
a árvore da juventude perpétua.
É como cuidar de um jardim,
quase imoral deleitar-se
com o cheiro forte do esterco,

um cheiro ruim meio bom,
como disse o menino
quanto a porquinhos no chiqueiro.
É mais que violento o amor.

PORTUNHOL

Quero dizer
do corpo de Vosso Espírito no jardim,
uma luz sem crueza.
Disse-o?
Só aparentemente
divergem rosa e alecrim.
Um espelho é o que sou,
nem sempre turvo,
veem-se através de mim
os que me julgam clemente.
Entendes
é quando o corpo da luz te escapa
e resta na memória
uma claridade aquecida,
é quando dizes:
é inacreditável
tramas tão delicadas nos teares.
Os computadores sabem
que escrevi rosa com 'z',
corrigem-me como professores.
Bate um grande desejo
de torresmos,
garrafa inteira de vinhos,

freme num ponto a vida
— até hoje foi entre as pernas —,
desejo de *alabanza*,
um desejo de dança e *castañuelas*,
de falar lindamente errado:
"estou sentindo-me isso".
Ninguém discordará que Deus é amor.

SESTA COM FLORES

Temporal para Ofélia
é chuva que dura tempos.
Voltou de novo, no ouvido,
o barulhinho de telégrafo.
Vaca é nome invasivo,
o nome só, a vaca é boa.
Sofro de aristocracismo,
logo eu,
nascida em Córrego da Ferrosa.
Invadi filho uma vez,
quero ficar sem minha língua,
a repetir o que fiz.
À porta da escola
um menino doente
ajudava o outro a subir,
homem é muleta de Deus.
Não há descanso aqui,
estamos no exílio,
edificando móbiles na areia.
Os galos sabem,
cantam fora de hora

querendo apressar o dia,
tem deus, tem deus, tem deus
gritam os recém-nascidos
e as dálias
com seu cheiro de morte e virgindade.
O barulhinho de telégrafo continua,
mas até faz dormir:
tem deus, tem deus, tem deus.

MEDITAÇÃO À BEIRA DE UM POEMA

Podei a roseira no momento certo
e viajei muitos dias,
aprendendo de vez
que se deve esperar biblicamente
pela hora das coisas.
Quando abri a janela, vi-a,
como nunca a vira,
constelada,
os botões,
alguns já com o rosa-pálido
espiando entre as sépalas,
joias vivas em pencas.
Minha dor nas costas,
meu desaponto com os limites do tempo,
o grande esforço para que me entendam
pulverizaram-se
diante do recorrente milagre.
Maravilhosas faziam-se
as cíclicas, perecíveis rosas.
Ninguém me demoverá

do que de repente soube
à margem dos edifícios da razão:
a misericórdia está intacta,
vagalhões de cobiça,
punhos fechados,
altissonantes iras,
nada impede ouro de corolas
e acreditai: perfumes.
Só porque é setembro.

MURAL

Recolhe do ninho os ovos
a mulher
nem jovem nem velha,
em estado de perfeito uso.
Não vem do sol indeciso
a claridade expandindo-se,
é dela que nasce a luz
de natureza velada,
seu próprio gosto
em ter uma família,
amar a aprazível rotina.
Ela não sabe que sabe,
a rotina perfeita é Deus:
as galinhas porão seus ovos,
ela porá sua saia,
a árvore a seu tempo
dará suas flores rosadas.
A mulher não sabe que reza:
que nada mude, Senhor.

NOSSA SENHORA DA CONCEIÇÃO

Tenho dez anos
e caminho de volta à minha casa.
Venho da escola, da igreja,
da casa de Helena Reis, não sei,
mas piso, é certo, sobre trilha de areia,
pensando: vou ser artista.
Tenho um vestido, um sapato
e uma visão que não reconheço poética:
um mamoeiro com frutas sob muito sol e pardais.
Não a perderia porque era o bom-sem-fim,
como rosais, uma palavra anzol,
puxava calor, meio-dia, presas de ofídio,
diminuta aflição, gotículas,
porque a Virgem esmagava o demônio
com seu calcanhar rosado.
Só porque achei sua binga e seu pito
meu pai falou: eta menina de ouro!
Foi injusto outras vezes, mas perdeu tardes
atrás de sabugueiro para curar minha tosse.
Parece que vou entristecer-me,
desanimada de lavar hortaliças,
tentada ao jejum mais duro,
não como, não falo, não rio,
nem que o papa se vista de baiana.
Virgem Maria! o tempo quer me comer,
virei comida do tempo!
Me ajuda a parir esta ninhada de vozes,
me ajuda, senão
este conluio de sombras me sequestra,
me rouba o olho antigo e a paixão viva.

A RUA DA VIDA FELIZ

Ao sol do meio-dia
ela fica suspensa,
a fala de minha mãe
sossega as borboletas:
'flor bonita é no pé'.
Vi o quintal vibrando,
reagi brutamente
porque era inarticulável.
Quiseram me bater
por causa da minha cara
de quem tinha brincado com menino.
Só achei pra dizer:
Deus mora, mãe,
nunca morreu ninguém.

JUSTIÇA

Nos tinha à roda
ao peito
aos cachorros
diferente da moradora de posses
que ia à missa de carro
e a quem os meninos
não puxavam a saia.
Mas muito mais bonita
era nossa mãe.

MATER DOLOROSA

Este puxa-puxa
tá com gosto de coco.
A senhora pôs coco, mãe?
— Que coco nada.
— Teve festa quando a senhora casou?
— Teve. Demais.
— O quê que teve então?
— Nada não, menina, casou e pronto.
— Só isso?
— Só e chega.
Uma vez fizemos piquenique,
ela fez bolas de carne
pra gente comer com pão.
Lembro a volta do rio
e nós na areia.
Era domingo,
ela estava sem fadiga
e me respondia com doçura.
Se for só isso o céu,
está perfeito.

VASO NOTURNO

À meia-noite, José dos Reis
— que namoro escondido —
vem fazer serenata para mim.
Papai tosse alto,
tropeça por querer nos urinóis.
Que vergonha, meu deus,
pai, cachorrinha plebeia,
couves na horta
geladas de orvalho e medo.
Me finjo de santa morta,
meu céu é gótico
e arde.

O INTENSO BRILHO

É impossível no mundo
estarmos juntos
ainda que do meu lado
adormecesses.
O véu que protege a vida
nos separa.
O véu que protege a vida
nos protege.
Aproveita, pois,
que é tudo branco agora,
à boca do precipício,
neste vórtice
e fala
nesta clareira aberta pela insônia,

quero ouvir tua alma,
a que mora na garganta
como em túmulos
esperando a hora da ressurreição,
fala meu nome,
antes que eu retorne
ao dia pleno,
à semiescuridão.

INVITATÓRIO

De onde estou vejo através da chuva
a torre do Bom Jesus,
alguma árvore, casas,
a desolação me toma.
A vida inteira para estar aqui
neste domingo,
nesta cidade sem história,
nesta chuva
mensageira de um medo
que não o de relâmpagos,
pois é mansa.
É inapelável morrer?
Não há um álibi, um fato novo,
um homem novo portador de alvíssaras?
Quatro meninos entram no matagal
e retornam fumando,
batendo o cisco da roupa.
Uma negra sobe a ladeira, um velho,
alguém joga o lixo

por um buraco no muro,
tudo como em mil novecentos e setenta e seis.
Por que se erra?
Queria escrever mil setecentos e noventa e seis,
que mecanismo desviou-me?
Há um cheiro no ar
que — para meu susto — mais ninguém percebe,
um cheiro de metal
que me fere as narinas,
cheiro de ferro.
Nada tem sentido,
quero uma bacia grande
para catar as partes e montá-las
quando as visitas se forem.
Ninguém me logra, pois não há ninguém,
é uma fita antiga de um cinema mudo,
os lábios movem-se e é só.
Senhor, Senhor Jesus, ouvi-me. Existo?
Faz tempo que não sonho, existo?
Responde-me, tem piedade de mim,
me dá a antiga alegria, os medos confortadores,
não este, este não, pois sou fraca demais.
Ouvi-me, pobre de mim,
Nossa Senhora da Conceição, valei-me.

PAIXÃO DE CRISTO

Apesar do vaso
que é branco,
de sua louça

que é fina,
lá estão no fundo,
majestáticas,
as que no plural
se convocam:
fezes.
Para que me insultem
basta um grama
de felicidade:
'baixe o tom de sua voz,
não acredite tanto
em seu poder'.
O martírio é incruento
mas a dor é a mesma.

HISTÓRIA DE JÓ

Porque fazes
e calcas aos pés tua pobre criatura,
teu sofrimento é enorme, deus,
a dor de tua consciência ingovernada.
Difícil me acreditares,
pois tenho um céu na boca.
Tem piedade de nós,
dá um sinal de que não foi um erro,
ilusão de medrosos,
fantasia gerada na penúria,
a crença de que és bom.
O medo regride à sua estação primeva,
à sua luz branca.

E quero a vida nos álbuns:
assim eram as avós e suas criadas negras.
Não posso ir aos teatros,
convocada que sou pra esta vigília
de segurar teu braço pusilânime,
eu criatura digo-Te, coragem.
Perdoa-me, contudo, perdoa-me.

PEDIDO DE ADOÇÃO

Estou com muita saudade
de ter mãe,
pele vincada,
cabelos para trás,
os dedos cheios de nós,
tão velha,
quase podendo ser a mãe de Deus
— não fosse tão pecadora.
Mas esta velha sou eu,
minha mãe morreu moça,
os olhos cheios de brilho,
a cara cheia de susto.
Ó meu Deus, pensava
que só de crianças se falava:
as órfãs.

MULHER AO CAIR DA TARDE

Ó Deus,
não me castigue se falo
minha vida foi tão bonita!
Somos humanos,
nossos verbos têm tempos,
não são como o Vosso,
eterno.

A DISCÍPULA

Bendita a espécie extinta,
a que voltou ao repouso em sua origem
e não peregrina mais,
benditos todos que no cativeiro
por ânsia de eternidade multiplicam-se,
bendito o modo como tudo é feito.
Ancestrais, luxuoso nome
para quem apenas errou antes de nós!
Benditos,
bendita a hora da tarde
em que uma serva repousa
descansada de dor e de consolo.

MEDITAÇÃO DO REI NO MEIO DE SUA TROPA

Só à conta de biógrafos pertencem
os grandes feitos de homens memoráveis.
Biografias são desejos,
ainda as dos malfeitores e as dos santos.
A vida, a pura,
a crua e nua vida
é cascalho,
teatrinho de sombras
que a mão de uma criança faz mover.
Como aves migrando a estações mais quentes
a comando invisível prosseguimos
e perfilados somos até felizes.

ARGUIÇÃO DA SOBERBA

O que de pronto se mostra
palpitante e acabado
vazando precioso entre cacófatos
se ri do poeta
ocupado em limpar textículos:
ó truão,
no poema como no quadro
os olhos estão no umbigo.

OFICINA

Podem gritar
as cigarras
e as serras dos carpinteiros.
Nunca serão funestas,
fatiam a tarde
que continua inconsútil.
O mundo é ininteligível,
mas é bom.

OUTUBRO

El macaquito diria
se falasse espanhol
mas só sei português
e bater um coco no outro
ignorante e atrevida.
Outubro me dá desejos
secretos e confessáveis.
Grito alto
pelos mesmos motivos das cigarras.

DIREITOS HUMANOS

Sei que Deus mora em mim
como sua melhor casa.
Sou sua paisagem,
sua retorta alquímica
e para sua alegria
seus dois olhos.
Mas esta letra é minha.

TAL QUAL UM MACHO

Comi em frente da televisão
sem usar faca
e repeti o prato
como os caminhoneiros que falam de boca cheia
e vi um programa até o fim.
Até altas da madrugada
fiquei vendo a moças rebolantes
locutores boçais dizerem
segura meu microfone, gracinha.
Depois fui dormir e sonhei,
voava perseguida por soldados
um voo medroso
temendo me embaraçar na rede elétrica.
Acordei com decepção e ânsias,
macho verdadeiro
sonharia com rebolâncias.

O SANTO

O padre marxista está cansado.
Deu-se conta
quando viu passar a carroça
entufada de cana verde
e falou sem saber por quê:
mãe, ô mãe, mãezinha,
minha querida mãe.
Nunca mais pregou.
Diz o povo
que pegou fama de santo.

A DIVA

Vamos ao teatro, Maria José?
Quem me dera,
desmanchei em rosca quinze quilos de farinha,
tou podre. Outro dia a gente vamos.
Falou meio triste, culpada,
e um pouco alegre por recusar com orgulho.
TEATRO! Disse no espelho.
TEATRO! Mais alto, desgrenhada.
TEATRO! E os cacos voaram
sem nenhum aplauso.
Perfeita.

EX-VOTO

Na tarde clara de um domingo quente
surpreendi-me,
intestinos urgentes, ânsia de vômito, choro,
desejo de raspar a cabeça e me pôr nua
no centro da minha vida e uivar
até me secarem os ossos:
que queres que eu faça, Deus?
Quando parei de chorar
o homem que me aguardava disse-me:
você é muito sensível, por isso tem falta de ar.
Chorei de novo porque era verdade
e era também mentira,
sendo só meio consolo.
Respira fundo, insistiu, joga água fria no rosto,
vamos dar uma volta, é psicológico.
Que ex-voto levo à Aparecida,
se não tenho doença e só lhe peço a cura?
Minha amiga devota se tornou budista,
torço para que se desiluda
e volte a rezar comigo as orações católicas.
Eu nunca ia ser budista,
por medo de não sofrer, por medo de ficar zen.
Existe santo alegre ou são os biógrafos
que os põem assim felizes como bobos?
Minas tem coisas terríveis,
a Serra da Piedade me transtorna.
Em meio a tanta rocha
de tão imediata beleza,
edificações geridas pelo inferno,
pelo descriador do mundo.
O menino não consegue mais,
vai morrer, sem forças para sugar

a corda de carne preta do que seria um seio,
agora às moscas.
Meu coração é bom
mas não aceita que o seja.
O homem me presenteia,
por que tanto recebo,
quando seria justo mandarem-me à solitária?
Palavras não, eu disse, só aceito chorar.
Por que então limpei os olhos
quando avistei roseiras
e mais o que não queria,
de jeito nenhum queria àquela hora,
o poema,
meu ex-voto,
não a forma do que é doente,
mas do que é são em mim
e rejeito e rejeito,
premida pela mesma força
do que trabalha contra a beleza das rochas?
Me imploram amor Deus e o mundo,
sou pois mais rica que os dois,
só eu posso dizer à pedra:
és bela até à aflição;
o mesmo que dizer a Ele:
sois belo, belo, sois belo!
Quase entendo a razão da minha falta de ar.
Ao escolher palavras com que narrar minha angústia,
eu já respiro melhor.
A uns Deus os quer doentes,
a outros quer escrevendo.

QUATRO POEMAS NO DIVÃ

ANAMNESE

Na hora mais calma do dia
o frango assustado
atravessou o terreiro
em desabalado viés.
Era carijó,
minha mãe era viva,
eu era muito pequena.
Sem palavra para o despropósito
ela falou:
frango mais bobo.
Comecei a chorar,
era como estar sem calcinhas.

O SANTO ÍCONE

A despeito do meu desejo
de contrição e alegria,
amanheci rancorosa,
regirando a cabeça
à cata de um facão.
O cachorro percebeu,
a criança também,
se escondendo de mim
no colo de sua mãe.
Havia dito:
por que não me atendes, Deus?
Ou alguém rezava para mim?
Me olhando da parede
a Virgem Nossa Senhora

me oferecia o seu menino
à lâmina.
Eu que delirava à noite
em tempo mais-que-perfeito
porque Portugal fizera
O Tratado de Tordesilhas,
me rindo muito de abóboras,
da palavra e da coisa,
parei desafadigada
de que todas elas
não se chamassem caçambas.
Como o louco que de repente
dispensa enfermeiro e pílulas,
cortei canas com o facão
e fiquei chupando na sombra.

SHOPSI

Hoje completa um ano
que estou fazendo terapia.
— E o que você conta ao doutor?
— Que tenho medo panifóbico
de ver minha mãe morrer.
— Só isso?
— Só. Coisa à toa,
feito não comer três dias
porque vi formiga de asas,
isso eu não conto mesmo,
só converso coisa séria.
— E ele?

— É muito pacienciosa,
diz que meu caso é difícil
mas tem cura com o tempo
e qualquer dia me convida
para uma sessão no sítio.
— Você topa?
— Tou pensando,
vai que aparece lá
uma formiga de asas
e apronto aquele escândalo,
me diz com que cara eu volto
no consultório do homem!
— Mas ele está lá pra isso.
— Isso o quê?
— Tchauzinho, Catarina, tchau.

NEUROLINGUÍSTICA

Quando ele me disse
ô linda,
pareces uma rainha,
fui ao cúmice do ápice
mas segurei meu desmaio.
Aos sessenta anos de idade,
vinte de casta viuvez,
quero estar bem acordada,
caso ele fale outra vez.

POUSADA

VIAÇÃO SÃO CRISTÓVÃO

Não quero morrer nunca,
porque temo perder o que desta janela
se desdobra em tesouros.
É Bar Barranco? Bar Barroso? Bar Barroco?
Em frente à estação do trem
a agropecuária explica-se:
é de Carmo da Mata.
Fica meio inventado
pegar com um nome a medula das coisas,
porque o ônibus para,
mas a vida não,
porque a vida sois Vós, Inominável!
Meu marido gosta muito de sexo,
mas é também um esposo
capaz de abstinências prolongadas.
O morador se esmera em seu jardim,
com um ódio tão profundo
que parece inocente,
guilhotina o vizinho da reluzente janela.
Estais comovido?
Uma hora e meia de viagem
e a vida é boa que dói.
Os pastos estão bem secos,
mas continuam imbatíveis
no seu poder de me remeterem...
A Vós? À infância?
À Pátria, ao Reino do Céu.
Que posso fazer? Isto é um poema.
Sinto muita fome, quero uma missa aqui.
Os trabalhadores acenam com o polegar para cima,
fica tudo ainda mais tranquilo.
Terei adormecido?

Cochilar é tão feio.
Me fez muito feliz o cientista:
"beleza é energia".
Sabia sem o saber,
vai me ajudar bastante.
O ônibus parou de novo.
Os tratores escavam,
a terra cada vez mais pura.
Derrubam algumas árvores,
mas ecologia tem hora.
Que força tem um trator!
Engraçado ele arremessando a árvore,
todo mundo parado, olhando.
É bom ver homem no pesado
e mulher vigiando menino,
a instrução reservada ao padre.
Estou como quando jovem,
a inteligência muito ignorante.
Pode ser que o ônibus demore,
não ligo, não tem importância,
já fui, já voltei e, além do mais,
não quero sair daqui.

NA TERRA COMO NO CÉU

Nesta hora da tarde
quando a casa repousa
a obra de minhas mãos
é esta cozinha limpa.
Tão fácil

um dia depois do outro
e logo estaremos juntos
nas "colinas eternas".
Recupera meu corpo
um modo de bondade,
a que me torna capaz
de produzir um verso.
Compreendes-me, Altíssimo?
Ele não responde,
dorme também a sesta.

PRESENÇA

Malefício nenhum resiste
ao encantamento da hora
em que percebo as cúpulas,
até um zimbório
eu vejo na mesquita,
até cruz no santuário
— e são árvores na bruma
à luz reflexa da tarde.
O olho de Deus me vê,
o olho amoroso dele.

FILHINHA

Deus não é severo mais,
suas rugas, sua boca vincada
são marcas de expressão
de tanto sorrir pra mim.
Me chama a audiências privadas,
me trata por Lucilinda,
só me proíbe coisas
visando meu próprio bem.
Quando o passeio
é à borda de precipícios,
me dá sua mão enorme.
Eu não sou órfã mais não.

CRISTAIS

NO BATER DAS PÁLPEBRAS

Se tudo estiver silente,
menos um grilo
— velado, não estridente —,
a casa mora.

À MESA

Faca oxidada contra a polpa verde,
    é roxo o amor.
      De amoras, não.
          De dor.

A CONVERTIDA

A liturgia,
o ícone,
o monacato.
Descobri que sou russa.

ARTE

Das tripas,
coração.

NO CÉU

Os militantes
os padecentes
os triunfantes
seremos só amantes.

MITIGAÇÃO DA PENA

O céu estrelado
vale a dor do mundo.

ORÁCULOS DE MAIO

EXERCÍCIO ESPIRITUAL

Maria,
roga a teu Filho que me mostre o Pai.
Imagens sobrevêm:
homem, vinheta, instrumento,
o que ameaça ser um leque de penas
e é uma cabeça de naja,
a perigosa serpente.
Quero ver o Pai, insisto,
roga a teu Filho que me mostre o Pai.
Um dente, uma vulva,
um molho de nabos compareçam,
gerados, como eu, do nada.
De onde vêm os nabos, Maria?
Onde está o Pai?
De onde vim?
Move-se na parede um cavalo de sol.
É o Pai?
Não,
é só uma sombra e já se desfaz.
O Pai, então, é uma usina?
Meu pai dizia: ó Pai!
E levantava os braços respeitoso.
Também meu avô: Deus é Pai!
E tirava o chapéu.
Assim, um pai remetendo a outro
e mais outro e outro mais,
enfim, a milhões de pais até Adão,
que sou eu acordando de um sonho,
apenas "raia sanguínea e fresca
a madrugada", filha de parnasiano,
que me encantava quando eu era mocinha,
filha de ferroviário.

cansada agora
como feirante ao meio-dia:
ai, meu pai,
me ajuda a torrar o resto
deste lote de abóboras,
me tira da cabeça
a ideia de ver Deus-Pai,
me dá um pito e um café.

NOSSA SENHORA DAS FLORES

Acostuma teus olhos ao negrume do pátio
e olha na direção onde ao meio-dia
cintilava o jardim.
A rosa miúda em pencas
destila inquietações,
peleja por abortar teu passeio noturno.
Há mais que um cheiro de rosas,
o movimento das palmas não será o réptil?
Ó Mãe da Divina Graça,
vem com tua mão poderosa,
mata este medo pra mim.

ESTAÇÃO DE MAIO

A salvação opera nos abismos.
Na estação indescritível,
o gênio mau da noite me forçava
com saudade e desgosto pelo mundo.
A relva estremecia
mas não era para mim,
nem os pássaros da tarde.
Cães, crianças, ladridos
despossuíam-me.
Então rezei: salva-me, Mãe de Deus,
antes do tentador com seus enganos.
A senhora está perdida?
disse o menino,
é por aqui.
Voltei-me
e reconheci as pedras da manhã.

AURA

Em maio a tarde não arde
em maio a tarde não dura
em maio a tarde fulgura.

SINAL NO CÉU

É um tom de laranja
sobre os montes
um pensamento inarticulado
de que a Virgem
pôs o mundo no colo
e passeia com ele nos rosais.

TEOLOGAL

Agora é definitivo:
uma rosa é mais que uma rosa.
Não há como deserdá-la
de seu destino arquetípico.
Poetas que vão nascer
passarão noites em claro
rendidos à forma prima:
a rosa é mística.

MARIA

Aí está a rosa,
defendida de lógica e batismo,
a inquebrantável,
a Virgem!

NEOPELICANO

*Então se lhes abriram os olhos e o reconheceram,
mas ele desapareceu.*

Lucas 24,31

NEOPELICANO

Um dia,
como vira um navio
pra nunca mais esquecê-lo,
vi um leão de perto.
Repousava,
a *anima* bruta indivídua.
O cheiro forte, não doce,
cheiro de sangue a vinagre.
Exultava, pois não tinha palavras
e não tê-las prolongava-me o gozo:
é um leão!
Só um deus é assim, pensei.
Sobrepunha-se a ele
um outro e novo animal
radiando na aura
de sua cor maturada.
Tem piedade de mim, rezei-lhe
premida de gratidão
por ser de novo pequena.
Durou um minuto a sobre-humana fé.
Falo com tremor:
eu não vi o leão,
eu vi o Senhor!

A DURAÇÃO DO DIA

*Em sua essência, a poesia é algo horrível:
nasce de nós uma coisa que não sabíamos
[que está dentro de nós,
e piscamos os olhos como se atrás de nós
[tivesse saltado um tigre,
e tivesse parado na luz, batendo a cauda
[sobre os quadris.*
Czeslaw Milosz
Tradução de Aleksander Jovanovic

Pediu-nos que a deixássemos respigar entre os feixes de trigo e apanhar as espigas atrás dos segadores.

Rute 2,7

TÃO BOM AQUI

Me escondo no porão
para melhor aproveitar o dia
e seu plantel de cigarras.
Entrei aqui pra rezar,
agradecer a Deus este conforto gigante.
Meu corpo velho descansa regalado,
tenho sono e posso dormir,
tendo comido e bebido sem pagar.
O dia lá fora é quente,
a água na bilha é fresca,
acredito que sugestiono elétrons.
Eu só quero saber do microcosmo,
o de tanta realidade que nem há.
Na partícula visível de poeira
em onda invisível dança a luz.
Ao cheiro do café minhas narinas vibram,
alguém vai me chamar.
Responderei amorosa,
refeita de sono bom.
Fora que alguém me ama,
eu nada sei de mim.

UMA JANELA E SUA SERVENTIA

Hoje me parecem novos estes campos
e a camisa xadrez do moço,
só na aparência fortuitos.
O que existe fala por seus códigos.
As matemáticas suplantam as teologias

com enorme lucro para minha fé.
A mulher maldiz falsamente o tempo,
procura o que falar entre pessoas
que considera letradas,
ela não sabe, somos desfrutáveis.
Comamo-nos pois e a desconcertante beleza
em bons bocados de angústia.
Sofrer um pouco descansa deste excesso.

VIÉS

Ó lua, fragmento de terra na diáspora,
desejável deserto, lua seca.
Nunca me confessei às coisas,
tão melhor do que elas me julgava.
Hoje, por preposto de Deus escolho-te,
clarão indireto, luz que não cintila.
Quero misericórdia e por nenhum romantismo
sou movida.

TENTAÇÃO EM MAIO

Maio se extingue
e com tal luz
e de tal forma se extingue
que um pecado oculto me sugere:
não olhe porque maio não é seu.

Ninguém se livra de maio.
Encantados todos viram as cabeças:
Do que é mesmo que falávamos?
De tua luz eterna, ó maio,
rosa que se fecha sem fanar-se.

DIVINÓPOLIS

As hastes das gramíneas
pesavam de sementes
sob uma luz que,
asseguro-vos,
nascia da luz eterna.
Quis dizê-la e não pude,
ingurgitada de palavras
minha língua se confundia.
Cantei um hino conhecido
e foi pouco,
disse obrigada, Deus,
e foi nada.
Em meu auxílio
meu estômago doeu um pouco
pelo falso motivo
de que sofrendo
Deus me perdoaria.
Foi quando o trem passou,
uma grande composição
levando óleo inflamável.
Me lembrei de meu pai
corrompendo a palavra

que usava só para trens,
dizendo 'cumpusição'.
O último vagão na curva
e passa o pobre friorento
de blusa nova ganhada.
Aquiesci gozosa,
a língua muda,
a folha branca,
a mão pousada.

RUTE NO CAMPO

No quarto pequeno
onde o amor não pode nem gemer
admiro minhas lágrimas no espelho, sou humana,
quero o carinho que à ovelha mais fraca se dispensa.
Não parecem ser meus meus pensamentos.
Alguns versos restam inaproveitáveis,
belos como relíquias de ouro velho quebrado,
esquecidas no campo à sorte de quem as respigue.
A nudez apazigua porque o corpo é inocente,
só quer comer, casar, só pensa em núpcias,
comida quente na mesa comprida
pois sente fome, fome, muita fome.

A NOIVA

Meu bem supremo é o lugar
onde sonhar é a máxima vigília.
Em qualquer reluzente coisa eu o procuro,
bem que só a mim servirá,
os sapatos da Cinderela.
Talismã ou relíquia,
seu ouro me apela às núpcias,
por orgulho meu de pobreza
sempre procrastinadas.
Mas chega a hora e é esta
em que se não o acolher
o noivo se irá desesperado de mim
morar com outra menina
na reluzente montanha.

COMO UM PARENTE MEU, UM RIOBALDO

Olho grande deve ter Deus,
para enxergar de um só lance
de Grão-Mogol até Córrego Dantas,
passando por Diamantina, Curvelo
e outros vastos espaços de só pedras,
mato, rio sem nada na beira
e gentes, barranco, aranha saindo de buraco
onde ninguém pôs sentido
e mais meu tropel fugindo da vista d'Ele.
Queria, ainda que em tico à toa de tempo,
gozar chefia de minha própria pessoa,
apreciar um descanso. E o que não relatei:

tatarana no avesso das folhas e os mortos,
os defuntos nossos que andaram na terra
falando nome de lugares, contando histórias
como se não fossem morrer.
Deus há! E pode que haja o diabo,
o que não tem é morte.
O olho de quem só tem um
não deixaria reinando o esvoaçante esqueleto
com sua foice afiada.
Queria fazer sem medo o que Ele me obriga a fazer:
obedecer por gosto Sua poderosa vontade,
sem entristecer de nódia o pano branco da alegria.

BRANCO E BRANCO

Fervor, afoiteza, beco estreito,
menino com menina,
flores chamadas lírios,
dente novo mordendo talo verde,
como se o sangue deles fosse branco.

PENSAMENTOS À JANELA

O que durante o dia foi pressa e murmuração
a boca da noite comeu.
Estrelas na escuridão são ícones potentes.
Como oráculos bíblicos,

os paradoxos da física me confortam.
Sou um corpo e respiro.
Suspeito poder viver
com meio prato e água.

FOSSE O CÉU SEMPRE ASSIM

Como num insuspeitado aposento
em casa que se conhece,
uma janela se abre para cascalho e areia,
pouca vegetação resistindo nas pedras,
esmeraldas à flor da terra.
Nada exubera. É Minas,
um homem com seu cavalo
se abeberando no córrego.

AQUI, TÃO LONGE

Neste bairro pobre todos têm um real
para comprar as frutas
do caminhão de São Paulo.
Homens não pagam às mulheres.
Todas da vida, dão de comer e comem
coisas, de si, agradecidas.
Só morrem os muito velhinhos
que pedem pra descansar.
Pais e mães vão-se às camas

pra fazerem seus filhinhos,
cadelas e cães à rua
fazerem seus cachorrinhos.
Ao crepúsculo me visita
essa memória dourada,
mentira meio existida,
verdade meio inventada.
O sol da tarde finando-se,
ao cheiro de lenha queimada
todos se vão à fogueira
dançar em volta das chamas
para um deus ainda sem nome,
um medo lhes protegendo,
um ritmo lhes ordenando,
jarro, caneca, bacia,
cama, coberta, desejo
que amanhã seja outro dia,
igual a este dia, igual,
igual a este dia, igual.

Vede com que tamanho de letras vos escrevo.
Gálatas 6,11

A ESCRIVÃ NA COZINHA

Só Deus pode dar nome à obra completa
— de nossa vida, explico — mas sugiro
Ao meio-dia um rosal,
implica sol, calor, desejo de esponsais,
a mãe aflita com a festa,
pai orgulhoso de entregar sua filha
a moço tão escovado.
Nome é tão importante
quanto o jeito correto de se apresentar a entrevistas.
Melhor de barba feita e olho vivo,
ainda que por dentro
tenha a alma barbada e olhos de sono.
Sonhei com um forno desperdiçando calor,
eu querendo aproveitá-lo pra torrar amendoim
e um pau roliço em brasa.
Explodiria se me obrigassem a caminhar por ele.
Ninguém me tortura, pois desmaio antes.
A beleza transfixa,
as palavras cansam porque não alcançam,
e preciso de muitas pra dizer uma só.
Tão grande meu orgulho, parece mais
o de um ser divino em formação.
Neurônios não explicam nada.
Psicólogos só acertam se me ordenam:
Avia-te para sofrer — conselho pra distraídos —,
cristãos já sabem ao nascer
que este vale é de lágrimas.

DA MESMA FONTE

De onde vens, graça que me perdoa
desta tristeza,
desta nódoa na roupa,
da seiva má no sangue,
da pele rachada em bolhas.
De onde vens, certeza
de que um pouco mais de açúcar
não fará mal a ninguém.
O orgulho fede como um bom cadáver,
minha cerviz é dura,
mais duro é vosso amor, deus escondido
donde jorram tormentas,
minha nuca dobrada a este repouso
e esta alegria.

A NECESSIDADE DO CORPO

Nenhum pecado desertou de mim.
Ainda assim eu devo estar nimbada,
porque um amor me expande.
Como quando na infância
eu contava até cinco para enxotar fantasmas,
beijo por cinco vezes minha mão.
Este é meu corpo,
corpo que me foi dado
para Deus saciar sua natureza onívora.
Tomai e comei sem medo,
na fímbria do amor mais tosco
meu pobre corpo
é feito corpo de Deus.

OLHOS

A muda de olhos azuis
que morava com as freiras
dava equilíbrio ao mundo,
porque era muda e eu não.
Sobre cigarras sabe-se:
seu desespero cíclico é esperança.
Que vida estranha a minha,
me fingindo de pobre na abundância,
me fingindo de muda entre falantes,
imitando cigarra às escondidas,
as que quando morrem
viram fóssil de ar,
lâminas de cristal nos troncos,
desidratadas de excessos.
Eu não sabia que era objeto de amor,
a vida toda renegando minha herança,
pensando agradar a Deus não sendo abrupta.
O sapato é novo
ou são meus pés recriados que latejam?
Como o grunhido da muda
esta fala é bruta,
estou feliz e dói.

HISTÓRIA QUE ME CONTARAM

Vozes, lamparinas
e o cheiro de querosene da pobreza.
O órfão de um ano debatendo-se
choramingava no seu mar de fezes.
Deus está me mostrando o que será minha vida,
gemeu o viúvo,
arrepanhando o lençol por suas pontas.
Teve depois um sonho:
chegava em casa com uma nova mulher
e viu, da porteira, os filhos indo embora.
Ficou tão abalado, chorou tanto
que fez uma promessa: nunca mais casar-se.
Tinha beleza e fogo.
Mesmo sendo na história
me apaixonei pelo homem,
mesmo sem esperança.

CREDO

Se for uma aparição, desista.
Eu não quero saber de aparições!
O vulto alvacento, alto,
como se envolto em lençol,
me oferecendo uma pequena árvore
e creia: uma balança!
Fui para o dia claro e o sapo no jardim
batendo papo compadre e a palavra turíbulo
que um passante estranho repetia
com inabilidades proparoxítonas e mais

turíbulo, a coisa, objeto
que sem razão aparente
me tomara a atenção por dias e ainda
a lâmpada de repente partindo-se
com estrondo e multiplicado clarão,
tudo sequencial, tudo no mesmo dia!
Epifenomenicamente
ordenei perempta a coisas, palavras, vultos
e seus conluios de aporrinhação:
Aparição, não! Eu me recuso.
Não discuto com sombras.
Só falo do que decido acreditar.

JEJUM QUARESMAL

O relógio bate, meu Deus,
como quem sabe o que faz.
Está com fome o relógio.
Eu também, querendo comer do prato
onde comem os santos
Vossa vontade esdrúxula e desumana,
eu que, só em tendo feijão e batatas,
me sinto no Vosso colo.
Fantasias de privação me atrasam a santidade,
pois a via que entendo é oferecer-Vos
à cruenta paixão minha colher de açúcar.

EPIGRÁFICO

A anelante argila
põe brincos de diamante
porque ama a Beleza
e nisto é tenaz,
na fé de sobreviver à morte,
a que não existe.
Pois vêm da vida os mortos
falar à alma o que só ela escuta.
Contra o que se sente
toda filosofia é mesmo vã,
o livro é sagrado
quando o que apregoa
é revelado na carne
onde os joelhos vacilam
e os pelos crescem.
Ter medo é saber do inaudito,
ninguém até hoje explica
por que batem as pálpebras.

IMAGEM E SEMELHANÇA

O gorila recolhido órfão
ao cativeiro urbano
ganha comida e afagos.
Mesmo assim,
bate a cabeça na jaula,
saudoso do que não viveu,
rumor de folhas, cheiros,
perigos na mata e a mãe.

Quero salvar o gorila
na sua língua de bicho.
Quando morre para onde vai sua alma,
a quem serve sua dor,
seu tristíssimo olhar de desgarrado?
Há meninos assim, mas são humanos,
parece um horror menor.
Atracado às grades o gorila me olha,
é proibido mas lhe dou bananas.

O ORÁCULO

A luz arcaica,
a que antes de tudo
no coração da treva preexistia,
é a iminente aurora
que do topo do mundo
o galo anuncia.
Dão medo
seus olhos amarelos multimóbiles.
Olhando fixo pra lugar nenhum,
bruto como um profeta
o galo anuncia.

SÍTIO ARQUEOLÓGICO

As múmias me viram,
daí meu desassossego.
A vida, ainda que no Vale Sagrado
coberto de milharais,
está ligada às sorridentes caveiras,
ao seixo, a mim,
à folha que vi desprender-se
e me provocou arrepios.
Quis minha mãe morta há cinquenta anos e ela
à distância de um grito respondeu-me.
E nenhuma de nós abrira a boca.

ALVARÁ DE DEMOLIÇÃO

O que precisa nascer
tem sua raiz em chão de casa velha.
À sua necessidade o piso cede,
estalam rachaduras nas paredes,
os caixões de janela se desprendem.
O que precisa nascer
aparece no sonho buscando frinchas no teto,
réstias de luz e ar.
Sei muito bem do que este sonho fala
e a quem pode me dar
peço coragem.

Neste momento, ela descansa um pouco sob a tenda.
Rute 11,7

HARRY POTTER

Quando era criança
escondia-me no galinheiro
hipnotizando galinhas.
Alguma força se esvaía de mim,
pois ficávamos tontas, eu e elas.
Ninguém percebia minha ausência,
o esforço de levantar-me pelas próprias orelhas,
tentando o maravilhoso.
Até hoje fico de tocaia
para óvnis, luzes misteriosas,
orar em línguas, ter o dom da cura.
Meu treinamento é ordenar palavras:
Sejam um poema, digo-lhes,
não se comportem como, no galinheiro,
eu com as galinhas tontas.

DÁDIVAS

Como boas senhoras brincam as marrecas,
falsas mofinas debicando nos filhos.
Ruflares, respingos, grasnares,
que bom estar no mundo
a esta hora do dia!
De maneira perfeita tudo é bom,
até mulheres boçais amam gerânios,
não se tem certeza de que vamos morrer,
velhas se consentem em suas vulvas,
agradecendo a Deus por seus maridos.
Até eu, pudica, arrisco: Ei, *baby*!
Meu corpo me ama e quer reciprocidade.
São os relógios
o mais obsoleto dos inventos.

ABRASADA

Só trinta anos tinha minha mãe
e já suspirava:
'Por que não vai todo mundo pro convento?
Qualquer dia, ô cruz, estes peitinhos,
seus paninhos manchados...'
Por que me deixou órfã, minha mãe?
Apesar de seus olhos tristes
e sua boca selada,
vou me casar assim mesmo.
Só vai lhe doer agora
e não muito.

O NOVIÇO E A ABSTINÊNCIA DE PRECEITO

Tenho dificuldade em comer folhas,
mesmo as que eu próprio lavo
com óculos de aumento e rios d'água.
Minha carne quer outra carne,
vermelha entre dourados
de gordura amarela gotejante.
Não me vale saber das excelências do verde,
meu lábio treme à vista de suculências.
Aos rigores da lei
— paulina ou não —
minha fortaleza é a da mostarda.
Um grão.

MULHERES

Ainda me restam coisas
mais potentes que hormônios.
Tenho um teclado e cito com elegância
Os Maias, A Civilização Asteca.
Falo alto, às vezes, para testar a potência,
afastar as línguas de trapo me avisando da velhice:
'Como estás bem!'
Aos trinta anos tinha vergonha de parecer jovenzinha,
idade hoje em que as mulheres ainda maravilhosas se
                                [processam
ácidas e perfeitas como a legumes no vinagre.
De qualquer modo, se o mundo acabar
a culpa é nossa.

ARGUMENTO

Tenho três namorados.
Um na Europa que é um boneco de gelo,
outro na cidade vendo futebol no rádio
e o terceiro tocando violão na roça.
Todos mamíferos, sangue vermelho e ossos friáveis.
Um deles cuspiu no chão, o que escolhi pra casar.
Mesmo tendo feito o que fez, só ele me perdoará.

BALIDO

Setenta anos redondos,
assim não se quebra o verso.
Na verdade tenho mais.
E então?
Respeito me insulta,
repele fantasias de rapto,
namoros no jardim cheirando a malva.
Quero um paranormal a me ensinar piano,
Consuelo dá aulas, mas seu toque é um martelo
e eu venero pianos.
Mãe não rima com nada,
nem velha,
só aparece telha, ovelha, orelha,
nada que preste. Cansei.
Tem um senhor distinto
querendo arrasar meu ego.
Com certeza minto.
Volta e meia estou perplexa
e toda rima que achei é circunflexa.

RUA DO COMÉRCIO

Quase fora da loja a balconista
atrás de nesgas de sol.
'De listrinhas não tem,
só lisa, vermelha e preta,
fico devendo pra senhora.'
Fica não, minha filha,
vamos todos morrer, além do mais, sei não,

quero dizer, com certeza Deus se importa
com este pequeno desvario,
meias de lã com listrinhas.
Preciso delas pra não ficar dissonante,
escuta lá o passarinho,
aproveita o sol como quer,
não peregrina tinhoso atrás de meias de lã
como se tivesse treze anos
e fosse a primeira vez calçar botinhas.
Está gritando agora na mangueira,
estou vestida apenas de minha pele
e tudo está muito bem.

MOTE DA VIÚVA

Sol com chuva
casamento da viúva
que de maneira discreta
oferece docinhos.
O noivo não disfarça a pressa
de ficar a sós com a experiente mulher.
É bom ter calma,
até que o último a sair
bata de novo à porta
querendo seu guarda-chuva.
Como de um satélite
que a olhos nus navega devagar,
vê-se a terra lá embaixo,
rios, campinas, cidadezinhas, torres,
entra dia, sai noite,

uma volta completa.
Lambendo o mel da lua a viúva
ensina o homem a raiar.

O CLÉRIGO

Só porque um dia escrevi-lhe
'eu contorno com o dedo a papoula encarnada'
irou-se, tomou por afoiteza, invasão de privacidade
o meu verso floral.
Sei que as palavras são dúbias,
temos falhas nos dentes, sibilamos.
Quem sabe a imagem do dedo,
o nome redondo da flor,
quem sabe sua cor sanguínea
lhe despertaram as pudendas,
pois — contra seu desejo — sente amor por mim.
Desapontou-se à toa,
nem eram papoulas
as belas flores do lenço.

TENDA E CIMITARRA

O amor de Mahmoud
me põe mal-acostumada.
Corro o perigo de me deitar na preguiça,
querer comida na boca.

Meu amor por ele é sincero
mas muito judiador:
Tem Nossa Senhora no seu terra, benzinho?
Tem borboletas lá?
Quero comprar coisas no bazar de vocês,
pechinchar por sinais,
trocar simpatias com o turco maravilhoso
me olhando fixo e escuro
de tanta paixão por mim.
Mahmoud cerra os dentes de raiva,
cospe espadas em curva feito lua e
mesmo delicado me morde,
grunhindo na língua dele
uns belos sons que não entendo.
Mahmoud, nosso amor está prestes
a ficar conjugal, agora estou segura
de que nunca vais ver que envelheci.

MAIS POTENTE QUE HORMÔNIOS

Falei sem me dar conta
de que falava coisa teosófica:
Tudo que eu peço Deus me dá.
Desde sempre vivi na eternidade.
Poeta velho é como o Rei Davi,
donzelas são escolhidas
pra lhe aquecer os ossos.
Todas o querem, ainda que, incendiadas,
só lhe restem palavras.

OS COMOVENTES PRECONCEITOS

As finuras de Margarete
fogem a padrões sociais:
'O popular, tudo bem.
Mas o clássico é imbatível!'
Com a alma à porta da rua
nada esconde de si mesma.
Vi tremer-lhe o queixo um dia
a ardoroso pretendente:
'Você por acaso é *gay*?'
Sofre muito Margarete,
a que não sabe doer-se,
inocente como romã,
que racha por não conter-se.

EM MÃOS

Te explico onde arranjei esta beleza toda.
Foi no deserto,
entre camelos e escaldante areia.
Brincadeira, meu deserto é o pasto,
o cerrado magro onde passo horas
caçando folhas de bugre, as diuréticas,
pro coração ficar leve.
Da cabeça aos pés de mim,
eu só quero saber do fascinoso mistério:
No céu não tem casamento,
mas namoro não tem fim.
Desculpa 'esta beleza toda',
exagero meu, simpatia está bom

e deleta 'escaldante areia'.
O apóstolo Paulo ensina uma cartilha
onde amor é gramática,
muito semântico pra mim
que só em te ver fico asmática.

SEM SAÍDA

Escreve-se para dizer
sou mais que meu pobre corpo.
Os óculos do escritor o atestam,
lentes que para dentro olham,
sua foto contra a estante,
sempre flagrada a meio desalinho.
Que imensa pedreira aquele monte de livros,
indiferença treinada para esconder sofrimento.
Falsamente humilde, não escreveria mais,
mortal pecado,
pretensão de poder reservada ao divino.
Só lhe resta posar
sem corrigir os ângulos derruídos
à animadora legenda:
O escritor no seu gabinete.

Em estado de fraqueza, desassossego e temor.
II Coríntios 1,3

EXPIATÓRIO

Meus ancestrais levantam-se das tumbas,
tiram o dia pra me flagelar.
O que tinha apego a moedas,
a que morreu num parto de trigêmeos,
tão pobre,
mal coube no casebre seu caixão.
Minha mãe a minutos da morte me ordenou profética:
'Vai calçar um trem,
agora mesmo a casa enche de gente.'
Urge consolar os mortos,
fazer por eles a oferenda da tarde
para que voltem, espectros, às suas tumbas
e chegando a noite
me permitam dormir.

ÍCARO

Caminho sobre o planeta
como os equilibristas em suas bolas gigantes,
não se sai do lugar,
de si mesmo não se pode sair.
Aviões, dirigíveis, saltos de alta montanha
confrangem o coração.
O voo aborta sempre.
Ainda que em chão de lua,
todo destino é o chão.

DEVE SER AMOR

É preciso fé para cortar as unhas,
cuidar dos dentes como bens de empréstimo.
O cobrador invisível bate à porta.
Não durmo, ele também não.
Deve ser amor o que nos deixa unidos
neste avesso de mística.
Por orgulho de pobre
dou por bastante a pouca claridade
e prefiro a vigília
antes que ter repouso.

NO JARDIM

Sob sol quente, no jardim flamejante
a varejeira rebrilha, joia viva.
O poder de Deus me aterra em sua inércia.
Não vai impedir a mosca de botar seus ovos
sobre a língua defunta que Lhe cantou as obras.
Tremo, obrigada que sou
a ver Seu rosto sob vermes.

A POSTULANTE

Deus tem todo o poder,
até o de, por um dia inteiro, me escutar chorando

sem me infligir castigo.
Tenho natureza triste,
comi sal de lágrimas no leite de minha mãe.
O vazio me chama, os ermos,
tudo que tenha olhos órfãos.
Antes do baile já vejo os bailarinos
chegando em casa com os sapatos na mão.
O jantar é bom, mas eructar é triste,
quase impoetizável.
Deveras, não hás de banir-me
do ofício do Teu louvor,
se até uns passarinhos cantam triste.

ÂNCORAS

Amo o deserto,
mas por causa das cobras
não alcanço o repouso
de sua cama de areia.
O jardineiro inepto
cortou o rebento esplêndido,
é meu braço que corta.
Nada é como quero que seja,
não há aqui um só lugar
que possa chamar de meu,
pareço amar a tristeza,
como o navio aos ferros do seu aprumo.
Lançar âncoras é uma ideia feliz.
Os navios me causam
compaixão e espanto.

O PENITENTE

Nunca tive um rapto como Santa Teresa,
só um pequeno desmaio devido a dores agudas
e por três vezes seguidas
a sensação de estar fora do tempo.
Palavras são meu consolo.
Meu pai fez planos, morreu.
Minha mãe privou-se, morreu.
Provo grande vergonha
se o caminhão de São Paulo grita no alto-falante:
'Alô, alô, dona Maria, vem pegar sua melancia.'
Carminha desenhava na terra
meio grão de café, forçando na rachadura:
'Lá na gente é assim, sua boba!'
Não sentia vergonha, só um calor esquisito.
Sou ingrata?
Pergunto-Vos e já me sei perdoada,
como se Vos tivesse imolado pelos meus e por mim.
E só Vos dei palavras, ó Deus santo.
Quando achei que exigíeis
cabeças sanguinolentas,
um punhado de versos aplacou-nos.

AS DEMORAS DE DEUS

Quero coisas pro corpo,
o que se suja sozinho
e diligente produz sua própria escória.
Por astúcia Vos lembro, ó Criador,
apesar de eterno e eu histórica,

tendes também um corpo.
Portanto, feitos um para o outro,
Vosso ouvido e minha língua.
Ouvi-me pois,
antes que, de tanto pedir-Vos,
do céu da boca me desabem os dentes.

ESPORTE RADICAL

Só tenho cinco reais
pra misturar com farinha a confiança
de que para Deus são iguais
banquete e fome.
Glórias a Ele que só sabe o que faz
quando eu mesma Lhe digo.
Se não peço o pão nosso,
me deixa na penúria,
relendo com desaponto o Livro Santo.
Tomo liberdades, jogo no sanitário
o remédio de tarja preta
para ver no que dá.
Gosto de quem me bate,
é como estar na igreja destelhada,
o padre morto,
o Livro Santo queimado.

O APROVEITAMENTO DA MATÉRIA

Só quem olha sem asco as próprias fezes,
só este é rei.
Só ele pode ordenar-te:
Poupa o cabrito e a grama,
não maltrates borboletas.
A humilhação quebra a espinha
de quem vai ao trono sem saber de si.
Agostinho, o santo, já disse:
Vim de um oco sangrento,
é entre fezes e urina
que nasci.

O MENINO JESUS

Sofri sozinha este insuportável,
quando me trouxeram o menino
que parecia dizer
'me pega, diz que não sou órfão,
que tenho pai e mãe,
me fala que não sou um usurpador'.
Atracou-se comigo até dormir.
Mesmo rígida,
fui sua cruz mais branda.

O VISITANTE DA NOITE

Não tenho medo do papa
nem do camarada russo,
o presidente da América me distrai.
O que me encolhe é o príncipe andrajoso
que finge pedir esmolas,
sacando do seu chapéu
a fantasia das trevas:
Vão morrer os nascituros,
sua bondade é ridícula,
Deus odeia esta sua cara de medo.
Quando o sol se põe
a maldição se cumpre,
julgo não merecer minha cama limpa.

ANJO MAU

O que desejo é o corpo
e não beijo.
O que desejo é o corpo
e não toco.
Quando vem a dádiva
já tenho o lábio torto de irrisão.
Vai morrer, digo à boca.
Vai secar, digo à mão.
Bela como um arcanjo,
uma força de danação
quer me perder.

OFÍCIO PARVO

Quero limpar a boca e as entranhas
do sonho que me sujou
mais que se em vigília
as mesmas podres coisas me sujassem.
O tentador me cobra sem descanso
uma prova de fé.
Virgem, Porta do Céu, em meu favor,
pisa com teu pé de menina
a cabeça de cobra que ele tem,
me livra da tentação
de sofrer mais do que Deus.

ALCATEIA

Você reza demais, Luzia.
Que aborrecimento esta sua pressa
em fugir pro jardim com seu rosário.
Quem me dera, mesmo, dia e noite rezar,
estou oca de medo.
É admirável que com palpitações e boca seca
eu suba escada para ver do muro
quem fala tanto palavrão.
Rezar demais é ter rezado nada.
Invejo o bruto,
o que enfia tudo no de todo mundo
e não tem medo de Deus.
Quem me dera os lobos fossem fora de mim,
bastava um pau e os afugentaria.
Mas seus fantasmas é que uivam inalcançáveis.
Só a oração os detém,
a que ainda não sei como fazer.

A PINTORA

Hoje de tarde
pus uma cadeira no sol pra chupar tangerinas
e comecei a chorar,
até me lembrar de que podia
falar sem mediação com o próprio Deus
daquela coisa vermelho-sangue, roxo-frio, cinza.
Me agarrei aos seus pés:
Vós sabeis, Vós sabeis,
só Vós sabeis, só Vós.
O bagaço da laranja, suas sementes
me olhavam da casca em concha
na mão seca.
Não queria palavras pra rezar,
bastava-me ser um quadro
bem na frente de Deus
para Ele olhar.

*Orvalho, névoa, cerração, neblina,
a respiração de Deus querendo o mundo
que já havia feito e ainda não vira.*

A MADRUGADA SUSPENSA

A fria estação recobre a terra
com a pele dos sonhos.
Insinuado apenas, tudo se equivale
na maciez cinzenta.
Nada é voraz.
A nevoenta cortina trata a luz com brandura,
quanto mais baça, tanto mais eterno
o halo reflexo no vapor suspenso.
Sorvo encolhida a gélida beleza,
meu respirar transvaza convertido,
ele também, em pura e só neblina.

A SUSPENSÃO DO DIA

O Cordeiro repousa no mormaço,
esquecido dos pecadores
que também fazem a sesta,
esquecidos de seus pecados.
O mundo cai de cansaço.
A salvação, mais que viável,
é certa para santos e réprobos.
Molesto sem querer uma formiga
e ela debate-se
lutando para não morrer.
Rezo por ela delicadamente.
O sol define seu curso,
o cordeiro desperta seu pastor,
a inocente formiga
pica minha mão.

Ei-lo atrás da parede.
Cântico dos Cânticos 2,9

O VIVENTE

Sem avisos se mostra
a duração perfeita,
forma que de si mesma se acrescenta
e na mesma medida permanece.
Contemplá-la
é querer para si toda a pobreza.
Não causa medo,
só o belo tremor da noiva
deixando a casa paterna.
O que diz é: vem.
O que é: abismo.
Puro gozo
que à medida que come
mais tem fome.

ADOREMUS

Foi quando entoavas
com voz carnal 'Jesu Christe'
que o real se mostrou
para além da imagem.
Nos olhos, não.
No olhar é que vi o cerne da vida
e era estático.

SANTA TERESA EM ÊXTASE

O que me dá alegria não faz rir.
É vivo e sem movimento.
Quando desaparece
todos os meus ossos doem.

Um resplandor na mata igual um dia.
Velha mulher falando de quando
viu o cometa de Halley

CONSTELAÇÃO

Olhava da vidraça
derramar-se a Via Láctea
sobre a massa das árvores.
Por causa do vidro, da transparência do ar,
ou porque me nasciam lágrimas,
tinha a impressão de que algumas estrelas
mergulhavam no rio,
outras paravam nos ramos.
Passageiros dormiam,
eu clamava por Deus
como o cachorro que sem ameaça aparente
latia desesperado na noite maravilhosa:
Ó Cordeiro de Deus, ó Cruzeiro do Sul,
ó Cordeiro, ó Cruzeiro!
Como o cão, minha língua ladrava
à aterradora beleza.

ESPLENDORES

Toda compreensão é poesia,
clarão inaugural que névoa densa
faz parecer velados diamantes.
Em pequenos bocados,
como quem dá comida a criancinhas,
a beleza retém seu vórtice.
São águas de compaixão
e eu sobrevivo.

Minha alma está triste até a morte.
Ficai aqui e vigiai comigo.

Marcos 14,34

CARTÃO DE NATAL PARA MARIE NOËL

Nem as vidas de santos me encorajam
a abstinência e jejuns.
Ele, Jesus, perdoa-me,
pois veio aos pecadores,
aos que se escondem em árvores,
ou debaixo de camas feito eu.
Até rainhas, se pretendem respeito,
precisam conhecer o seu fogão.
Conheço mais, conheço fome e culpa.
Meu estômago mói sem trégua,
só não tritura medo,
farinha que já vem pronta.
Mesmo imitando lâmpadas de azeite,
a lâmpada no sacrário é piedosa.
O padre não tem culpa, estudou em Roma
mas vem de família pobre,
julga pecar quando concede à beleza
o trono que lhe é devido.
Provo em desordem as emoções mais turvas.
Estou confusa e ansiosa,
mas de verdade desejo,
com uma ceia copiosa,
Feliz Natal para todos.

NEM PARECE AMOR

Perdi a conta das vezes
que retomei esta escritura
sem avançar de sítios pantanosos,

tomando por melodia
o que era um ranger de ferros
de máquina contristada em seu limite.
Foi ontem e já tem cem anos,
faz um minuto só,
foi agora e foi nunca,
jamais aconteceu,
não há, não houve,
o que não tem palavras não existe.
De quem é então esta pegada?
Este filete de sangue?
Masturbações, risadas,
caretas no escuro, aliterações picarescas,
comem do meu cansaço em mesa farta.
Aquele que não responde
trata-me como a um cão
que por não ter aonde ir
se enrodilha aos Seus pés.

QUERIDO LOUCO

Quando um homem delira,
de onde fala sua alma a língua
para todas as línguas traduzível
sem prejuízo de sua insensatez?
Ouvi-la obriga a alfabeto novo,
dói tanto que os relógios param.
Tem piedade de mim é o mesmo que
'me dá um chinelo pra eu surrar o enfermeiro,
Deus é bom, nas famílias em crise

ninguém escuta ninguém'.
Tira do bolso nota de pouca valia,
me dando a senha pra encerrar a visita:
Obrigado por tudo e vai com Deus,
vai comprar pra você uma coisa bonita.

REZA DO HOMEM DEMENTE

Senhor deus meu Jesus Cristo,
eu pecador poderoso,
todo-poderoso contemplo
o mistério de ondas marítimas
que chocam meu coração.
Esta noite foi legal,
joguei futebol na Rússia
e fiz conferência à toa
debaixo do viaduto.
As pessoas só olhavam,
ninguém falava miau,
só um velho me entendia.
Ele também não falava
mas discutimos com proveito.
Muito esquisito este sonho,
aliviante demais,
muito engraçado também.
Quero mudar de enfermeiro,
essezinho aí parado
é delicado demaisinho,
seo Luizinho, inho, inho.
Chega, gente, fecha a porta
que eu quero ficar sozinho.

O ENFERMO

O doente quer ir-se
para sua casa,
para a cama onde está
e não reconhece mais.
Tenho a fé abalada é o que diz
num espasmo de lucidez.
Seu toque, como o dos cegos,
imperativa, sua voz
de criança gentil contrariada.
Segurou minha mão por uma hora inteira.
Não tem santos estigmas, só escaras
e a vida que vive nele
e o faz brandir, profeta no seu jejum:
ter nascido já é lucro.

LÍNGUAS

Meu coração
é a pele esticada de um tambor.
Como tentação a dor percute nele,
travestida de dor, pra que eu desista,
duvide de que tenho um pai.
Vem tudo em forma de carne,
grandes mantas de carne palpitante,
recobrindo ossos, frustrações, desejos
sobre os quais tenho culpa e devo purgar-me
até que eu mesma seja apenas ossos.
Um sujo me salvará,
quando pegar minha cuia

e comer à vista dele
sem sentir ânsia de vômito.
As sombras dos satélites
conspurcaram as estrelas.
Que faço para escrever de novo
'louvado sejas pelo capim verde'
ou até mesmo o gemido
'meu coração nem em sonhos repousa'.
Vou perguntar até que interpolado
e ininteligível tudo se ordene
como oração em línguas
e em forma de um cansaço me abençoes.

O DITADOR NA PRISÃO

O ditador escreve poesia.
Coitado dele.
Coitados de nós que dizemos coitado dele,
pois também ele tem memória
para evocar laranjais, tigelas de doce
entre risadas e conversas amenas,
paraíso de ínfimas delícias.
Mal florescem os beijinhos
e as abelhas rodeiam-nos afainosas,
tornando o dia perfeito.
Não tripudiemos sobre o sanguinário
que sob a vista dos guardas
vaza no caderno seu desejo,
em tudo igual ao desejo dos homens,
quero ser feliz, ter um corpo elástico,

quero cavalo, espada e uma boa guerra!
O ditador é devoto,
cumpre as horas canônicas como os monges no coro,
cochila sobre o Alcorão.
Eu que vivo extramuros tremo pelo destino
de quem deprimiu o chão com sua bota de ferro.
Ninguém perturbe a prece do proscrito,
nem zombe de seus versos.
A misericórdia de Deus é esdrúxula,
o mistério, avassalador.
Por insondável razão não sou eu a prisioneira.
Minha compaixão é tal que não pode ser minha.
Quem inventou os corações
se apodera do meu para amar este pobre.

CONSANGUÍNEOS

Não há culpados para a dor que eu sinto.
É Ele, Deus, quem me dói pedindo amor
como se fora eu Sua mãe e O rejeitasse.
Se me ajudar um remédio a respirar melhor,
obteremos clemência, Ele e eu.
Jungidos como estamos em formidável parelha,
enquanto Ele não dorme eu não descanso.

Explica-nos a parábola.

Mateus 13,36

TRÊS NOMES

Assim me falou o homem
virtuoso em sua vida:
Deus não é uma luz,
desatenta mulher,
Deus é pessoa.
Isto pode ser um poema
sob três nomes viáveis:
Aconselhamento espiritual,
A chave,
Alvíssaras,
coisas que tanto abrem como fecham
uma vida,
um livro,
um entendimento,
homem que se ama escondido
e sem avisos te pede em casamento.

MISERERE

*Ó meu corpo, protege-me da alma o mais que puderes.
Come, bebe, engorda, torna-te espesso para
que ela me seja menos pungente.*

Marie Noël — *Notas íntimas*

SARAU

*...palavras agrupam-se de súbito como para uma procissão
ou dança sem pedir-me ordem ou conselho.*

Marie Noël — *Notas íntimas*

BRANCA DE NEVE

Caibo melhor no mundo
se me dou conta do que julgava impossível:
'Nem todo alemão conhece Mozart.'
Um óbvio, pois nem é preciso,
cada país tem seu universal
e basta um para nos entendermos.
Com os russos me sinto em casa,
não podem ver uma névoa,
uma aguinha, uma flor no capim
e param eternos minutos fazendo diminutivos.
Como o jagunço Riobaldo que sabe do mundo todo
e tem Minas Gerais na palma de sua mão.
Fico hiperbólica para chegar mais perto.
"Geração perversa, raça de víboras"
não é também um exagero do Cristo
para vazar sua raiva?
Escribas e fariseus o tiravam do sério.
Mas todos eles? Todos?
Cheiramos mal, a maioria,
e sofremos de medo, todos. O corpo quer existir,
dá alarmes constrangedores.
Me inclino aos apócrifos como quem cava tesouros.
É evangélico que trabalhem cantando
os anõezinhos da história.
No fundo todos queremos
conhecer biblicamente,
apesar de que os pés de página,
por mania de limpeza,
não é sempre que ajudam.
O verdadeiro é sujo,
destinadamente sujo.
Não são gentilezas as doçuras de Deus.

Se tivesse coragem, diria
o que em mim mesma produziria vergonha,
vários me odiariam,
feridos de constrangimento.
Graças a Deus sou medrosa,
o instinto de sobrevivência
me torna a língua gentil.
Aceito o elogio
de que demonstro tino escolhitivo.
Pra quem me pede dou listas de filme bom.
Demoro a aprender
que a linha reta é puro desconforto.
Sou curva, mista e quebrada,
sou humana. Como o doido,
bato a cabeça só pra gozar a delícia
de ver a dor sumir quando sossego.

A PACIÊNCIA E SEUS LIMITES

Dá a entender que me ama,
mas não se declara.
Fica mastigando grama,
rodando no dedo sua penca de chaves,
como qualquer bobo.
Não me engana a desculpa amarela:
'Quero discutir minha lírica com você.'
Que enfado! Desembucha, homem,
tenho outro pretendente
e mais vale para mim vê-lo cuspir no rio
que esse seu verso doente.

A SEMPRE-VIVA

Gostava de cantar *A flor mimosa*:
"Nas *pétulas* de ouro
que esta flor ostenta..."
Pétula, a palavra errada,
agulha no coração,
uma certa vergonha,
culpa por lhe ter dito:
é pétala, pai, é pétala.
Ah! Pois venho cantando errado a vida inteira.
Que vale essa lembrança?
Cinquenta anos já e a agulha tornada faca,
sua lâmina ainda vibra.
É excruciante o amor,
mas por nada no mundo trocarei sua pena.

SENHA

Eu sou uma mulher sem nenhum mel
eu não tenho um colírio nem um chá
tento a rosa de seda sobre o muro
minha raiz comendo esterco e chão.
Quero a macia flor desabrochada
irado polvo cego é meu carinho.
Eu quero ser chamada rosa e flor
eu vou gerar um cacto sem espinho.

UMA PERGUNTA

Vede como nossos filhos nos olham,
como nos lançam em rosto
uma conta que ignorávamos.
Não cariciosos, convertem em pura dor
a paixão que os gerou.
Por qual ilusão poderosa
nos veem assim tão maus,
a nós que, tal como eles,
buscamos a mesma mãe,
concha blindada a salvo de predadores.

HUMANO

A alma se desespera,
mas o corpo é humilde;
ainda que demore,
mesmo que não coma,
dorme.

QUARTO DE COSTURA

Um óvulo imaginado,
espesso, fosco, amarelo,
pólen e penugem
que a mais potente das máquinas

ainda não inventada
abriria em universos.
O que parece indivíduo é vários.
Fosse boa cristã
entregava a Deus o que não entendo
e arrematava o bordado esquecido no cesto.
Tenho labirintite. Amei Aristóteles com fervor.
E por longo tempo deixei-o por Platão.
Enfadei-me, saudosa de carne e ossos,
acidez de sangue e suor.
O que deveras existe nos poupa perturbações,
sou uma vestal sem mágoas.
Terei o que desejo, carregando minha cruz
e morrendo nela.

JÓ CONSOLADO

Desperta, corpo cansado;
louva com tua boca a cicatriz perfeita,
o fígado autolimpante,
a excelsa vida.
Louva com tua língua de argila,
coisa miserável e eterna,
louva, sangue impuro e arrogante,
sabes que te amo; louva, portanto.
A sorte que te espera
paga toda vergonha,
toda dor de ser homem.

PINGENTES DE CITRINO

Tão lírica minha vida,
difícil perceber onde sofri.
Depois de décadas de reprimido desejo,
furei as orelhas.
Miúdos como grãos de arroz,
brinquinhos de pouco brilho
me tornam mais bondosa.
Fora minhas irmãs,
que também pagam imposto
ao mesmo comedimento,
quase ninguém notou.
Fiquei mais corajosa,
igual a mulheres que julgava levianas
e eram só mais humildes.

PREVISÃO DO TEMPO

O espírito de rebelião
também chamado de tristeza e desânimo
começou de novo sua ronda sinistra.
Sua treva e seu frio são de inferno.
Por causa de maio, esperava dias felizes;
e ensolarado até agora só o recado de Albertina,
escolhida pra cantar *Jesus é o pão do céu*.
Pão sem manteiga, Albertina,
é bom que o saiba.
É com ervas amargas que o comemos.

CONTRAMOR

O amor tomava a carne das horas
e sentava-se entre nós.
Era ele mesmo a cadeira, o ar, o tom da voz:
Você gosta mesmo de mim?
Entre pergunta e resposta, vi o dedo,
o meu, este que, dentro de minha mãe,
a expensas dela formou-se
e sem ter aonde ir fica comigo,
serviçal e carente.
Onde estás agora?
Sou-lhe tão grata, mãe,
sinto tanta saudade da senhora...
Fiz-lhe uma pergunta simples, disse o noivo.
Por que esse choro agora?

AVÓS

Minha mão tem manchas,
pintas marrons como ovinhos de codorna.
Crianças acham engraçado
e exibem as suas com alegria,
na certeza — que também já tive —
de que seguirão imunes.
Aproveito e para meu descanso
armo com elas um pequeno circo.
Não temos proteção para o que foi vivido,
insônias, esperas de trem, de notícias,
pessoas que se atrasaram sem aviso,
desgosto pela comida esfriando na mesa posta.
Contra todo artifício, nosso olhar nos revela.
Não perturbe inocentes, pois não há perdas
e, tal qual o novo,
o velho também é mistério.

DISTRAÇÕES NO VELÓRIO

Felipa ainda quente no caixão
e o que me vem à cabeça
é o vasilhame que areava até espelhar.
Com a mesma idade minha, só porque morreu,
não pode empoeirar-se num museu de fósseis
seu modo de arrematar qualquer assunto:
'É um problema, comadre.'
Existem as costas, o saco e o suportar.
E suportar que realidade tem?
E por que é abstrato, se dói tanto?
Felipa organizava bazares pra mães de periferias:
'Não têm noção de nada as coitadinhas,
um problema, comadre!'
Felipa, agora, como se diz na poética,
"descansa no seu leito derradeiro".
Como se não fosse morrer, rezo por sua alma
e demonstro mais contrição que seus parentes,
esforço meu para espantar a cobiça:
Com quem ficará a cruz de ouro que tão raramente
                              [usava?
Vou fazer um retiro, minha glicose subiu
e mesmo com comprimido demoro a pegar no sono.
Deus, tem piedade de mim.
Peço porque estou viva
e sou louca por açúcar.

CONTRADANÇA

Meu espelho me estranha,
despendo esforços injustificáveis
para amar um lugar que nem conheço.
Suspeito cidade crua, tudo pintado de fresco,
sem um musgo, um descascado no portão de ferro.
Como partícula em seu caráter instável,
sem história flutuo molestada
pelo gozo das trevas,
prazer maldito de uma certa dor.
Mas eis que a noite constela-se
e, com tanta acha de lenha
e tanta casca de pau,
já tenho como fazer uma fogueira bonita.
Espelho meu, estilhaça-te!
Escolho o baile,
quero rodopiar.

A QUE NÃO EXISTE

Meus pais morreram,
posso conferir na lápide,
nome, data e a inscrição: SAUDADES!
Não me consolo dizendo
'em minha lembrança permanecem vivos',
é pouco, é fraco, frustrante como o cometa
que ninguém viu passar.
De qualquer língua, a elementar gramática
declina e conjuga o tempo,
nos serve a vida em fatias,

a eternidade em postas.
Daí acharmos que se findam as coisas,
os espessos cabelos, os quase verdes olhos.
O que chamamos morte
é máscara do que não há.
Pois apenas repousa
o que não pulsa mais.

MISERERE

Nossos pais esperaram em vós e os livrastes.
A vós clamaram e foram salvos. Confiaram
em vós e não foram confundidos.

Do Salmo 21

SALA DE ESPERA

A Bíblia, às vezes, não me leva em conta,
tão dura com minha gula.
Nem me adiantou envelhecer,
partes de mim seguem adolescentes,
estranhando privilégios.
Nunca me senti moradora,
a sensação é de exílio.
Criancinha de peito, essa já sabe,
seu olhar muda quando desmamada.
Tudo é igual a tudo,
mas por agora a unidade nos cega,
daí o múltiplo e suas distrações.
Deus sabe o que fez.
Mesmo com medo escrevo
que é 1º de julho de 2011.
Parece póstumo, parece sonho.
Alguma coisa não muda,
minha fraqueza me põe no caminho certo.
Deus nunca me abandonou.

O HOSPEDEIRO

Ainda que nasça em mim, não me pertence.
Tal qual um olho ou braço esta piedade,
o purgatório de ver a pena alheia
como se não sofresse eu mesma.
Só pode ser Deus a morte,
tão aterrorizante em seu mistério,
em seu mutismo. A opaca.
Mórbida congênita, me apodam,

este é o preço por teu nascimento
no centro do miolo de Minas.
Eu sei. E sou mais,
melancólica, quase triste.
Padeci muito vergonhas paralisantes,
nem por isso civilizei minha fome,
dentes pra destroçar bananas,
carnes roídas até os ossos.
Me esforço por olhar nos olhos
quem desde que nasci me olha fixo
esperando de mim um assentimento
— ainda que humana e fracamente,
ainda que inepto e bruto —,
um sim.
Tem braços acolhedores
e vem cheia de vida.
É Deus a poderosa morte.

ANTES DO ALVORECER

O morto não morre,
não há colo nem cruz
onde repouse o que palpita cego
e lancinante pervaga.
Sei que me olha de uma fenda quântica,
mas eu o queria aqui junto comigo,
delirante, fraco, mas comigo,
junto comigo, o meu querido irmão.
Numa carta longínqua me escreveu
'Somos de Deus, irmã'.
Uma bela antífona ao choro desta noite
até que chegue a manhã.

CAPELA SISTINA

Expropriando a palavra
do 'r' impossível à sua língua gentia,
o padre falava perturbado de pânico:
'Eternidade! Palavra *horível*! Preparai-vos!'
Circundava-o e a nós no apertado redil
a própria mão de Deus.
Então o que fazer com pastos,
grinalda de nuvens sobre os morros,
neblina criando abismos,
inefáveis belezas entre véus?
Que palavras escuras eram aquelas
sopesadas de raios?
Eternidade? E a relva?
E repousar nela sem interdições,
sem ninguém me gritar: ô preguiçosa.
Céu de estrelas, sustos novos,
calores bons e esquisitos à vista de meninos.
As axilas da mãe me protegiam,
virtuoso amuleto o cinto com que o pai me batia.
Eles não iam morrer.
Estávamos seguros contra Deus e a eternidade horrível.
Até que dormiram pela última vez
e pela primeira vez eu fiquei velha.
Minha casamata agora,
as axilas do Deus de Michelangelo,
profundas, musculosas, bravas,
abundantes do suor de quem trabalha duro.
— Uma doutrina severa faz sofrer,
mas a ninguém perderá se for doutrina bela.

CRUCIFIXÃO

Quando nada socorre
e até a solicitude dos que nos têm amor parece engano,
o ente sinistro ronda.
Estás sozinho e não é no deserto,
no mar aberto não é,
lugares onde ainda se pode debater.
É antes da explosão que resultou no mundo,
quando eram uma coisa só adoração e blasfêmia,
o desumano limite onde deuses imperfeitos te castigam.
Ali, como um cordeiro de Deus descobrirás:
Minha vida é eterna e eu sou bom.

A CRIATURA

Domingo escuro, sensação de desterro, a vida difícil.
Sofre-se muito e cada vez mais,
também porque as vigílias são mais longas.
Ainda que durmas, deves-te levantar e cuidar da vida,
sujeitar-te à pouca destreza de um corpo
que não aprende as sutilezas da alma
e a todo instante perturba-te o repouso.
Precisas comer, limpar-te, mostrar-te apresentável
a quem chama na porta, salvar-te com compostura
do teu destino metabólico,
dormir na própria cruz sem sobressaltos,
como um bebê brincando com suas fezes.
Ó meu Deus, dizer o que disse
e não ter dúvidas de que escrevi um poema
é saber na carne: verdadeiramente
dar-Vos graças é meu dever e salvação.

SACRAMENTAL

É um modo de expiação a que nada escapa,
a árvore seca, o padre cansado
tomando comprimidos pra dormir,
a esforçada alegria de quem não sabe que é triste.
Vidas a meu encargo, interpoladas de excesso, falhas
por onde altissonante o vozerio dos mortos nos avisa.
Mas no grande Bazar ninguém escuta,
a semijoia, a missa temática
falam a mesma língua e têm o mesmo preço
do 'Concurso de miss pra criancinhas'.
Dia após dia,
o homem cuidou de sua irmã enferma
e no dia em que ela morreu foi à cozinha
como sempre fazia àquela hora da tarde
e tomou duas cervejas.
Não pegou em armas contra o aguilhão da morte.
Ó Deus, perdoai-me o equivocado zelo em Vos servir,
o não tomar cerveja por orgulho
de ser a mãe perfeita dos viventes.

O QUE PODE SER DITO

Quase indizível o experimento histórico,
porque o mês é setembro,
o ano, o de 2011
e às três da manhã me percebo acordada
me equilibrando à beira de um buraco
de que só agora meço o fundo e escuto
a radiação contínua de uma dor

por anos de distração ignorada.
Quem pode me consolar
a não ser Vós, face desfigurada de solidão e tormento?
Que fiz eu, desatenta a vida inteira?
Com que ocupava as horas
quando, à minha frente, muda
levantáveis os olhos para mim
esperando mais que migalhas?
Chorem comigo, céus,
para que o desvão transborde.
Me socorre, pai, mãe, me socorre,
irmãos meus, ancestrais, pecadores todos.
Quem viu o que vejo
venha me socorrer.
Sempre quis ver Jesus
e Ele esteve comigo o tempo todo.
Só era preciso um olhar,
um olhar atento meu.
Era só ficar junto e de modo perfeito
tudo estaria bem, de modo miraculoso.
Ó Vós que me fizestes,
bendigo-Vos pela cruz
da qual ainda viva me desprendes.
Eu não preciso mais acreditar.
Na minha carne eu sei que sois o amor
e é dele que renasço
e posso voltar a dormir.

FEIRA DE SÃO TANAZ

Os peixes me olham
de suas postas sangrentas.
Falta modéstia às frutas.
De ponta a ponta, barracas,
quero fugir dali
acossada pelos tomates
de inadequado esplendor.
Compro dois nabos para comê-los crus,
feito um eremita em sua horta.
Não por virtude,
por orgulho talvez travestido do júbilo
que me vendeu o diabo
em sua tenda de enganos.

LÁPIDE PARA STEVE JOBS

A Deus entrego meus pecados,
entrego-os a quem pertencem,
não a Satanás que é um dos nossos
e sofre também o tormento dos filhos
que têm o Pai ocupado em alimentar pardais.
Nem torres que tocam a lua,
ou o que quer que nos roube o fôlego,
fazem assomar Seu rosto.
Por que nos abandonastes?
Vosso Filho soube, na obediência da morte,
e o que se viu foi só um tremor rasgando a pele da terra.
Alguém no derradeiro instante exclamou Oh! Oh!
E fechou os olhos.

Eu não tenho aonde ir, tudo me ignora,
ignoro tudo, pois sou natureza.
Um beija-flor enfia numa flor natalina
o seu bico comprido e come e bebe e voa,
não pousa no meu ombro,
não bebe do meu olho a água de sal.
Por agora, o que me faz prosseguir
é sua indiferença. Esta ausência de milagre.

ESPASMOS NO SANTUÁRIO

Pesam como maus-tratos
as verdades que falo ao dissonante,
ao feio que pede amor.
Um susto me marcou,
como castigo perpétuo me acompanha.
Mesmo que ninguém saiba
se alguma vez gargalhou,
ou minimamente riu,
Jesus falou de Deus:
"Não tenhais medo, pequenino rebanho,
o Pai vos ama."
Por desventura eu não teria fé?
Então, que nome tem este desejo meu
de beijar o corpo onde a ferida sangra?
Do banco dos neófitos é que rezo.
No Santo dos Santos,
no corpo vivo não toco,
tenho pouca inocência,
nem ao menos sei

se quero convictamente
amansar o coração,
limpar minha língua turva.
Daqui, onde todos descansam,
escuto um fragor de espadas.
Estou viva. É só isto que eu sei.

PONTUAÇÃO

Pus um ponto final no poema
e comecei a lambê-lo a ponto de devorá-lo.
Pensamentos estranhos me tomaram:
numa bandeja de prata
uma comida de areia,
um livro com meu nome
sem uma palavra minha.
O medo pode explodir-nos,
é com zelo de quem leva sua cruz
que o carregamos.
Por isso, Deus, Vossa justiça é Jesus,
o Cordeiro que abandonastes.
Assim, quem ao menos se atreve
a levantar os olhos para Vós?
O capim cresce à revelia de mim,
não há esforço no cosmos,
tudo segue a si mesmo,
como eu agora fazendo o que sei fazer
desde que vim ao mundo.
Sou inocente,
pois nem este grito é meu.

PENTECOSTES

Moro em casa de herança,
uma edificação com aposento que evito
paralisada por seu ar gelado.
Ocupo pequeno cômodo
onde até virtudes, algum riso
e sementes de alegria, ainda intactos,
guardam alguma vida.
Olho o grande portão sem me mover,
o medo me tem ao colo, o sorridente demônio:
'Você está muito doente,
deixa que te cuido, filhinha,
com os unguentos do sono.'
Como um bicho respirando perigo,
às profundezas de que sou feita
rezo como quem vai morrer,
salva-me, salva-me.
O zelo de um espírito
até então duro e sem meiguice
vem em meu socorro e vem amoroso.
Convalescente de mim,
faço um carinho no meu próprio sexo
e o nome desse espírito é coragem.

POMAR

*A figueira já começa a dar os seus figos e
a vinha em flor exala os seus perfumes.*

Do Cântico dos Cânticos

POMAR

Os açúcares das frutas
me arrombaram um jardim
a meio caminho de trincar nos dentes
a doce areia, seus cristais de mel.
À vibração do que chamamos vida,
onde os adjetivos todos desintegram-se,
o Senhor da vida olhava-me
como olham os reis
as servas com quem se deitam.
Desde agora, pensei, basta dizer
'os açúcares das frutas'
e o jardim se abrirá
sob o mesmo poder da antífona sagrada:
"Ó portas, levantai vossos frontões!"

RAPTO

À hora em que nada parece estar errado,
nem os monturos com seus sacos plásticos,
o invisível te arrepia os pelos.
Uma vez, num bando de passarinhos
disputando sementes.
Hoje, na grama baixa onde cabras pastavam.
Quando a máxima atenção te deixa distraído,
o sequestrador te pega
e diferente daqui
conhecerás o lugar
onde quem desperta repousa.

O PAI

Deus não fala comigo
nem uma palavrinha das que sussurra aos santos.
Sabe que tenho medo e, se o fizesse,
como um aborígine coberto de amuletos
sacrificaria aos estalidos da mata;
não me tirasse a vida um tal terror.
A seus afagos não sei como agradecer,
beija-flor que entra na tenda,
flor que sob meus olhos desabrocha,
três rolinhas imóveis sobre o muro
e uma alegria súbita,
gozo no espírito estremecendo a carne.
Mesmo depois de velha me trata como filhinha.
De tempestades, só mostra o começo e o fim.

INVERNO

A árvore na montanha
me chama a ver do alto
o sol derreter a bruma.
Sob o que parece um oceano cinzento
não se enxerga o vergel, os bois.
Lanternas criam halos maravilhosos,
de um navio parado em alto-mar.
O onipresente vapor evanesce as imagens,
exsuda, pela respiração do criador das coisas,
a beleza linfática do mundo.
Provada no corpo é fria.
Na alma expandida é gozo.

INCONCLUSO

O dia em sua metade
e o calor do corpo ainda não me deixou.
Ele estava em minha casa e ia comer conosco.
Enquanto a mãe cozinhava,
esgueirou-se e disse no meu ouvido:
Quero falar com você.
Vamos até ali, respondi abrasada,
medrosa de que alguém nos visse.
Chegara com um frango depenado
— o que não me abalava o enlevo —
como se me testasse:
A quem não ama seu corpo,
sua alma lhe fecha a porta.
Ai, que meu pai não me visse assim tão ofegante
e estumasse seu nariz perdigueiro
à cica que me entranhava.
O sonho acabou aqui, onde estou até agora
ardente e virgem.

ENCARNAÇÃO

Sem quebrantar-me,
forte doçura até os ossos me toma.
Não há estridência em mim.
Fibrila o que mais próximo
posso chamar silêncio,
ainda assim palavra,
uma interjeição,
o murmúrio adivinhado

de um rio subterrâneo
no útero da mãe quando ela estava feliz
e o meu sangue era o dela
e sua respiração
a minha própria vida.
Quando o espírito vem
é no corpo
que sua língua de fogo quer repouso.

NOSSA SENHORA DOS PRAZERES

No que se pode chamar de rua,
em cores vivas, casas geminadas,
um esgoto de cozinha a céu aberto,
a água de sabão meio azulada,
muitas galinhas
e um galo formoso arreliando.
Se soubesse pintar informaria
de um verde quebradiço, as hortaliças
e pequenas coisas douradas esvoaçantes,
luz entre ramagens.
A igreja está fechada.
Não tendo mais o que fazer
a não ser esperar
que uma certa galinha vire meu almoço,
minha reza é deitar na pedra quente,
satisfeita e feliz como lagartixa no sol.

DO VERBO DIVINO

Três aves juntas limpam-se as penas
e param imóveis
no mesmo instante em que intento dizer-me
da perfeita alegria.
Ninguém acreditará,
me empenho em fechar os termos
desta escritura difícil
e estão lá as três,
estáticas como a Trindade Santíssima.
Faz tempo que estou aqui
com medo de levantar-me
e descosturar o inconsútil.
Mudam de galho as três,
uma licença pra eu também me mover
e escapar como as rolas
da perfeição de ser.

NUM JARDIM JAPONÊS

Ao minuto de gozo do que chamamos Deus,
fazer silêncio ainda é ruído.

ALUVIÃO

*O reino dos céus é semelhante a um tesouro escondido num campo.
Um homem o encontra mas esconde de novo. E cheio de alegria,
vai, vende tudo que tem para comprar aquele campo.*

Mateus 13,44

QUALQUER COISA QUE BRILHE

São eternos esta oficina mecânica,
estes carros, a luz branca do sol.
Neste momento, especialmente neste,
a morte não ameaça, pois não existe.
Ainda que se mova, tudo é parado e vive,
num mundo bom onde se come errado,
delícia de marmitas de carboidrato e torresmos.
Como gosto disso, meu deus!
Que lugar perfeito!
Ainda que volta e meia alguém morra, é tudo muito
                                              [eterno,
só choramos por sermos condizentes.
Necessito pouco de tudo,
já é plena a vida,
tanto mais que descubro:
Deus espera de mim o pior de mim,
num cálice de ouro o chorume do lixo
que sempre trouxe às costas
desde que abri os olhos,
bebi meu primeiro leite
no peito envergonhado de minha mãe.
Ofereço cantando, estou nua,
os braços erguidos de contentamento.
Sou deste lugar,
com tesoura cega cortei aqui meu cabelo,
sedenta de ouro esburaquei o chão
atrás do que brilhasse.
Pois o encontro agora escuro e fosco
no dia radioso é único e não cintila.
Veio de Vós. A vida. Do opaco. Do profundo de Vós.
Abba! Abba! Aceita o que me enoja,

gosma que me ocultou Teu rosto.
Vivo do que não é meu.
Toma pois minha vida
e não me prives mais
desta nova inocência que me infundes.

SOBRE ADÉLIA PRADO

CARLOS DRUMMOND DE ANDRADE
AFFONSO ROMANO DE SANT'ANNA

DE ANIMAIS, SANTO E GENTE

Carlos Drummond de Andrade*

(...) Todo este sistema de proteção ao animal, dentro da realidade contemporânea, é colocá-lo sob as vistas de São Francisco de Assis, o irmão geral da natureza. Tenho diante de mim, no momento, a madeira em que Fausto Alvim, artista silencioso que descobriu sozinho as veredas da criação, entalhou o santo espiritualizado, entre a andorinha e o ramo de flor. Esse Francisco não para de cativar a gente. Há santos que ficam quietos na bem-aventurança, não descem do altar, só esperam devoção e respeito. O Francisco, não. Acompanha a gente na cidade, inspira movimentos como esse da APA [Associação Protetora dos Animais], faz de um bacharel como Fausto um escultor sensível, enfim, ensina cada um a fazer coisas belas e a amar, com sabedoria. Acho que ele está no momento ditando em Divinópolis os mais belos poemas e prosas a Adélia Prado. Adélia é lírica, bíblica, existencial, faz poesia como faz bom tempo: está à lei, não dos homens, mas de Deus:

> Uma ocasião meu pai pintou a casa
> toda de alaranjado brilhante.
> Por muito tempo moramos numa casa
> como ele mesmo dizia
> constantemente amanhecendo.

Nascida à beira-da-linha, o trem de ferro, para ela, "atravessa a noite, a madrugada, o dia, atravessou minha vida virou só sentimento". E diz entre outras "Eu gosto é de trem de ferro e de liberdade", "Eu peço a Deus alegria para beber vinho ou café, eu peço a Deus paciência pra por meu vestido novo e ficar na porta da livraria, oferecendo meu livro de versos, que para uns é flor de trigo, pra outros nem comida é."

Em política, Adélia diz que "já perdeu a inocência para os partidos". Quer comer bolo de noiva, puro açúcar, puro amor carnal, disfarçado de corações e sininhos: um branco, outro cor-de-rosa, um branco, outra cor-de-rosa".

---

* Trecho da crônica publicada no *Jornal do Brasil* de 9 de outubro de 1975.

Adélia vai às compras? "A crucificação de Jesus está nos supermercados, para quem queira ver. Quem não presta atenção está perdendo. Tem gente que compra imoral demais com um olho muito guloso, se sungando na ponta dos pés, atochando o dedo nas coisas, pedindo abatimento, só de vício, com a carteira estufada de dinheiro, enquanto uns amarelos, desses cujo único passeio é varejar armazéns, ficam olhando e engolindo em seco, comprando meios quilinhos das coisas mais ordinárias".

Adélia já viu a Poesia, ou Deus, flertando com ela, "na banca de cereais e até na gravata não flamejante do Ministro". Adélia é fogo: fogo de Deus em Divinópolis. Como é que eu posso demonstrar Adélia se ela ainda está inédita: aquilo de vender livro à porta da livraria é pura imaginação e só uns poucos do país literário sabem da existência desta grande poeta-mulher à beira da linha?

ADÉLIA: A MULHER, O CORPO E A POESIA

Affonso Romano de Sant'Anna*

Não farei um prefácio acadêmico, ou, pelo menos, tentarei fugir ao máximo de uma conversa solene para instalar um clima semelhante ao criado pelos poemas de Adélia Prado. A rigor, quem poderia fazer um magnífico texto sobre essa poetisa, era Mário de Andrade. Mas houve um desencontro histórico. Nem o Modernismo teve o privilégio de ter Adélia Prado entre suas poetisas nem Mário de Andrade sobreviveu para nos ensinar a ver melhor as soluções para a poesia brasileira, prisioneira de falsos dilemas nesses últimos vinte anos.

Isto posto, vou lembrando que há cinco anos recebi de uma desconhecida poetisa do interior de Minas um maço de poemas, entre batidos a máquina e manuscritos. Aquele era um período particularmente precioso e agitado para mim. No *Jornal do Brasil* mantinha o "Jornal de Poesia" recebendo uma média de dois mil poemas por mês. Na mesma época organizava a *Expoesia 1* (PUC/RJ), *Expoesia 2* (Curitiba) e a *Expoesia 3* (Nova Friburgo). Estava, portanto, num mar de poesia, redescobrindo na escrita jovem um autêntico gesto de abertura estética e política que correspondia a outras "aberturas" no plano institucional. E eu ia lendo os textos da moça e me assustando e me entusiasmando. A danada tinha uma força estranha e o que escrevia escapulia do que eu conhecia em nossa poesia.

Ora, nos últimos vinte anos a poesia brasileira tinha ficado esquartejada na disputa entre meia dúzia de grupos que se engalfinharam (dentro e fora do país) na luta pelo poder (literário). De alguma maneira era até monótono ler livro de poesia. A gente pegava um texto e só tinha duas alternativas: ou encontrava alguém filiado a uma das estéticas do momento ou então ia encontrar uma desinformação quase total do que fosse poesia. Entre os vanguardistas de um lado e os alienados de outro, nada de muito relevante sucedia. Adélia, percebia-se, tinha feito suas leituras, transparecia uma coisa de Guimarães Rosa outra de

---
* Texto do prefácio da primeira edição de *O coração disparado*, de Adélia Prado (Rio de Janeiro: Nova Fronteira, 1978).

Drummond, mas estava falando definitivamente na primeira pessoa. Assistente de história da filosofia na faculdade de Divinópolis, na hora de escrever não filosofava, seguia aquele conselho de Mário, caía de quatro, com todas as vísceras no chão. Vários poemas me comoveram. Falei com Marina [Colassanti]. 'Não aguentei e telefonei para o Drummond: Mestre, acaba de aparecer uma poetisa no interior de Minas. E isto eu dizia como um astrônomo no observatório nacional, feliz com uma nova possibilidade de vida fora de mim, do que conhecia, do que lia. Li para ele aquele "Briga no Beco". Tomei outras providências: separei alguns textos e mandei para a redação do *Suplemento Literário de Minas Gerais*.

Daí para a frente as coisas assumiram a força que já tinham. Eu continuava em minha batalha pela poesia jovem e ia fazendo força para abrir espaço para a voz de uma nova geração. Um dia, Pedro Paulo de Sena Madureira, ainda então na Imago Editora, me anuncia evangelicamente que ia publicar um livro de uma poetisa do interior de Minas. Falei: só pode ser Adélia. Era. O livro já em fase final, em breve era lançado como merecia. Um esplêndido prefácio de Margarida Salomão, uma noite de autógrafos no Rio ao lado de Rachel Jardim e Antônio Houaiss, Adélia ali em meio àquele mundão de gente assinando livro até para Juscelino Kubitschek. E veio um encontro e José na casa de Drummond, outro lá em casa e coquetel no apartamento de Rubem Braga. E Adélia ali, inteira e mineira pedindo tantos autógrafos quantos dava. E veio notícia na TV, páginas em *O Globo* e na *Nova*, resenhas por toda parte. Lançamento em São Paulo e uma tremenda festa em Divinópolis. Adélia realizava aquilo que todo estreante sonha. Ela não precisava mais ser aquele que

> poeta obscuro aguarda a crítica
> e lê seus versos as três vezes por dia,
> feito um monge com seu livro de horas.

Podia, antes, cumprir aquela promessa:

> Quando escrever o livro com o meu nome
> e o nome que eu vou pôr nele, vou com ele a uma igreja
> a uma lápide, a um descampado,

>   para chorar, chorar, e chorar,
>   requintada e esquisita como uma dama.

Voltando a Divinópolis, cumprida a promessa, ela retorna: "Eu fiz um livro, mas oh meu Deus / não perdi a poesia". E conclui reachando-se no seu cotidiano no interior de suas paisagens:

>   Meu livro sobre a mesa contraponteava exato
>   com os pardais, os urinóis pela metade,
>   o antigo e intenso desejar de um verso.
>   O relógio bateu sem assustar os farelos sobre a mesa.
>   Como antes, graças a Deus.

Adélia, que já se definia como "mulher do povo", que faz a própria comida, que aos domingos bate o osso no prato pra chamar o cachorro e atira restos, constitui um "caso" em nossa poesia. Não quero fazer aquelas frases de efeito, que depois são desmentidas pelo tempo. Frases como aquela que fizeram sobre Vinicius de Morais na década de 1930 — de que ele era o último grande poeta modernista; frase que ele atualizou, e nos anos 1970 passou para Gullar, com o mesmo exagero, ao dizer que o maranhense era o último grande poeta brasileiro. Isso lembra de alguma forma algo que Clarice Lispector vislumbrou: há frases que contêm mais beleza do que verdade. E porque pertenço eu também a uma civilização que se compraz em frases, vou lá cometendo o mesmo erro que incrimino: Adélia Prado é a Clarice Lispector de nossa poesia. Aproxima-as primeiramente este fato: ambas já nasceram (ou surgiram literariamente) com uma linguagem pronta. Mas isto não é tudo. Um escritor pode inventar um trejeito retórico, patentear isto e achar que tem uma linguagem. Falo aqui de algo comum às duas escritoras: aquela maneira de pegar a gente pelo pé e deixar a gente prostrado e besta com uma verdade revelada. Aquilo que se poderia chamar de "epifania" — a revelação abrupta de uma verdade desnorteante. Adélia pertence à raça dos mágicos e, diria, bruxos, se não a soubesse católica com uma fé de fazer inveja ao vigário.

Pois bem. Naqueles idos de 1976, quando Adélia publicou *Bagagem,* fazia eu resenhas para a *Veja* e indiquei algumas das características de sua poesia.

Devia-se entender que o sucesso de Adélia não se devia somente às notícias, à ousadia do editor ou aos bons fluidos de sua presença física. Mas também e principalmente à força irracional e aliciadora de sua poesia. Porque o primeiro mérito de seus versos é pular por cima dessa poesia cerebral e enjoada que se fez no Brasil nos últimos vinte anos e assumir um tom mágico e fantástico, que recria a vida do interior mineiro através de uma dicção inovadoramente feminina.

Na verdade, trata-se da voz mais feminina de nossa poesia até hoje. Adélia não usa uma linguagem de empréstimo aos homens, nem repete pieguices em torno de imagens de noite-lua-canto-rosa-mar-estrela-solidão. Assim ela cruza seus textos com os de Fernando Pessoa, Guimarães Rosa e Drummond, mas para assinalar uma diferença. Veja-se o antológico poema que abre seu primeiro livro: "Com Licença Poética", onde retoma a personagem *gauche* de Drummond, mas para marcar pelo avesso a sua trajetória, mesmo sabendo ser esse um "cargo muito pesado pra mulher / esta espécie ainda envergonhada".

A verdade de sua experiência feminina é completada pela fidelidade à sua paisagem ambiental. Lá estão as comadres, as santas missões, as formigas pretas, o angu, as tanajuras, as pessoas na sombra com faca e laranjas. Embora pudesse se mostrar pedantemente culta a autora se expõe visceral: "feito água no fundo da mina, levantando morrinho de areia". Mais que meramente "feminina" e "telúrica" a poesia de Adélia vem do sertão. Do sertão não apenas como distância e mato, do sertão que deixa de ser mineiro para ser uma categoria cósmica. Exatamente como o mestre nesses assuntos, Guimarães Rosa, disse: há autores como Tolstoi, Goethe, Balzac, que nasceram no sertão. Ao passo que outros lógicos e racionais como Emile Zola vêm de São Paulo.

Isto é o que eu dizia naquele artigo. E ainda assino. E se eu pudesse ir somando alguns aspectos dessa introdução eu diria: além do mérito de romper com as poéticas vigentes na época e instaurar seu próprio e único modo de dizer, a poesia de Adélia redescobre um aspecto do interior brasileiro, que é universal e foi praticamente desprezado até então. O Modernismo, realizando aquela desmontagem dos preconceitos e mitos sobre nossa "história", desenvolveu o "poema piada", que na verdade era uma forma perversa de interpretar o Brasil. Uma vingança do provinciano contra ele mesmo. Só aos poucos nossos poetas foram aprendendo a amar o Brasil de uma forma menos adolescente, mais adulta. O próprio Mário de Andrade se penitenciou disto. E vejam a diferença entre os poemas irônicos de Drummond no princípio da obra e esses dos últimos livros, cada vez mais amorosos com a província, vendo coisas que o provinciano, ali, jovem e imaturo, não podia valorizar.

Um dos problemas maiores para o artista é descobrir o que é seu e só seu, seu modo pessoal e intransferível de ver o mundo. Me lembrava Autran Dourado, certa feita, que havia lido um poema de vanguarda de um poeta (também do interior de Minas), de uma dessas cidadezinhas realmente mínimas, onde talvez pouco mais houvesse que um jornal e a luz de gás neón na praça. Pois o poeta começava dizendo: chega de cibernética! Parecia um poeta em Nova York.

Adélia, não. Está ali pisando no seu chão. Com um caderno de poesia ao lado do fogão. Dizendo aquelas coisas que não fica muito bem a um intelectual dizer: "Eu cumpro alegremente minhas obrigações paroquiais / e não me canso de esperar". Ali vai sentindo "o cheiro da flor de abóbora", onde "o perfume das bananas é escolar e pacífico". Olhando o mundo grande a partir de seu pequeno mundo ela é uma ponte entre os seus e o resto:

> Dos meus, só eu conheço o mar.
> Conto e reconto, eles dizem "anh"
> E continuam cercando o galinheiro de tela.

Essa poetisa, que está exorcizando a província de suas vergonhas, também se rejubila com a condição daquelas que descobrem a alegria da vida nos menores e "desprezíveis" afazeres do dia a dia:

> Exibo a sorte comum das mulheres nos tanques,
> das que jamais verão seu nome impresso e no entanto
> sustentam os pilares do mundo, porque mesmo viúvas dignas
> não recusam casamento, antes acham o sexo agradável,
> condição para a normal alegria de amarrar uma tira no cabelo
> e varrer a casa de manhã.
> Uma tal esperança imploro a Deus.

Já estou por aí começando a comentar a terceira característica que me agrada nessa poesia. Além de ter instalado uma linguagem sua e além de ter se enraizado em sua paisagem natural, Adélia descobre a mulher concreta dentro de si mesma, além das ideologias, além dos preconceitos, e assume uma eroticidade que, de repente, faz ressaltar a eroticidade ausente de nossa "poesia feminina" convencional. Nesse sentido, ela, lá em Divinópolis, está ao lado das mulheres de sua geração, redescobrindo a seu modo um espaço erótico e vital, que algumas poetisas jovens, ligadas ao que se convencionou chamar de "poesia marginal", também andam fazendo: a redescoberta de uma linguagem que se afasta da maneira masculina de ver o mundo, um modo de escrever sem pedir de empréstimo os lugares comuns da ideologia social e literária.

Não é só a maneira de dizer, é a maneira de sentir, que as duas coisas vêm juntas:

>   Até hoje sei quem me pensa
>   com pensamento de homem!
>   A parte que em mim não pensa e vai da cintura aos pés
>   reage em vagas excêntricas,
>   de um vulcão que fosse ameno,
>   me põe inocente e ofertada,
>   madura pra olfato e dentes,
>   em carne de amor, a fruta.

Trata-se de ir descobrindo, mais que isto, desvelando o sexo das trapaças cotidianas e recolher a todo instante a vida que recalcamos. Imaginem uma poetisa-de-bom-tom, há alguns anos, dizer uma coisa dessas:

>   fazia tarde bonita quando me inseri na janela entre meus tios
>   e vi o homem com a braguilha aberta
>   o pé de rosa-doida enjerizado de rosas

Sexo é o que há de mais cotidiano. Daí que na modernidade dessa poesia não se espera o surgimento de cavaleiros conduzindo rosas em cavalos medievais vitoriosos. A mulher está ali olhando um homem comum — um rapaz que palita os dentes, só tem escola primária, fala errado, come bife com arroz, rodela de tomate, "mas tem um quadril de homem tão sedutor / que eu fico amando ele perdidamente". E dessa liberação do desejo a quente confissão:

> Ele esgravata os dentes com o palito.
> Esgravata é meu coração de cadela.

Essa é a mulher fêmea, mas que não pertence mais àquilo que ela chamou de "espécie ainda envergonhada". E, ao meio-dia, a emoção surge não apenas ao nível da natureza, quando "ao meio-dia deságua o amor", mas ao nível do natural:

> Quero braceletes
> e a companhia do macho que escolhi.

Há dias me ocorreu uma observação. Onde está a família do poeta brasileiro? Aliás, onde está a família dos escritores e artistas em geral? Onde está a mulher e onde está o marido? Existem? O que vemos são muitas noivas e noivos, amantes, muitas. Mas cadê a casa, amor, esposa, cadê esse mundo burguês que a maioria de nós coabita? De repente, me parece que Adélia é a primeira poetisa brasileira que tem marido e filhos, que cuida da casa, tira poeira, traz legumes da horta e tem alucinações eróticas. Na poesia, em geral, o que há é a descrição da família anterior do poeta: a mãe, que morreu e era uma santa; pai também morto, que era um forte. A família é uma ausência. O poeta está preocupado com grandes temas: o povo, o futuro da sociedade e o futuro da poesia. O poeta surge usualmente como o des-família, o homem-ilha. Em Adélia também tem pai e mãe. Mas sobretudo tem lá o marido, a casa, seu corpo e sua relação mística e erótica com sua comunidade. Ela sabe que "a bacia da mulher é mais larga do que a do homem":

> Me apaixono todo dia,
> escrevo cartas horríveis, cheias de espasmos
> como se tivesse um piano e olheiras,
> como se me chamasse Ana da Cruz.

E o desejo se estende:

> Me tentam a beleza física, forma concreta de lábios,
> sexo, telefone, cartas
> o desenho amargo da boca do *Ecce Homo*.

E assim vai se desenvolvendo esse desejo entre místico e natural, mas sempre concreto:

> Preciso me confessar ao homem de Deus:
> cometi gula, ansiei pelos detalhes das fraquezas alheias
> e mesmo tendo marido explorei meu corpo.

Assim se poderia ler e ir citando, não achasse eu melhor ir o próprio leitor descobrindo esse livro. Leiam aquele poema "Entrevista", que começa assim:

> Um homem do mundo me perguntou:
> o que você pensa do sexo?
> Uma das maravilhas da criação, eu respondi.
> Ele ficou atrapalhado, porque confunde as coisas
> e esperava que eu dissesse maldição,
> só porque antes lhe confiara: o destino do homem é a santidade.

O que existe nessa poesia é uma contagiante alegria de estar viva, embora todas as perplexidades e um certo tom patético. Mesmo os "palavrões" surgem aí tão naturalmente que pode o leitor até nem percebê-los. E aí, aliás, outro traço de modernidade dessa poesia, valendo nova comparação: o Modernismo com todas as suas liberações não conseguiu ser licencioso a não ser com a gramática; o corpo foi pouco dessacralizado; a língua, embora cheia de solecismos e barbarismos, continuava casta e burguesa. Hoje, que o chamado palavrão entrou no cotidiano de nossa vida e as mulheres o usam, roubando mais um setor da linguagem que os homens controlavam, é natural que se escreva como se fala, porque se fala como se vive.

Fazer prefácio ou apresentar um autor é um gesto perigoso. A gente pode atrapalhar a leitura alheia. E esse livro cresce mais a partir do prefácio. Este é um livro alegre, porque vital. Lírico e esfuziante. Moderno e cotidiano. Real. Não tem o pecado da mentira, não tem o pecado da tristeza. Bem ela advertira:

>Quisera lamuriar-me, erguer meus braços tentada
>a pecar contra o Santo Espírito.
>Mas a vida não deixa. E o discurso
>acaba cheio de alegria.

POSFÁCIO

MÓBILE PARA ADÉLIA

Augusto Massi[*]

Para minha mãe, grande leitora e dona de si.

Para todo escritor, há um momento em que o ato fundamental consiste em soltar os livros no mundo. Depois de gestados, é preciso que caminhem com as próprias pernas. Eles se tornam independentes, convivem com outras obras e criam novas relações. Porém, a certa altura da vida, o autor sente que precisa reuni-los novamente em um único e apertado abraço. Todos então retornam a casa, sentam-se à ampla mesa, redescobrem antigos vínculos e participam da estranha ideia de família viajando no verbo.

O primeiro momento é fruto da escrita. O segundo pertence à leitura. Com os livros lançados separadamente, descobrimos e aprendemos; com o conjunto da obra, convivemos e conversamos. No caso de Adélia Prado, *Poesia reunida* talvez corresponda a uma verdade mais íntima que a denominação tradicional de *Poesia completa*. Ao longo de sua trajetória poética, cada novo título nasce sempre da costela do volume anterior. Os seus livros dialogam, compõem um coro de vozes, formam um organismo vivo. Sob o mesmo teto, as palavras circulam, cantam, sonham. *Poesia reunida*, poesia religada.

*

Adélia Prado ruminou quarenta anos para publicar *Bagagem* [1976]. Tinha plena consciência do rebento. O caminho percorrido era resultado de uma busca e de uma entrega. Por isso, a obra de estreia trazia consigo uma certidão de nascimento, carta de intenções, declaração de princípios: "Não sou matrona, mãe dos Gracos, Cornélia, / sou é mulher do povo, mãe de filhos, Adélia." O estilo inconfundível não traduzia somente a lenta maturação, revelava uma

---

[*] Não posso deixar de agradecer ao editor Lucas Bandeira, que, além de ter feito o convite, soube responder de forma intelectualmente generosa aos meus atrasos. Também agradeço a Paola Poma e Murilo Marcondes de Moura as leituras críticas, noturnas e mobilizadoras que dedicaram a este ensaísta tão móbile.

poeta dotada de autocrítica, cultivada a fogo lento e disposta a correr riscos. A estreia tardia expunha um equilíbrio raro: frescor e maturidade, provocação e respeito, despudor e humildade.

Até mesmo leitores sofisticados, em dia com as novidades culturais, estranharam a inversão de rota. Então era possível escrever poesia moderna fora dos grandes centros urbanos? A sexualidade, debatida nos divãs dos psicanalistas ou em programas de televisão, podia correr solta pela carne e pela imaginação de uma mineira casada, quarentona, mãe de cinco filhos? O catolicismo também gerava certo incômodo e era visto com desconfiança por quem havia mergulhado de cabeça na militância dos anos rebeldes. Adélia Prado desarmou a todos. A literatura voltava a ser galvanizada pela experiência.

Passados quarenta anos, o barulhão suscitado foi se dissolvendo em uma lenta e progressiva naturalização. Hoje, Adélia faz parte da paisagem literária. Sua fortuna crítica não para de crescer, quase ultrapassou uma centena de teses universitárias, ganhou os palcos e rompeu as fronteiras da língua. Encontra-se editada em inglês, italiano, espanhol, e poemas avulsos foram traduzidos para o alemão, francês, polonês e chinês.

Para avaliar esta potente caixa de ressonância, lembro que, no lançamento de *Bagagem*, no Rio de Janeiro, estavam presentes um notável representante do modernismo, Carlos Drummond de Andrade, um ex-presidente, tido como democrata e modernizador, Juscelino Kubitschek, e um dos ícones da literatura brasileira, Clarice Lispector. Historicamente, a poesia de Adélia – libertária e popular – estreou sob o peso da ditadura militar, durante o governo Geisel [1974-1979], e participou ativamente do amplo processo de redemocratização que terminaria com o movimento das Diretas Já em 1984.

Tal inserção política não tem sido devidamente observada, até mesmo entre bons críticos, caso de Antônio Hohlfeldt e Frei Betto. É quase lugar-comum aludirem ao poema "Terra de Santa Cruz" – no qual é evocado o suicídio de Frei Tito de Alencar Lima, em 1974, após ter sido preso e torturado – como um dos raros momentos em que sua poesia se mostra aberta à política. Além de não corresponder aos fatos, demonstra desconhecimento de sua trajetória. Seja na condição de professora, de atriz e diretora de teatro amador ou, principalmente, de escritora, Adélia sempre deu mostras de ser uma militante de todas as horas ou, segundo suas próprias palavras, "eu era muito engajadinha".* Nunca transigiu e, quando necessário, externou suas posições valorizando a dimensão mais cotidiana da política, composta de pequenos gestos.

Poucos devem se lembrar, mas, em 11 de novembro de 1977, o *Jornal do Brasil* publicou, na seção Cartas do Leitor, uma dura crítica redigida por uma cidadã de Divinópolis:

> Muito triste, decepcionante mesmo, a entrevista de Chico Anísio. Escapista, sobrevivente demais. Imperdoável o "não entendo de política", "pior é em Uganda". O repórter não parecia interessado apenas no piadista, mas no homem Francisco Anísio, brasileiro, cidadão, pagador de impostos, credor e tributário de um contexto que condiciona milhares de brasileiros sem voz, sem prestígio, sem poder, angustiados e perplexos com procedimentos políticos, judiciários e penais capazes de tirar o sono aos melhores humoristas...

No âmbito literário, a conjuntura guardava alguma semelhança. Estávamos saindo de um longo período no qual a poesia de vanguarda, do concretismo à poesia práxis, dava os primeiros sinais de enfraquecimento de um poder quase hegemônico durante as décadas de 1960 e 1970. Com *Poema sujo* [1976], de Ferreira Gullar, *Passatempo* [1974], de Francisco Alvim, e *Bagagem* [1976], de Adélia Prado, a poesia brasileira voltava a se debruçar sobre questões excluídas da pauta das vanguardas: o sonho, a política, o erotismo.

Deste ângulo, Adélia também representava um último desdobramento do modernismo, cujas linhas de força convergem para a retomada do cotidiano, da oralidade, da cultura popular e para o desejo de encurtar o caminho até o leitor, trazendo a linguagem poética para o centro da vida.

---

* LOPES, Antonio Herculano. *Adélia*: uma entrevista. Rio de Janeiro: Fundação Casa de Rui Barbosa, 1995.

I. ANOS DE FORMAÇÃO
FRANCISCANOS

Divinópolis não é apenas uma fotografia na parede, mas moldura histórica e real que ora define os contornos de uma existência – ali a poeta nasceu, cresceu e ainda vive –, ora serve como baliza para avaliar o quanto a escritora assimilou e rompeu com os valores da cidade natal. São Paulo, Rio de Janeiro e até mesmo Belo Horizonte quase inexistem na obra de Adélia. Por isso, antes de analisar sua obra poética, seria interessante trazer à luz uma estrutura social, familiar e cultural que, ainda hoje, permanece subterrânea.

A primeira delas está vinculada à educação religiosa, substrato central e poderoso de sua formação, com a forte presença dos franciscanos na cidade. Além de um irmão, Frei Antônio do Prado, primeiro franciscano de Divinópolis, a própria Adélia também pertenceu à Ordem Terceira. Em outras palavras, o seu destino individual sempre girou na órbita de uma sociabilidade católica. No entanto, no centro deste círculo tradicional havia a beleza do culto e da liturgia. A própria escritora recorda que a sua primeira aproximação da experiência poética se deu quando descobriu que São Francisco de Assis escrevia, cantava e tocava banjo: "Mas é este santo que eu quero!"

A convivência com os franciscanos não marcou somente sua infância e adolescência, prolongou-se pela vida adulta. Em 1965, quando ela e o marido ingressaram na primeira turma do curso de Filosofia, em Divinópolis, a maioria dos professores era composta por frades holandeses vinculados ao convento dos franciscanos. E, até mesmo em suas colaborações nos jornais, Adélia costumava assinar com o pseudônimo de Franciscana.

Toda esta *Bagagem* intelectual está simbolicamente registrada na dedicatória do seu primeiro livro: "Louvai ao Senhor, livro meu irmão, com vossas letras e palavras, com vosso verso e sentido, com vossa capa e forma, com as mãos de todos que vos fizeram existir, louvai ao Senhor. (Da imitação do *Cântico das criaturas*, de São Francisco de Assis, a quem devo a graça deste livro.)"*

---

* A crônica de Carlos Drummond de Andrade, "De animais, santo e gente", publicada no *Jornal do Brasil*, em 9 de outubro de 1975 [consta nesta edição], também recorre a São Francisco de Assis: "Acho que ele está no momento ditando em Divinópolis os mais belos poemas em prosa a Adélia."

Se refletirmos sobre esta filiação franciscana, veremos que ela apresenta uma profunda correspondência com a poesia modernista brasileira, cujo traço predominante é a postura antirretórica e o despojamento de linguagem, tão visível na lição cultivada por Manuel Bandeira, a quem Murilo Mendes não hesitou em definir como "um franciscano da poesia".*

O próprio Bandeira declarou em "Programa para depois de minha morte": "(...) quando eu chegar ao outro mundo, / Primeiro quererei beijar meus pais, meus irmãos, meus avós, meus tios, meus primos. / Depois irei abraçar longamente uns amigos – Vasconcelos, Ovalle, Mário... / Gostaria ainda de me avistar com o santo Francisco de Assis. / Mas quem sou eu? Não mereço."**

Tais aproximações podem soar episódicas. Porém, no terreno da história literária, essas configurações estilísticas abrem novas possibilidades de leitura da poesia de Adélia. Mais uma vez, convoco Manuel Bandeira. Em *Poemas religiosos e alguns libertinos*,*** antologia organizada por Edson Nery da Fonseca, além de reunir um elevado número de poemas de fundo religioso, o crítico aponta para uma integração perfeita entre dois polos opostos: religião e erotismo.

Na introdução de *Estrela da vida inteira*, Gilda e Antonio Candido de Mello e Souza apontam para tensões semelhantes:

> Uma delas é, por exemplo, certo materialismo que o faz aderir à realidade terrena, limitada, dos seres e das coisas, sem precisar explicá-los para além da sua fronteira; mas denotando um tal fervor, que bane qualquer vulgaridade e chega, paradoxalmente, a criar uma espécie de transcendência, uma ressonância misteriosa que alarga o âmbito normal do poema. O enterro que passa ante os homens indiferentes, conduzindo a matéria "liberta para sempre da alma extinta" ("Momento num café"), tem uma gravidade religiosa frequente neste poeta sem Deus, que sabe não obstante falar tão bem de Deus e das coisas

---

* "O nosso caro Manuel Bandeira". In: *Homenagem a Manuel Bandeira*. Rio de Janeiro: Jornal do Comércio, 1936. Reforçando a vertente franciscana, lembro que Jorge de Lima escreveu para crianças *Vida de São Francisco de Assis* [Rio de Janeiro: Zélio Valverde, 1942].
** BANDEIRA, Manuel. Programa para depois de minha morte. In: *Preparação para a morte*. Rio de Janeiro: Edição de André Willième e Antonio Grosso, 1965.
*** BANDEIRA, Manuel. *Poemas religiosos e alguns libertinos*. 2. ed. Seleção e posfácio de Edson Nery da Fonseca. São Paulo: Cosac Naify, 2007.

sagradas, como entidades que povoam a imaginação e ajudam a dar nome ao incognoscível.*

Não advogo uma influência direta de Manuel Bandeira sobre Adélia Prado, nome raramente mencionado pela escritora. No entanto, quero chamar a atenção para determinados valores literários introduzidos e rotinizados depois do modernismo, como, por exemplo, esse veio franciscano que atravessa a vasta planície da poesia moderna brasileira.

O assunto é espinhoso, mas pode oferecer uma chave interpretativa para repensar o materialismo franco e o erotismo desabusado que ainda escandalizam tantos leitores de Adélia. Guardadas enormes diferenças, o mesmo argumento não seria válido para repensar a refratária recepção crítica de Murilo Mendes e Jorge de Lima? Ou em certo hibridismo religioso praticado por Vinicius de Moraes?** Não haveria uma raiz comum nesta dinâmica da nossa formação social? Um catolicismo que deseja fundir o regional no universal, o terreno no místico? Desta perspectiva, em vez de uma voz poética isolada, Adélia pode ser considerada um desdobramento tardio do modernismo.

Diria que ela se vincula àquele traço decisivo do cristianismo tão bem sintetizado pelo crítico Erich Auerbach:

> Ora, para os cristãos, o modelo do sublime e do trágico era a história de Jesus Cristo. Mas Jesus Cristo se tinha encarnado na pessoa do filho de um carpinteiro; sua vida sobre a terra se passara em meio à gente da mais baixa condição social, homens e mulheres do povo; sua Paixão tinha sido o que havia de mais humilhante; e precisamente nessa baixeza e humilhação consistia o sublime de sua personalidade e o Evangelho que ele e seus apóstolos haviam pregado. O sublime da religião cristã estava intimamente ligado à sua humildade, e essa mescla de sublime e humildade, ou melhor, essa nova concepção de

---
* MELLO E SOUZA, Gilda; MELLO E SOUZA, Antonio Candido. Estrela da vida inteira. In: MELLO E SOUZA, Gilda. *Exercícios de leitura*. 2. ed. São Paulo: Editora 34, 2008.
** Para o leitor interessado na questão, recomendo: "Estudos sobre a poesia religiosa brasileira", ensaio pioneiro de Roger Bastide [In: *Poetas do Brasil*. São Paulo: Edusp, 1997] e uma conferência de Cecília Meireles, inédita em livro, "A Bíblia na poesia brasileira".

sublime baseada na humildade, anima todas as partes da história santa e todas as legendas dos mártires e confessores.*

Esta mescla estilística penetrou fundo na poesia de Adélia Prado. Seja pela formação franciscana, seja pela leitura da Bíblia e dos poetas modernistas, ela valoriza na pobreza certa noção de experiência, de despojamento, como antídoto ao ornamental. A beleza que tanto persegue resulta deste desnudamento.

LEITURAS

Em seus anos de aprendizagem, a jovem leitora sorveu o máximo que pôde, penetrando em cada fresta que se abria no horizonte cultural de uma educação rígida. Ao ler *Diário de um pároco de aldeia*, de Georges Bernanos, Adélia logo reconheceu que se tratava de uma obra-prima. Mas, para quem nem sequer podia folhear a revista *O Cruzeiro*, o que restava era a leitura de romances históricos do tipo *Quo vadis?*, de Henryk Sienkiewicz, e *O manto de Cristo* [1942], de Lloyd C. Douglas, ou de ficcionistas convencionais como M. Delly, A. J. Cronin e Somerset Maugham. É difícil imaginar o salto dado por Adélia quando, aos vinte e poucos anos, descobre Carlos Drummond de Andrade, Guimarães Rosa e Clarice Lispector.

Tudo isso sem jamais abandonar a leitura da Bíblia, que, desde a juventude até hoje, lê na edição da Ave-Maria,** por considerar essa tradução a mais poética. As narrativas bíblicas, em especial as do Antigo Testamento, constituíram as principais fontes literárias de seu imaginário. Nesse primeiro momento, segundo a própria autora, prevaleceu o fascínio pelo culto, pela liturgia, pelo canto.

Mas retornemos ao princípio, quando a poesia se confundia com a arte da declamação, e a nota dominante eram as antologias escolares, repletas de poetas românticos, parnasianos, simbolistas e raríssimos modernistas. O que poderia haver de mais regressivo em um eventual exibicionismo da criança sequiosa por aplausos do auditório foi transformado pelo pai, o ferroviário João

---

* AUERBACH, Erich. *Introdução aos estudos literários*. Tradução de José Paulo Paes. São Paulo: Cosac Naify, 2015.
** Traduzida dos originais em hebraico, grego e aramaico pelos monges beneditinos de Maredsous, Bélgica, a *Bíblia Sagrada – Ave Maria* foi editada pela primeira vez no Brasil em 1959.

do Prado Filho, em uma experiência enriquecedora, lúdica, mnemônica. Após perder a mãe, a dona de casa Ana Clotilde Corrêa, Adélia encontrou no pai, que só cursou até o terceiro ano primário, uma figura decisiva para a descoberta da "Poesia":

> Recita "Eu tive um cão", depois "Morrer dormir", ele dizia.
> Eu recitava toda poderosa.
> "Eh trem!", ele falava, guturando a risada, os olhos
> amiudados de emoção, e começava a dele:
> "Estrela, tu estrela, quando tarde, tarde, bem tarde [...]"

Além dos citados "História de um cão", do parnasiano Luís Guimarães [1845-1897], e "Morrer... dormir...", do romântico Francisco Otaviano [1825-1889], o repertório paterno nutria uma admiração imensa por Olavo Bilac. Em diversas passagens da obra, Adélia recorda amorosamente esse diálogo.* Mas, pouco a pouco, a "filha de parnasiano que me encantava quando eu era mocinha" começa a fazer suas próprias escolhas e amplia o seu leque de leituras: Augusto dos Anjos, Alphonsus de Guimaraens e modernistas como Jorge de Lima.

A emancipação do gosto vinha acompanhada de um acréscimo de conhecimento que terminou por inverter as relações de aprendizado entre pai e filha, posteriormente lembradas pelas crispadas recordações de "A sempre-viva",** de *Miserere*:

> Gostava de cantar *A flor mimosa*:
> "Nas *pétulas* de ouro
> que esta flor ostenta..."
> Pétula, a palavra errada,

---

* A primeira infância e a vida escolar foram resgatadas nos saborosos livros infantis da autora: *Quando eu era pequena* [2006] e *Carmela vai à escola* [2011], ambos editados pela Editora Record. Entre outras leituras, destacam-se *As reinações de Narizinho*, de Monteiro Lobato, *Coração*, de Edmundo De Amicis, "O pássaro cativo", de Olavo Bilac, e o famoso alumbramento que teve com a "estória que Jesus contou sobre o rei Salomão e os lírios do campo".
** "Sempre-viva", poema de França Júnior [1838-1890], figurou primeiramente na comédia *O defeito de família* [1870], depois virou letra de modinha, *Flor mimosa*, aliás muito apreciada pelo presidente Juscelino Kubitschek, que até chegou a gravar um texto introdutório para o LP *J.K. em Serenata* [1968].

agulha no coração,
uma certa vergonha,
culpa por lhe ter dito:
é pétala, pai, é pétala.
Ah! Pois venho cantando errado a vida inteira.
Que vale essa lembrança?
Cinquenta anos já e a agulha tornada faca,
sua lâmina ainda vibra.
É excruciante o amor,
mas por nada no mundo trocarei sua pena.

O mesmo episódio já fora narrado, sob outra perspectiva, em "Modinha" [*Bagagem*]:

Quando eu fico aguda de saudade eu viro só ouvido.
Encosto ele no ar, na terra, no canto das paredes,
pra escutar nefando, a palavra nefando.
Um homem que já morreu cantava "a flor mimosa
desbotar não pode, nem mesmo o tempo
de um poder nefando" – mais dolorido canta
quem não é cantor.
A alma dele zoando de tão grave, tocável
como o ar de sua garganta vibrando.
No juízo final, se Deus permitisse,
eu acordava um morto com este canto,
mais que o anjo com sua trombeta.

O círculo da memória se fecha. No centro, um homem canta a *Flor mimosa*. Entre o primeiro e o último livro, Adélia recupera, pétala por *pétula*, a figura do pai.

Em uma passagem notável de *Itinerário de Pasárgada*,[*] Manuel Bandeira recorda como seu pai respondeu a um pedido de esmola de forma inusitada:

---

[*] BANDEIRA, Manuel. *Itinerário de Pasárgada*. Rio de Janeiro: Edições Jornal de Letras, 1954.

Pois não! Mas, você antes tem de me dizer uns versos. Ora, o nosso homem não se fez de rogado e saiu-se com uma décima lapidar, cujo primeiro verso, estropiado, mostrava que a estrofe não era de sua autoria [...]. Assim, na companhia paterna ia-me embebedando dessa ideia que a poesia está em tudo – tanto nos amores como nos chinelos, tanto nas coisas lógicas como nas disparatadas.

Dentre as várias lições que podemos retirar deste episódio saboroso, uma resume o aprendizado profundamente franciscano, ninguém é tão pobre a ponto de não reter na memória alguns versos.

Penso que as primeiras quadras da meninice de Adélia fazem eco às recordações de Manuel Bandeira, aos "versos de toda a sorte que me ensinava meu pai". A liberdade de incorporar tanto o martelo parnasiano como uma cantiga de roda terminou por mesclar os registros e os ritmos da escrita e da oralidade. Desrespeitando as hierarquias literárias, o ouvido de Adélia foi treinado para captar a riqueza popular e coletiva da nossa cultura. O peso da formação religiosa é relativizado pela matéria cotidiana:

> Dom ratão gosta de queijo
> Carne-seca e bom toucinho
> E para matar seu desejo
> Em tudo mete o focinho*

A fome concreta [comida] e abstrata [curiosidade] resgatada do universo da literatura infantil vale como um programa para a sua poesia futura, em que nada será descartado: casos, anedotas, quadrinhas populares e canções como "Ai cigana, ciganinha / ciganinha meu amor" ["A cantiga", de *Bagagem*] ou "Chuva choveu, goteira pingou / Pergunta o papudo se o papo molhou" ["Morte morreu", de *O pelicano*]. Não ficam de fora nem mesmo os pregões: "Frigorífico do Jiboia / Carne fresca / Preço joia" ["Duas horas da tarde no Brasil", *O pelicano*].

---

* Entrevista a Paulo Celso Pucciarelli. *Germina, Revista de Literatura & Arte*, n. 1, abr. 2005.

Por fim, em chave irônica, Adélia acerta contas com o seu passado. No melhor estilo de "O mês modernista", escreve "Bilhete em papel rosa" [*Bagagem*] endereçado *A meu amado secreto, Castro Alves*:

> Quantas loucuras fiz por teu amor, Antônio.
> Vê estas olheiras dramáticas,
> este poema roubado:
> "o cinamomo floresce
> em frente do teu postigo.
> Cada flor murcha que desce,
> morro de sonhar contigo".*
> Ó bardo, eu estou tão fraca
> e teu cabelo é tão negro,
> eu vivo tão perturbada,
> pensando com tanta força
> meu pensamento de amor,
> que já nem sinto mais fome,
> o sono fugiu de mim. Me dão mingaus,
> caldos quentes, me dão prudentes conselhos
> e eu quero é a ponta sedosa do teu bigode atrevido,
> a tua boca de brasa, Antônio, as nossas vidas ligadas.
> Antônio lindo, meu bem,
> ó meu amor adorado,
> Antônio, Antônio.
> Para sempre tua.

TEATRO

A cidade de Divinópolis manteve uma tradição de grupos teatrais amadores desde o início do século XX e se intensificou entre as décadas de 1950 e 1970. Entre tantos grupos, destacaram-se o Conjunto Teatral Mariano, Teatro Gente

---

* GUIMARAENS, Alphonsus de. Poema XXV. In: _____. *Pastoral aos crentes do amor e da morte*. São Paulo: Monteiro Lobato & Cia., 1923.

Nossa, Teatro dos Clérigos [dirigido pelos franciscanos], Gruteapa [sob a liderança do Frei Tiago Kamps, outro franciscano] e o Grupo de Estudo de Teatro, dirigido por Oswaldo André de Mello.*

Também foi dirigida pelo marido, José de Freitas, em *Através do olho mágico*,** levada aos palcos pelo Grupo de Teatro Amador da Associação Atlética Banco do Brasil. O teatro acabou penetrando na história da família, e uma de suas filhas, Ana Beatriz Prado, seguiu a carreira de atriz.***

Mais tarde, em parceria com Lázaro Barreto, Adélia publicaria *Lapinha de Jesus***** e escreveria um auto de Natal, *O clarão* [inédito, 1979]. Segundo a autora, este último tinha clara intenção didática, catequética e política – "o menino Jesus nasce numa fila do INPS" –, e com ela percorreram as igrejas de Divinópolis e cidades da região.

Mesmo depois da sua festejada estreia como poeta, não se afasta do teatro. Pelo contrário, trata de ampliar o seu campo de atuação trocando as funções de autora e atriz pela experiência de diretora. Em 1980, à frente do grupo amador Cara e Coragem, dirige uma montagem de *O auto da compadecida* [1955], de Ariano Suassuna.

Resgatar essa vivência, em parte desconhecida dos seus leitores, é decisivo para compreendermos as raízes do seu trabalho poético. A atividade teatral reunia antigas aspirações hoje presentes em sua obra: forte oralidade, destreza para reencenar o cotidiano, presença do erotismo e, por fim, a própria noção de representação. Tudo somado – declamar, ensinar, representar –, Adélia construiu uma *persona* poética. Na condição de intérprete, demonstrou ter um

---

* Oswaldo André de Mello dramatizou *Solte os cachorros* e "Falsete" de Adélia, além de atuar como anjo Gabriel em *O clarão*, única peça que a poeta escreveu.
** Em *Através do olho mágico*, havia o papel de uma empregada doméstica que as atrizes do grupo teatral não quiseram representar. Adélia Prado tomou o desafio para si e interpretou a personagem. A informação consta em: <http://teatrogravata.arteblog.com.br>.
*** Em 1996, estreou no Teatro Sesiminas, em Belo Horizonte, o espetáculo *Duas horas da tarde no Brasil*, texto adaptado da obra de sua mãe.
**** *Lapinha de Jesus* [Petrópolis: Vozes, 1969]. No livro, constam 24 fotos do presépio criado por Frei Tiago Kamps, todas realizadas em preto e branco por Gui Tarcísio Mazzoni. Nas notas da edição, encontramos indicações de leituras feitas por Adélia Prado àquela altura da vida, como citações retiradas de *O discípulo de Emaús* [1945], de Murilo Mendes, e de *A vida de André Gide*, de Klaus Mann, biografia publicada no Brasil em 1944. Cabe destacar ainda a reprodução manuscrita de "Acontecimento" [*A falta que ama*, 1968], poema de Carlos Drummond de Andrade, com a devida autorização do autor.

domínio absoluto sobre o auditório. E tal aprendizado permitiu que explorasse novas possibilidades, muito além do livro.

No começo dos anos 1980, a atriz Dina Sfat presenteou Fernanda Montenegro com seis livros de Adélia Prado. Todavia, somente quando viu a "figura daquela mulher na televisão" ocorreu à experiente atriz que "seus livros poderiam render um espetáculo teatral". Aqui temos um ponto crucial: para além da qualidade de sua poesia escrita, o que realmente magnetizou a experiente atriz foi a forte presença de Adélia: "Há poetas que devem ser lidos em silêncio, ou melhor, todos os poetas devem ser lidos em silêncio. Mas alguns são muito vigorosos quando verbalizados, ditos em voz alta."* Assim veio à tona o monólogo *Dona Doida* [1987],** protagonizado por Fernanda Montenegro e sob a direção de Naum Alves de Souza. O comentário discreto e sóbrio da atriz revela a intuição de uma autêntica crítica literária. O núcleo irradiador da poesia de Adélia reside nessas duas expressões: "verbalizado" e "em voz alta".

A passagem do teatro para o registro de suas leituras era previsível. A primeira gravação, ainda em fita cassete, pertencente à série "O escritor por ele mesmo", do Instituto Moreira Salles (IMS), uma antologia de *Bagagem* até *A faca no peito*. Na sequência, foram produzidos dois CDs: *O tom de Adélia* [2000], leitura integral de *Oráculos de maio*, e *O sempre amor* [2003], uma antologia dos seus poemas amorosos, ambos com trilha sonora de Mauro Rodrigues e produzidos pelo selo Karmin, de Maria do Carmo Guerra, em Belo Horizonte. A beleza de todos é inegável. Mas, para quem já teve a oportunidade de assistir a Adélia recitando, a sensação é de que falta alguma coisa. Os extraordinários estudos de Paul Zumthor em torno da poesia oral afirmam que a presença do corpo estabelece um contato entre o intérprete e o ouvinte, somos tocados pela sua voz e até pelo seu silêncio. A linha divisória é mínima. Não basta ouvir a voz, a presença corporal do intérprete pode ser potencializada pelas expressões do rosto, pela gestualidade das mãos, pelas roupas que veste, pelo espaço cênico no qual se move. O encadeamento de todos os elementos é o que subsistirá em nossa memória, conferindo à experiência estética do ouvinte uma sacralização da voz do poeta.

---

* In: *Adélia Prado – Cadernos de Literatura Brasileira*, São Paulo, n. 9, jun. 2000.
** *Dona Doida* esteve em cartaz por treze anos. Além de percorrer vários estados brasileiros, foi encenado em Portugal, Uruguai, EUA e Itália.

POÉTICA DA VOZ

Adélia é uma poeta da linguagem escrita. Mas escrita ditada pelos ritmos da voz, longamente cultivada na liturgia, na conversa da cidade de interior, na memória familiar, nas canções populares e na declamação dos poemas. A sua concepção poética converge para o *verbo*. Como nos lembra Paul Zumthor: "O sopro da voz é criador. Seu nome é espírito: hebraico *rouah*; o grego *pneuma*, mas também *psiché*; o latim *animus*, mas também certos termos bantos. Na Bíblia, o sopro de Javé cria o universo como engendra Cristo."*

Para Adélia, a preocupação com a forma se manifesta de modos distintos. Na maioria das vezes, é puro desejo de retornar à origem da linguagem, expresso de maneira tão bela em "Antes do nome" [*Bagagem*]: "Não me importa a palavra, esta corriqueira. / Quero é o esplêndido caos de onde emerge a sintaxe, / os sítios escuros onde nasce o 'de', o 'aliás', / o 'o', o 'porém' e o 'que', esta incompreensível / muleta que me apoia."

Outras vezes, esta viagem rumo ao coração selvagem da linguagem adquire rendimento estético através do emprego do vocativo: sopro, invocação, respiração. A representação gráfica do vocativo mimetiza o movimento circular dos lábios "Ó". Sopro anterior à palavra, parto da voz prestes a romper o cordão umbilical, chamado primordial que vem do abismo do corpo e que liberto nos conduz ao canto. Em "Genesíaco" [*O pelicano*] Adélia configura as bases de uma poética: "Os vocativos / são o princípio de toda poesia." Essa definição se torna quase uma divisa da obra, sendo, posteriormente, alçada à epígrafe geral de *Oráculos de maio*: "Quero vocativos para chamar-te, ó maio." É a voz que integra diferentes territórios da poesia de Adélia.

II. MOVIMENTOS DA OBRA

Se, na parte inicial deste ensaio, procuramos contextualizar historicamente quarenta anos de formação, agora é o momento de arriscar uma interpretação

---

* ZUMTHOR, Paul. *Introdução à poesia oral*. Tradução de Jerusa Pires Ferreira. São Paulo: Hucitec, 1997.

do percurso poético de Adélia Prado, que, curiosamente, também completa quarenta anos.

O desafio crítico que sua obra poética representa é construir uma leitura que, sem abdicar da coerência interna de um *corpus* formado por oito livros, não deixe de iluminar a face individual de cada um deles. Penso que o esforço interpretativo da crítica tem caminhado no sentido contrário, sublinhando frequentemente que as características formais e temáticas do conjunto já estariam contidas em *Bagagem*. A própria Adélia Prado, por vezes, parece autorizar tal leitura, reafirmando que sua poesia não mudou.

Decerto, falar em evolução ou enfatizar rupturas seria descabido e excessivo. Por outro lado, é inegável que, sob o manto da unidade, perdemos a beleza sutil das diferentes modulações, ritmos e vozes. Por isso, proponho uma visada integradora capaz de articular, nunca dividir, os três movimentos líricos fundamentais que se conjugam na configuração interna da obra.

DE *BAGAGEM* A *TERRA DE SANTA CRUZ*

O primeiro movimento parece estar ligado a uma espécie de pulsão criativa, abertura das comportas, passagem da potência ao ato. É composto por três livros que marcaram época: *Bagagem* [1976], *O coração disparado* [1978] e *Terra de Santa Cruz* [1981]. Através deles Adélia se projeta, se expõe, se desdobra e se reinventa em genealogias. Santíssima trindade do seu modo poético.

Esse talvez tenha sido um de seus períodos mais fecundos e criativos. Em 1979, a ótima repercussão do seu trabalho literário provoca mudanças em sua vida: deixa para trás 24 anos de magistério; *O clarão,* auto de Natal escrito em parceria com o poeta Lázaro Barreto, é encenado em Divinópolis; lança sua primeira incursão na prosa, *Solte os cachorros.*

O ritmo não vai abrandar. Ao longo da década de 1980, a ficção e o teatro disputam com a poesia parte de sua energia criativa. Em um curto intervalo de tempo, além de lançar dois novos romances – *Cacos para um vitral* [1980] e *Os componentes da banda* [1984] –, também dirige *O auto da compadecida*, de Ariano Suassuna, em 1980. Em 1987, no Rio de Janeiro, estreia *Dona Doida: um interlúdio.*

Como se não bastasse, entre 1983 e 1988, Adélia assume o cargo de chefe da Divisão Cultural da Secretaria Municipal de Educação de Divinópolis, na gestão do prefeito, professor e arquiteto de esquerda Aristides Salgado dos Santos,* com forte influência de Vilanova Artigas. Fica perceptível como procurou conciliar sua projeção literária em âmbito nacional sem perder de vista uma forte atuação na esfera política municipal.

Para compreender essa poesia, é preciso redesenhar o contexto histórico no qual a escritora se formou e continuou a atuar. Trata-se de uma *ars combinatoria*, cujo caráter variado e heterogêneo precisou maturar lentamente até adquirir uma forma maleável capaz de soldar elementos da tradição à inquietação moderna. Dessa perspectiva, Adélia escreveu a primeira parte de sua obra em *voz alta*. Entre teologia da libertação e teatro, desejou tomar a palavra e, simultaneamente, dar voz.

Em *Terra de Santa Cruz*, há uma síntese perfeita entre o plano da religião e da política, da missa e do teatro, do nacional e do universal. Tudo realizado com alta tensão dramática e inserido na conflitiva realidade brasileira. A violência ora entra pela porta dos fundos da família – "Joaquim meu tio foi imperturbável ditador" ["Os tiranos"] –; ora pela estreita porta social – "E os pobres? / Até os ensandecidos quererão saber. / E se ninguém perguntar as pedras gritarão: / e os pobres? E os pobres? / Os negrinhos adolescentes / apanham do patrão em Montes Claros / e não ganham comida, / só más ordens e insultos" ["O servo"] –; ora pela da ditadura – "Meu filho era bonzinho. / Nunca ia suicidar conforme disse a polícia. / Pus a mão na cabeça dele, estava toda quebrada, / mataram de pancada o meu filhinho. / As testemunhas sumiram, / perderam os dentes, a língua, / perderam a memória. / Eu perdi o menino." ["O falsete].

Em seus três primeiros livros, há uma predominância ostensiva dos poemas narrativos, ancorados em um sujeito lírico que flutua entre a confissão íntima, as notações do cotidiano e o relato breve de uma vida. Este recurso confere aos poemas um ar de família, proporcionando a sensação de que estamos participando de uma conversa. A adesão do leitor diante dessa informalidade desconcertante é imediata e irreversível. Dentre os traços estilísticos identificáveis, saltam aos

---

* Aristides Salgado dos Santos [Divinópolis, 1938] militou no movimento universitário de esquerda, integrou a Juventude Universitária Católica [JUC] e a Ação Popular [AP]. O seu primeiro trabalho como arquiteto foi contratado pelo franciscano Frei Tiago Kamps, responsável também pelo presépio que inspirou *Lapinha de Jesus*, livro de Adélia Prado e Lázaro Barreto, publicado em 1969.

olhos as aberturas sempre corriqueiras dos poemas, colecionando advérbios, conjunções ou locuções adverbiais de tempo: "Quando a noite", "Hoje acordei", "Uma ocasião", "Antigamente", "Uma vez" etc. O uso reiterado demonstra o quanto Adélia recorre à memória e à oralidade. No entanto, logo o sujeito lírico traz o leitor para o tempo presente, promovendo uma expansão temporal ou um desdobramento semântico: "Hoje não fumo mais", "Ontem eu era outra pessoa", "Desde um tempo antigo até hoje", "Desde toda vida" etc. Mesmo sondando o eterno, Adélia se vê às voltas com a poesia de circunstância. Circunstâncias do tempo. Formas subordinativas fomentam uma lírica insubordinada.

*

As formas literárias também possuem suas genealogias. E a matéria desentranhada das histórias familiares reabre antigas cicatrizes fechadas pelo tempo. Uma breve evocação do papel da família na obra de Carlos Drummond de Andrade – território marcado por culpas, perdas, distância, remorsos, medo – talvez, por força do contraste, possa contribuir para a compreensão de motivos literários bem assentados na poesia de Adélia. No poeta de Itabira, eles se misturam às determinantes de classe: antepassados, patriarcas, baús, testamentos, patrimônio resgatado entre os bens e o sangue. Do ponto de vista material, a herança da poeta de Divinópolis é paupérrima. Porém, jamais acusa qualquer sentimento de inferioridade, tampouco tenta dissolver as diferenças. No entanto, em matéria de afetos, seus pais parecem poderosos proprietários, já que, em *Bagagem*, ocupam completamente dois cômodos do livro: "A sarça ardente – I" traz poemas dedicados à mãe e "A sarça ardente – II", só poemas escritos sobre o pai.

Em depoimentos e poemas, Adélia sublinha o que representou dentro da história familiar ela ter tido acesso ao estudo. Tal percepção esclarecida, temperada pelo humor mineiro, moldou a sua sensibilidade, educou o seu ouvido, treinou o seu olhar. Em cada poema, ela procura articular diferentes perspectivas, como tentaremos demonstrar em "Ensinamento":

> Minha mãe achava estudo
> a coisa mais fina do mundo.
> Não é.

A coisa mais fina do mundo é o sentimento.
Aquele dia de noite, o pai fazendo serão,
ela falou comigo:
'coitado, até essa hora no serviço pesado'.
Arrumou pão e café, deixou tacho no fogo com água quente.
Não me falou em amor.
Essa palavra de luxo.

É um lugar-comum considerar a sua poesia meramente confessional, mas não podemos esquecer que até mesmo a lírica mais intimista pode estar ancorada na reflexão. "Ensinamento" [*Bagagem*] corre o risco de parecer uma defesa da emoção contra a razão. Lido com maior cautela, distinguimos outras tensões que permeiam esse aprendizado. Nos quatro primeiros versos, a filha que pode estudar recusa, de forma categórica, o argumento materno: "Minha mãe achava estudo / a coisa mais fina do mundo. / Não é. / A coisa mais fina do mundo é o sentimento." Nos quatro versos seguintes, o tom assertivo do início se abre para uma distensão narrativa que remonta à cena em que mãe e filha conversam: "Aquele dia de noite, o pai fazendo serão, / ela falou comigo: / 'coitado, até essa hora no serviço pesado'." O discurso coloquial da filha ao emendar "dia de noite" denuncia de modo informal o quanto o pai estava sendo engolido pelo trabalho. Percepção reforçada pela mãe: "até essa hora". E, como se não bastasse as tarefas do dia entrarem noite adentro, o serviço era pesado. Em função dessa ausência paterna é que a filha pode apreender a férrea cumplicidade que existe entre aquela mulher e o seu homem. Então, a voz lírica retorna à filha, que narra a ação silenciosa: "Arrumou pão e café, deixou tacho no fogo com água quente." Através do verso mais longo e substantivado do poema podemos compreender a verdadeira extensão do gesto. Se não tinha, "arrumou"; se era preciso, "deixou" pronto. O sentimento se propaga na sugestão amorosa do fogo aceso.

Muitos anos depois, mediada pela reflexão, a filha arremata: "Não me falou em amor. / Essa palavra de luxo." Assim como há um paralelismo negativado entre "ela falou comigo" e "não me falou em amor", é importante frisar que "a coisa mais *fina* do mundo" também retorna problematizada em "essa palavra de *luxo*". O movimento estrutural do poema é de negar e afirmar, falar e calar, velar e desvelar. A filha discorda do que a mãe pensa. Mas concorda com o que a mãe sente. Se, de início, tenta desconstruir a idealização materna, ao final, valoriza a sabedoria da experiência concreta e cotidiana que aprendeu com a mãe.

Paradoxalmente, é a reflexão, o poder de observação e de análise tanto das palavras como do silêncio, que lhe permite afirmar: "A coisa mais fina do mundo é o sentimento." Somente os dois últimos versos possuem aquela carga dramática capaz de soldar uma ponta de estoicismo e o travo de ironia. A verdade dos pais coloca sob suspeita certa visão do amor.

*

"Casamento" [*Terra de Santa Cruz*], um dos mais belos poemas de Adélia Prado, dialoga abertamente com "Ensinamento". A distância entre as experiências certamente reflete diferenças contrastantes que definem duas épocas. Mas, acima de tudo, condições sociais e culturais separam os casais. Ambas as cenas se passam simbolicamente na cozinha, espaço da casa reservado tradicionalmente à mulher. Se, em "Ensinamento", a mãe reconhece diante da filha o esforço do marido obrigado a trabalhar noite adentro e deixa a refeição preparada em um gesto de cumplicidade amorosa, em "Casamento", Adélia discorda das mulheres que dizem: "Meu marido, se quiser pescar, pesque, / mas que limpe os peixes."

A experiência do outro é novamente contestada de forma categórica: "Eu não." E, com a liberdade de quem pensa por conta própria, reinventa o cotidiano amoroso:

> A qualquer hora da noite me levanto,
> ajudo a escamar, abrir, retalhar e salgar.
> É tão bom, só a gente sozinhos na cozinha,
> de vez em quando os cotovelos se esbarram
> ele fala coisas como 'este foi difícil',
> 'prateou no ar dando rabanadas'
> e faz o gesto com a mão.

"Casamento" é uma espécie de versão moderna da vida conjugal. A dimensão do trabalho como exploração do indivíduo está ausente. Mas ainda paira no ar a hipótese de que o lazer masculino poderia pesar sobre a esposa obrigada a limpar o peixe. Entretanto, o próprio ato de preparar os peixes dissolve qualquer ideia de submissão entre os gêneros. A conversa instaura na cozinha uma atmosfera de extrema intimidade. Uma rede de metáforas e imagens luminosas atravessa o poema em um movimento de condensação de tempos e espaços. Em meio à corrente de lembranças, o casal é fisgado pela memória e pela imaginação. O poema é um feixe que catalisa uma intensa descarga erótica: "O silêncio de quando nos vimos a primeira vez / atravessa a cozinha como um rio profundo." O movimento lírico imita a dança do peixe que emergiu das profundezas e "prateou no ar".

*

"Um silêncio"

Ela descalçou os chinelos
e os arrumou juntinhos
antes de pôr a cabeça nos trilhos
em cima do pontilhão,
debaixo do qual passava um veio d'água
que as lavadeiras amavam.
O barulho do baque com o barulho do trem.
Foi só quando a água principiou a tingir
a roupa branca que dona Dica enxaguava
que ela deu o alarme
da coisa horrível caída perto de si.
Eu cheguei mais tarde e assim vi para sempre:
a cabeleira preta,
um rosto delicado,
do pescoço a água nascendo ainda alaranjada,
os olhos belamente fechados.
O cantor das multidões cantava no rádio:
"Aço frio de um punhal foi teu adeus pra mim".

Ao contrário dos anteriores, este poema de *O coração disparado* não figura entre os mais conhecidos da escritora. Justamente por isso talvez possa desvelar procedimentos formais pouco comentados e, no entanto, utilizados com frequência por Adélia.

O zelo ao descalçar os chinelos, arrumá-los juntinhos, lado a lado, lembra o ritual das crianças e dos amantes antes de dormir. A relação de contiguidade é reforçada pelo ato de repousar a cabeça nos trilhos, como quem ajeita o travesseiro e vai dormir de consciência tranquila. A decisão tomada. Este halo de naturalidade é potencializado pelo frescor do veio d'água que corre sob o pontilhão e é cultivado pelas lavadeiras.

Em paralelo, sabemos que o desfecho trágico está a caminho. Para compor essa peça dramática, Adélia dispõe as palavras com extrema precisão e acuidade. Todas as linhas de força da narrativa se entrecruzam e se comunicam: os trilhos do trem, o veio d'água, um fio de vida.

Quando o poema é atravessado pela brutalidade do suicídio, este é recalcado por uma elipse poderosa: "O barulho do baque com o barulho do trem." A frase seccionada e mutilada nos remete ao silêncio do título. O choque ensurdecedor é uma forma negativa de silêncio. Um barulho engaveta o outro.

Logo em seguida, o fio narrativo é retomado pelo fluxo da água. Tudo que não foi ouvido é deslocado para o campo da visão. As gradações cromáticas suavizam as notícias do sangue: "quando a água principiou a tingir / a roupa branca", "a cabeleira preta", "do pescoço a água nascendo ainda alaranjada". O horror da cena se mistura ao trabalho bucólico das lavadeiras e, como nos antigos ritos de renovação, o sentimento trágico se dissolve na correnteza miúda da vida. O poema trabalha o tempo todo com pulsões opostas.

Em um terceiro movimento, irrompe a voz da narradora: "Eu cheguei mais tarde e assim vi para sempre". A Medusa se petrifica na memória com "os olhos belamente fechados". Caso o poema terminasse nesse ponto – sem a palavra suicídio ser mencionada –, já estaríamos diante de uma criação notável.

Em um derradeiro movimento, Adélia recorre novamente à elipse e introduz um corte no registro lírico. Somos reconduzidos à esfera abrupta da oralidade: o silêncio aparentemente é quebrado pela canção do rádio. Como pudemos comprovar em "A sempre-viva", "Modinha" ou "Cantiga", quando Adélia introduz algum trecho de canção no corpo dos poemas, estas cumprem a função de ativar a memória, são forças deflagradoras de primitivas lembranças. Todavia, neste poema há uma mudança significativa, o destino individual é soterrado pela experiência coletiva. Quando o rádio reproduz a voz de Orlando Silva, o cantor das multidões, interpretando a valsa "Súplica" – "Aço frio de um punhal foi teu adeus pra mim" –, a música vem silenciar o suicídio. Uma morte oculta a outra.

Neste caso, a oralidade cede espaço para a técnica cinematográfica. Com extrema perícia, Adélia Prado recorre a diversos procedimentos de montagem, cortes, fusões, elipses, para reconstruir, quadro a quadro, uma visão serena da tragédia. Como se vê, é preciso desconfiar da tão propalada espontaneidade da poeta.

O PELICANO E A FACA NO PEITO

Após seis anos sem publicar poesia, Adélia lança quase simultaneamente *O pelicano* [1987] e *A faca no peito* [1988]. Para além da proximidade temporal e da brevidade das recolhas, ambas com cerca de 35 poemas, os dois livros parecem irmanados pela introdução de um novo arquétipo. Chama a atenção do leitor a onipresença do personagem masculino que havia sido discretamente anunciado no poema "Tempo", de *O coração disparado*: "Vinte anos mais vinte é o que tenho, / mulher ocidental que se fosse homem / amaria chamar-se Eliud Jonathan."*

A etimologia do primeiro nome, em hebraico, *Elîhû*, significa "ele é deus" e, na Bíblia, as passagens mais conhecidas são os "discursos de Eliú" que abarcam cinco capítulos do Livro de Jó. Já o segundo nome, *Y-honathan*, também em hebraico, quer dizer a "dádiva de Jeová ou Deus". Ambos designam a existência de Deus e de suas benesses, um anunciador e uma bênção. Guardadas as diferenças, penso que a figura enigmática de Jonathan permitiria um paralelo com *Anunciação e encontro em Mira-Celi* [1949], de Jorge de Lima.

---

* Segundo o *Dicionário crítico de teologia*, de Jean-Yves Lacoste. Tradução de Paulo Meneses et al. [São Paulo: Paulinas, 2004], Jonathan é uma variação do tetagrama YHWH, nome próprio do Deus de Israel, revelado a Moisés na Bíblia Hebraica. O fascínio de Adélia por Jonathan e pelo seu nome também está presente em *Os componentes da banda* [1984]: "Jonathan, eu me chamo Jonathan, ou melhor, gostaria de me chamar, porque eu não sou homem, eu me chamo Violante."

A mudança torna-se decisiva com relação à recepção crítica dos dois livros. Enquanto O *pelicano* foi muito elogiado, *A faca no peito* sofreu pesadas restrições. Hoje, relidos dentro de uma perspectiva histórica, é possível afirmar que o primeiro continua sendo um livro central dentro da produção de Adélia. Vários poemas poderiam, sem sombra de dúvida, figurar nas melhores antologias da autora, como por exemplo "A rosa mística" e "Objeto de amor". O próprio poema que dá título ao volume traduz uma abertura para a linguagem alegórica que irá reaflorar em "Neopelicano" [*Oráculos de maio*].

Entretanto, *A faca no peito* continua parecendo uma coletânea irregular. Qual seria o motivo de tamanha reserva? Uma hipótese que considero plausível é que os romances – *Solte os cachorros* [1979], *Cacos para um vitral* [1980] e *Os componentes da banda* [1984] –, por contágio, tenham modificado a dicção da poesia. Se, por um lado, a prosa efetivamente representou uma expansão e um desdobramento dos territórios da escrita, algo se perdeu neste retorno à poesia.

Em *Cacos para um vitral*, a própria Adélia arriscou uma definição – "O romance é feito das sobras. A poesia é núcleo" – que nos pode ser útil. Nos quatro primeiros livros de poesia, o potencial de surpresa de cada texto enriquecia o conjunto sem perder a sua particularidade. Agora, a irrupção livre e inesperada do desejo parece subordinada ao horizonte de um único personagem, conferindo um ritmo quase monocórdico e reiterativo. Sem falar no forte recuo da coloquialidade desabrida, da mitologia familiar e da cena brasileira.

Nas duas últimas seções de *O pelicano*, começa a se instaurar uma atmosfera carregada, claramente nomeada em "A treva" e "Nigredo". E o luminoso discurso da paixão passa a conviver com sentimentos negativos recém-descobertos que pesam sobre o coração disparado: diabolês, cólera, raiva. Ao que tudo indica, prenunciavam um bloqueio criativo e a crise de depressão que acometeriam a escritora entre 1988 e 1994. E, provavelmente, agravados pela reação negativa da crítica em torno de *A faca no peito*.

Em especial, a resenha de Felipe Fortuna, "Opus Dei, Mea Culpa",* motivou uma reação irreprochável de Adélia, que não só escreveu uma carta ao *Jornal do Brasil* [10 de março de 1990] reconhecendo os argumentos do crítico,

---

* In: Suplemento Ideias, *Jornal do Brasil*, Rio de Janeiro, 3 set. 1988. É importante lembrar que Felipe Fortuna, um ano antes, havia publicado no mesmo jornal "As contradições de Deus" [25 de abril de 1987], uma resenha bastante elogiosa de *O pelicano*.

como também abjurou de doze poemas de *A faca no peito*, decisão que iria se efetivar na publicação da *Poesia reunida* [1991].

*

A originalidade de todo grande autor reside na sua capacidade de nos surpreender. De tempos em tempos, Adélia Prado provoca fraturas no seu discurso e nos desafia com poemas inesperados, desconcertantes e radicais. "Objeto de amor" mobiliza esse poder de revelação:

> De tal ordem é e tão precioso
> o que devo dizer-lhes
> que não posso guardá-lo
> sem que me oprima a sensação de um roubo:
> cu é lindo!
> Fazei o que puderdes com esta dádiva.
> Quanto a mim dou graças
> pelo que agora sei
> e, mais que perdoo, eu amo.

No centro do poema, composto por nove versos irregulares, somos confrontados com uma afirmação plena, íntegra e incontornável. A revelação literalmente divide o poema em dois. A descarga da confissão, libertária e libertina, nos convida a refletir sobre nossa própria condição corporal: partes visíveis, partes ocultas. Este terceiro olho, entre dois hemisférios, só pode ser visto pelo outro. É um ponto cego para a própria pessoa.

A longa abertura – quatro versos intestinos e retorcidos comprimidos em uma única linha – contrasta com a brevidade lapidar da imagem: "cu é lindo!" Tudo reforça o desejo imperioso da poeta em partilhar com o leitor esta sentença íntima, estética e erótica.

Porém, o convite à cumplicidade, o tom de partilha, é logo desfeito: "Fazei o que puderdes com esta dádiva." A conjugação do verbo poder, em tom quase bíblico, na segunda pessoa do plural do futuro do subjuntivo soa como uma sublime ironia. Os outros que se virem com esta verdade. Após o desabafo, o sujeito lírico sai fortalecido: "Quanto a mim dou graças / pelo que agora sei". Tomar consciência desse axioma irredutível abre caminho para que ele se transforme em objeto de amor.

O movimento estrutural do poema é potencializado por uma escolha lexical que leva os contrastes ao paroxismo. De início, para falar do que é mais precioso, a poeta emprega palavras como ordem, opressão, roubo. Em compensação, na outra metade, os termos remetem a um vocabulário católico: dádiva, graça, perdão.

"Objeto de amor" aprofunda uma vertente que estava anunciada e será explorada nos livros posteriores. Os desdobramentos da questão reforçam que, longe do potencial de escândalo, a poeta costuma escavar regiões nada frequentadas. "Branca de neve", poema inaugural de *Miserere*, aprofunda esta sondagem lírica: "O verdadeiro é sujo, / destinadamente sujo." Assim como todo nascimento vem acompanhado de muco, a verdade mais funda, escatológica, é transfigurada em um ponto de extrema beleza. O abjeto é objeto de amor. Adélia persegue uma totalidade que ultrapassa as dicotomias tradicionais. Nesses momentos, a poesia transcende, acende o espírito da transformação. Nem feminina nem masculina: é andrógina.*

*

Não posso deixar de comentar a imagem emblemática que Adélia Prado escolheu para ser a capa de *O pelicano* [1987]. Trata-se de um óleo sobre madeira de Hércules Veloso Cordeiro [1952-1987], artista plástico natural de Divinópolis, mais conhecido como Hevecus. No quadro, hoje propriedade da poeta, habita uma figura híbrida, meio anjo, meio demônio, ser andrógino, dotado de seios e com o pau à mostra.** A escolha coloca em evidência as constantes incursões da poeta pelo terreno do onírico, por um realismo que beira o in-

---

* Uma das melhores abordagens sobre a androginia está em "Folhas tão naturais como as palavras: a poesia de Adélia Prado", ótimo ensaio de Joana Matos Frias. In: *Relâmpago*, Lisboa, n. 7, out. 2000. Agradeço a Viviana Bosi a indicação.
** Vale lembrar igualmente do escultor GTO [1913-1990], Geraldo Teles de Oliveira, que trabalhou como servente de pedreiro, guarda sanitário, guarda-noturno e moldador. Nos seus trabalhos, sempre em madeira, esculpia várias figuras humanas que acabavam por formar uma espécie de mandala.

determinado, por arquétipos em perpétuo desassossego. Adélia persegue uma redentora conciliação dos opostos.

DE ORÁCULOS DE MAIO A MISERERE

Oráculos de maio [1999], *A duração do dia* [2010] e *Miserere* [2013] abrem um novo ciclo criativo. Falar em ruptura seria exagero. Porém, não reconhecer a mudança de registro seria um equívoco maior. O principal traço distintivo é o despontar de um lirismo meditativo que parece responder a uma necessidade expressiva próxima do monólogo dramático ou de uma voz interior.

Oráculos de maio traz a palavra estampada nos títulos de alguns poemas: "Meditação à beira de um poema" ou "Meditação do rei no meio de sua tropa". Se parte dessa modulação reflexiva pode estar relacionada ao prolongado bloqueio criativo e ao duro aprendizado da melancolia vivido pela escritora, a motivação maior dessa nova inflexão parece residir em uma consciência artística mais depurada. Esta maturidade literária não se apresenta como um sinal de conquista ou domínio formal, mas sob a ótica humilde da aprendiz, discípula ou serva que dá início a um novo processo de aprendizado. Uma luz outonal mergulha os poemas nos meios-tons de maio.

Logo na abertura do livro, "O poeta ficou cansado", Adélia dá testemunho dessa nova percepção: "Pois não quero mais ser Teu arauto. / Já que todos têm voz, / por que só eu devo tomar navios / de rota que não escolhi?" Mais adiante, em "Mulher ao cair da tarde", sem nenhum propósito polêmico, tenta simplesmente delimitar territórios e pontuar diferenças:

> Ó Deus,
> não me castigue se falo
> minha vida foi tão bonita!
> Somos humanos,
> nossos verbos têm tempos,
> não como o Vosso,
> eterno.

Retorna ao tema em "Direitos humanos":

> Sei que Deus mora em mim
> como sua melhor casa.
> Sou sua paisagem,
> sua retorta alquímica
> e para sua alegria
> seus dois olhos.
> Mas esta letra é minha.

Embora a crítica insista muito sobre as relações entre poesia e mística, tenho a impressão de que, por vezes, Adélia se embrenha por outras veredas. Se os movimentos da mística recaem sempre sobre a fusão e a busca da unidade, nos poemas citados acima ela pontua fervorosamente as diferenças. É claro que tal postura meditativa também faz parte da preparação para se alcançar a meta mística. O distanciamento reflexivo potencializa o júbilo da união mística.

Outra mudança simbólica está relacionada à centralidade do masculino, que, tanto em *O pelicano* como em *A faca no peito*, orbitava em torno de Jonathan e, agora, abre passagem para Maria: "Nossa Senhora da Conceição", "Mater dolorosa", "Mãe de Deus", "Nossa Senhora das Flores", "Ó Mãe da Divina Graça". Essa reorientação vem ancorada em um sentimento de orfandade explícito em "Pedido de adoção": "Estou com muita saudade / de ter mãe".*

Em *A duração do dia*, o pêndulo poético desloca-se definitivamente para o arquétipo do feminino. Além de duas epígrafes pertencerem ao Livro de Rute, a presença emblemática do poema "Rute no campo" reforça essa linha de interpretação: "No quarto pequeno / onde o amor não pode nem gemer / admiro minhas lágrimas no espelho, sou humana". Salvo engano, Adélia nunca havia recorrido ao Livro de Rute – entre todas as narrativas bíblicas, uma das poucas a conferir protagonismo à mulher.

Outras questões, porém, podem ser desdobradas a partir da renovada adesão da poeta à mitologia de mulheres fortes. Ao contrário do espírito guerreiro de Joana d'Arc ou Maria Bonita, a força de Rute advém de sua lealdade, da sua

---

* Manifesto novamente na prosa de *Quero a minha mãe* [2005].

integridade, do seu caráter: na condição de viúva e estrangeira, não abandona a sogra. Em um paralelo com a peregrinação de Rute, Adélia retornou à poesia demonstrando enorme fidelidade ao seu projeto inicial, mas sempre disposta a correr riscos e meter o focinho no mundo.

As novidades começam pela epígrafe de *A duração do dia*, extraída do poema "Ars poetica", do polonês Czeslaw Milosz [1911-2004]: "Em sua essência, a poesia é algo horrível: / nasce de nós uma coisa que não sabíamos que está dentro de nós, / e piscamos os olhos como se atrás de nós tivesse saltado um tigre, / e tivesse parado na luz, batendo a cauda sobre os quadris." Afora João Guimarães Rosa em *Terra de Santa Cruz*, Adélia só pinçava epígrafes da Bíblia; essa inesperada incursão demonstra disposição para dialogar, no plano literário, com novas fontes e referências. E outro passo nessa mesma direção foi o poema "Cartão de Natal para Marie Noël",* no qual explora afinidades com a visão da poeta francesa. Em linha de continuidade com *A duração do dia*, duas epígrafes extraídas de *Notas íntimas* [1959], da mesma Marie Noël, foram colocadas estrategicamente na abertura de *Miserere*: "Ó meu corpo, protege-me da alma o mais que puderes. / Come, bebe, engorda, torna-te espesso para que ela me seja menos pungente" e "...palavras agrupam-se de súbito como para uma procissão / ou dança sem pedir-me ordem ou conselho."

*

A articulação entre os livros também se dá através das imagens de capa, ambas de autoria do pintor surrealista René Magritte [1898-1967]. *Oráculos de maio* estampa *A boda* [1940]; e *A duração do dia* – os créditos indicam que a concepção da capa é de Adélia Prado – reproduz *A faculdade da imaginação* [1948].

O cenário prosaico e insólito, e os elementos selvagens e domésticos retratados na primeira tela possuem relação direta com o poema "Neopelicano",

---

* Marie Noël é o pseudônimo de Marie Rouget [1883-1967]. Existe uma tradução de *Notas íntimas: seguidas de recordações do Padre Bremond*. Tradução de Lélia Coelho Frota. Rio de Janeiro: Agir, 1964. Um novo conjunto de seus poemas figura na criteriosa antologia *O rumor dos cortejos: poesia cristã francesa do século XX*. Organização, prefácio e tradução de Pablo Simpson. São Paulo: Editora Fap-Unifesp, 2012.

que fecha *Oráculos de maio*: "Um dia, / como vira um navio / pra nunca mais esquecê-lo, / vi um leão de perto. / (...) Durou um minuto a sobre-humana fé. / Falo com tremor: / eu não vi o leão, / eu vi o Senhor!"

Já o realismo conceitual e rústico, noturno e luminoso, da segunda tela nos remete imediatamente às linhas de força que estruturam *A duração do dia*, círculo virtuoso em que se reúne o que vibra em repouso e o que arde em vigília, o que está sendo gestado e o que está se consumindo. Noite gestada à luz do dia.

*

A duração do dia radicaliza procedimentos de *Oráculos de maio*. É um livro consciente, maduro, potente. Adélia sempre criou diferentes espaços líricos a partir da própria estrutura da casa: a cozinha, o quintal, o porão. Mas o elemento que verdadeiramente funda e ordena a sua percepção poética é a janela. Para além do espaço: lugar de passagem. Elemento de ligação entre o dentro e o fora. Estamos longe da reflexão lúdica iniciada no poema homônimo de *Bagagem*: "Janela, palavra linda." A reflexão alcança outras dimensões, atinge um grau maior de complexidade em "Uma janela e sua serventia" ou "Pensamentos à janela": "O que durante o dia foi pressa e murmuração / a boca da noite comeu. / Estrelas na escuridão são ícones potentes."

O tempo alterna movimentos de recolhimento e expansão. A poeta se esconde no porão para melhor aproveitar o dia: "Eu só quero saber do microcosmo". A maioria dos poemas são breves, concentrados e imagéticos. A narrativa dramática perde terreno para a contemplação lírica e o alarido do mundo nos chega em *voz baixa*. À espreita, a poeta observa, sorve a cena, recorte de paisagem [em "Fosse o céu sempre assim"]:

>   Como num insuspeitado aposento
>   em casa que se conhece,
>   uma janela se abre para cascalho e areia,
>   pouca vegetação resistindo nas pedras, esmeraldas à flor da terra.
>   Nada exubera. É Minas,
>   um homem com seu cavalo
>   se abeberando no córrego.

Em outras passagens, os poemas operam como janela aberta: moldura do mundo, télos da alma. Sensível ao universo da noite, a poeta ascende à dimensão cósmica pelo "Viés" do divino:

> Ó lua, fragmento de terra na diáspora,
> desejável deserto, lua seca.
> Nunca me confessei às coisas,
> tão melhor do que elas me julgava.
> Hoje, por preposto de Deus escolho-te,
> clarão indireto, luz que não cintila.
> Quero misericórdia e por nenhum romantismo
> sou movida.

Visões da noite constelada se sucedem compondo uma sequência extraordinária. O leitor é arrastado por uma corrente impressionante de imagens: esplendores, iluminações, epifanias. Por vezes, o móvel da beleza espiritualizada não busca o caminho sublime da elevação, dotado de extrema originalidade, as estrelas se refratam, baixam à terra como em "Constelação":

> Olhava da vidraça
> derramar-se a Via Láctea
> sobre a massa das árvores.
> Por causa do vidro, da transparência do ar,
> ou porque me nasciam lágrimas,
> tinha a impressão de que algumas estrelas
> mergulhavam no rio,
> outras paravam nos ramos.
> Passageiros dormiam,
> eu clamava por Deus
> como o cachorro que sem ameaça aparente
> latia desesperado na noite maravilhosa.

Na última janela de *A duração do dia*, quase fechando o livro, consigo ler alguns versos de viés: "coisas que tanto abrem como fecham / uma vida, / um livro, / um entendimento".

*

Miserere é um livro magro, afiado, silencioso. Muitas coisas são ditas em surdina ou pelo avesso: "Se tivesse coragem, diria / o que em mim mesma produziria vergonha, / vários me odiariam, / feridos de constrangimento." Sob o disfarce de uma língua gentil, a coragem invernal de Adélia nos penetra até os ossos. O mundo sofre de artrite. Perde certos movimentos da alma. As relações afetivas padecem de inflamação nas articulações.

O mundo sofre de miopia. A morte já impede que se veja o longe dos Gerais. A vista está cansada. Só as lentes da poesia permitem que prossiga o duro aprendizado. Como é difícil contemplar as coisas de perto. A poeta, desdobrável em avó, em mãe, em amiga, interpreta o incômodo olhar que os mais próximos lançam sobre ela. O desconforto torna-se visível em "Uma pergunta":

> Vede como nossos filhos nos olham,
> como nos lançam em rosto
> uma conta que ignorávamos.
> Não cariciosos, convertem em pura dor
> a paixão que os gerou.
> Por qual ilusão poderosa
> nos veem assim tão maus,
> a nós que, tal como eles,
> buscamos a mesma mãe,
> concha blindada a salvo de predadores.

Mas outras forças desafiam a ronda sinistra da tristeza e a sensação de desterro. E provoca: "Desperta, corpo cansado". E convida para uma "Contradança" o espelho que toma a poeta por uma estranha: "Espelho meu, estilhaça-te! / Escolho o baile / quero rodopiar". Nada pode contra essa fome, contra esse corpo, contra esse pomar onde sentimos a vibração da vida.

O termo latino *Miserere* corresponde à misericórdia. Nas ladainhas, está sempre associado a *nobis*: "Tende piedade de *nós*." Este é o sentido entranhado na obra desde o título: súplica pela nossa miséria, nossa finitude, nossos pecados. Em seu último livro até agora, Adélia mantém-se fiel ao seu mais profundo interesse – a humana condição.

*

Este é o *Livro de Adélia*. Formado por oito volumes cuja costura interna, matriz de estilo, é uma poética da voz. Ela ultrapassa os limites da língua escrita. Sobrevive fora dos livros. Só grandes artistas são capazes de converter outras vozes em argila, adubo, matéria maleável e fecunda, entrelaçando em cada linha escrita genealogias perdidas no tempo, versos livres e desgarrados, paixões sussurradas na concha do ouvido, conversas requentadas na cozinha, tagarelices do vasto mundo. A voz pessoal, original e intransferível da poeta confere unidade a este livrão.

O imenso móbile pode ser contemplado livremente, fora de qualquer ordem histórica, sustentado apenas pelo fio social e democrático da voz. A sugestão de leveza desse artefato aéreo e lúdico, na verdade, depende de uma sábia distribuição do peso. Os poemas de Adélia Prado alcançaram um perfeito equilíbrio entre a graça e a gravidade. Basta soprar: *la donna è mobile*.

BIBLIOGRAFIA

Bibliografia de autoria de Adélia Prado

POESIA

Bagagem. Rio de Janeiro: Imago, 1976;

    Rio de Janeiro: Nova Fronteira, 1979;

    Rio de Janeiro: Guanabara, 1986;

    Rio de Janeiro: Record, 2003 (1ª ed.), 2014 (34ª ed.).

O coração disparado. Rio de Janeiro: Nova Fronteira, 1978;

    São Paulo: Salamandra, 1984;

    Rio de Janeiro: Guanabara, 1987;

    Rio de Janeiro: Record, 2006 (1ª ed.); 2012 (3ª ed.).

Terra de Santa Cruz. Rio de Janeiro: Nova Fronteira, 1981;

    Rio de Janeiro: Guanabara, 1986;

    Rio de Janeiro: Record, 2006.

O pelicano. Rio de Janeiro: Guanabara, 1987;

    Rio de Janeiro: Record, 2007.

A faca no peito. Rio de Janeiro: Rocco, 1988;

    Rio de Janeiro: Record, 2007.

Poesia reunida. São Paulo: Siciliano, 1991 (1ª ed.); 2002 (10ª. ed.).

Chorinho doce. São Paulo: Alternativa, 1995. (Seleção de poemas ilustrados com fotos de Maureen Bisilliat).

Oráculos de maio. São Paulo: Siciliano, 1999;

    Rio de Janeiro: Record, 2007 (1ª ed.); 2013 (5ª. ed.).

Vida doida. Porto Alegre: Ed. Alegoria, 2006. (Reunião de poemas).

A duração do dia. Rio de Janeiro: Record, 2010.

Reunião de poesia. Rio de Janeiro: Edições BestBolso, 2013 (1ª ed.); 2014 (2ª ed.).

Miserere. Rio de Janeiro: Record, 2013 (1ª ed.); 2014 (2ª ed.).

PROSA

Solte os cachorros. Rio de Janeiro: Nova Fronteira, 1979;
   Rio de Janeiro: Guanabara, 1987;
   São Paulo: Siciliano, 1994;
   Rio de Janeiro: Record, 2006.

Cacos para um vitral. Rio de Janeiro: Nova Fronteira, 1980;
   São Paulo: Siciliano, 1994;
   Rio de Janeiro: Record, 2006.

Os componentes da banda. Rio de Janeiro: Nova Fronteira, 1984;
   São Paulo: Siciliano, 1992;
   Rio de Janeiro: Record, 2006.

O homem da mão seca. São Paulo: Siciliano, 1994;
   Rio de Janeiro: Record, 2007.

Manuscritos de Felipa. São Paulo: Siciliano, 1999;
   Rio de Janeiro: Record, 2007.

Prosa reunida. São Paulo: Siciliano, 1999 (1ª ed.); 2001 (2ª ed.).

Filandras. Rio de Janeiro: Record, 2001 (1ª ed.); 2012 (6ª ed.).

Quero minha mãe. Rio de Janeiro: Record, 2005 (1ª ed.); 2011 (5ª ed.).

Quando eu era pequena. Rio de Janeiro: Record, 2006 (1ª ed.); 2013 (2ª ed.). (Infantil).

Carmela vai à escola. Rio de Janeiro: Record, 2011 (1ª ed.); 2013 (3ª ed.). (Infantil).

EM PARCERIA

A lapinha de Jesus (com Lázaro Barreto). Rio de Janeiro: Vozes, 1969.

O simbólico e o diabólico: dramas e tramas (com Waldecy Tenório, Leonardo Boff e outros). São Paulo: EDUC, 1999.

Caminhos de solidariedade (com Lya Luft, Marcos Mendonça e outros). São Paulo: Gente, 2001.

OBRAS TRADUZIDAS

The headlong heart. Trad. Ellen Doré Watson. Nova York: Livingston University Press, 1988. (Seleção de poemas de *Bagagem*, *O coração disparado* e *Terra de Santa Cruz*).

The alphabet in the park. Trad. Ellen Doré Watson. Middletown: Wesleyan University
Press, 1990. (Seleção de poemas).

El corazón disparado. Trad. Cláudia Schwartz e Fernando Roy. Buenos Aires: Leviatan, 1994.

Bagaje. Trad. José Francisco Navarro Huamán. México, Universidad Iberoamericana, 2000.

Bagagem. Lisboa: Cotovia, 2002.

Solte os cachorros. Lisboa: Cotovia, 2003.

Com licença poética. Lisboa: Cotovia, 2003. (Seleção e prefácio de Abel Barros Baptista; reúne poemas de *Bagagem*, *O coração disparado*, *Terra de Santa Cruz*, *O pelicano*, *A faca no peito* e *Oráculos de maio*).

Poesie. Trad. Goffredo Feretto. Gênova: Fratelli Frilli Editori, 2005. (Antologia precedida de estudo).

Ex-voto. Trad. Ellen Doré Watson. North Adams (MA, USA): Tupelo Press, 2013.

The mystical rose. Trad. Ellen Doré Watson. Bloodaxe Books Ltd, 2014. (Seleção de poemas).

PARTICIPAÇÃO EM ANTOLOGIAS

NO BRASIL

BRASIL, Assis (Org.). *A poesia mineira no século XX*. Rio de Janeiro: Imago, 1998.

COELHO. Nelly Novaes (Org.). *Ficções Feminino*. Editora SESC, Coleção E, vol. 6, 2003. (Reunião de contos de autoras brasileiras).

DUARTE, Constância Lima (Org.). *Mulheres em letras: antologia de escritoras mineiras*. Florianópolis (SC): Mulheres, 2008.

HORTAS, Maria de Lurdes (Org.). *Palavra de mulher*. Rio de Janeiro: Fontoura, 1989.

JARDIM, Rachel (Org.). *Mulheres & mulheres*. Rio de Janeiro: Nova Fronteira, 1978.

LYRA, Pedro (Org.). *Sincretismo: a poesia da Geração 60: introdução e antologia*. Rio de Janeiro: Topbooks, 1995.

PAIXÃO, Fernando (Org.). *Contos mineiros*. São Paulo, Ática, 1984.

ROZÁRIO, Denira Costa (Org.). *Palavra de poeta: coletânea de entrevistas e antologia poética*. Rio de Janeiro: José Olympio, 1989.

NO EXTERIOR

AGOSIN, Marjorie. *These are not sweet girls: poetry by Latin American women*. White Pine Press, 1994.

CARVALHO, Max (Org.). *La poésie du Brésil du XVIe au XXe siècle*. Paris: Éditions Chandeigne, 2012. (Seleção de poemas, em edição bilíngue, com apoio do Ministério da Cultura, Fundação Biblioteca Nacional e Embaixada do Brasil na França).

CASTRO-KLAREN, Sara; MOLLOY, Sylvia; SARLO, Beatriz. *Women's writing in Latin American: an anthology*. San Francisco: Westview Press, 1991.

FARIA, Álvaro Alves de. *Brasil 2000: antologia de poesia contemporânea brasileira*. Coimbra: Alma Azul, 2000.

NAVAS, Adolfo Montejo. *Correspondencia celeste - Nueva poesía brasileña (1960-2000)*. Madrid: Árdora Ediciones, 2001. (Obra publicada com o apoio do Ministério da Cultura do Brasil).

SECCHIN, Antônio Carlos (Seleção). *Antologia de poesia brasileira*. Trad. Zhao Deming. Pequim: Editora Embaixada do Brasil em Pequim / Departamento Nacional do Livro / Fundação Biblioteca Nacional, 1994.

WATSON, Ellen Doré (Trad.). "Adélia Prado: thirteen poems". *The American Poetry Review*, jan./feb. 1984.

_____ . "Two poems by Adélia Prado" ("Land Of The Holy Cross" and "Seductive

Sadness Winks At Me"). *The American Poetry Review*, v. 19, n. 2, mar./apr., p. 14, 1990.

_____ . "Four poems by Adélia Prado". *BOMB Magazine*. Brooklyn (NY), n. 102, p. 99, 2008.

Bibliografia sobre Adélia Prado
Livros, dissertações, teses e artigos de periódicos

NO BRASIL

ABREU, Caio Fernando. "Água limpa". *Veja*. São Paulo, 23 mai. 1979.

ALVAREZ, Roxana Herrera. "A consciência de uma forma: reflexões sobre o fazer poético". *Revista de Letras*. Universidade Estadual Paulista Julio de Mesquita Filho (UNESP), v. 34, p. 177-189, 1994.

ALVES, José Helder Pinheiro. *A poesia de Adélia Prado*. Dissertação de Mestrado em Letras. São Paulo: Universidade de São Paulo (USP), 1992.

ALVES, Maria Angélica. *A escrita caleidoscópica: uma leitura da obra de Adélia Prado*. Dissertação de Mestrado em Literatura Brasileira. Rio de Janeiro: Universidade Federal do Rio de Janeiro (UFRJ), 1989.

ANDRADE, Carlos Drummond de. "De animais, santo e gente". *Jornal do Brasil*. Rio de Janeiro, 09 out. 1975.

BAHIA, Mariza Ferreira. *Entre o corpo e a palavra: a poética de sedução, paixão e fé de Adélia Prado*. Dissertação de Mestrado em Literatura Brasileira. Rio de Janeiro: Universidade do Estado do Rio de Janeiro (UERJ), 1994.

BALBINO, Evaldo. *Entre a santidade e a loucura: o desdobramento da mulher na Bagagem poética de Adélia Prado*. Dissertação de Mestrado em Literatura Brasileira. Belo Horizonte: Universidade Federal de Minas Gerais (UFMG), 2001.

BARRETO, Lázaro. "Três autores mineiros". *Minas Gerais – Suplemento Literário*. Belo Horizonte, 15 mai. 1976.

_____. "As várias faces de Jonathan em Adélia". *Aqui pra nós*. Divinópolis, 30 jun. / 06 jul. 1987.

BRAGA, Maria Ondina. "Adélia Prado: a verdade crua". *Minas Gerais – Suplemento Literário*. Belo Horizonte, 05 dez. 1981.

BRAIT, Beth. "Uma personagem extraindo migalhas da vida". *Jornal da Tarde*. São Paulo, 06 nov. 1980.

BITTENCOURT, Gilda Neves da Silva. "Adélia Prado e a poética do sagrado". *Organon* (UFRGS). Porto Alegre (RS), v. 16, p. 236-242, 1989.

BOEHLER, Genilma. *Quando elas se beijam o mundo se transforma: o erótico em Adélia Prado e Marcela Althaus-Reid*. Rio de Janeiro: Editora Metanoia, 2013.

BRITO, Ênio José da Costa. "Esoterismo e misticismo na poesia de Adélia Prado". *Revista REVER*. São Paulo, PUC-SP, v. 5, p. 1-10, 2005.

CAMARGO, Ana Maria de (Org.). *Feminino singular: a participação da mulher na literatura brasileira contemporânea*. São Paulo/Rio Claro, Edições GRD/Arquivo Municipal de Rio Claro, 1989.

CAMARGOS, Suzana Márcia Braga. "Poesia e psicanálise: uma leitura do texto de Adélia Prado". *Revista Estudos de Psicanálise*. Belo Horizonte, n. 13, 1990.

CAMBARÁ, Isa. "O mais belo poema de Adélia Prado: viver aos 50 anos". *Jornal da Tarde*. São Paulo, 17 dez. 1985.

CAMPOS, Gisela. "O brilho que a razão não devassa – Bliss e a experiência mística na prosa de Adélia Prado". In: BINGEME, Maria Clara Lucchetti; YUNES, Eliana (Orgs.). *Mulheres de palavra*. São Paulo: Loyola, 2003.

CASTELLO, José. "O oculto será óbvio". *Isto é*. São Paulo, 06 jun. 1984.

CASTRO, Nea de. "O corpo desdobrável da mulher na poesia de Adélia Prado". In: SCHWANTES, Cíntia (Org.). *A mandala e o caleidoscópio: ensaios de Literatura Brasileira*. Pelotas: UFPEL/ Programa de Pós-Graduação em Letras, v. 1, 1999. p. 157-165.

CATTONI, Bruno; KHÉDE, Sonia Salomão. "Mágica e polêmica, volta Adélia Prado". *O Estado de Minas*. Belo Horizonte, 09 ago. 1978.

CHRYSTUS, Mirian. "O nome feminino de Deus". *O Estado de S.Paulo*, 21 mai. 1987.

COELHO, Nelly Novaes. "Adélia Prado: o resgate da vida cotidiana". In: _____ . *A literatura feminina no Brasil contemporâneo*. São Paulo: Siciliano, 1993.

COSTA, Caio Túlio. "Exato pecado". *Veja*. São Paulo, 15 abr. 1981.

COSTA, Carlos Augusto; MELLO, Maria Amélia. "Adélia Prado: o poeta deve melhorar a vida". *Tribuna da Imprensa*. Rio de Janeiro, 21 out. 1978.

COSTA, Flávio Moreira da. "A sensual Adélia fazendo as pazes com a vida". *IstoÉ*. São Paulo, 05 jul. 1978.

COSTA, Miriam Paglia. "As virtudes da paixão". *Veja*. São Paulo, 06 jun. 1984.

COUTINHO, Cláudia Paixão. *A poesia de Adélia Prado*. Dissertação de Mestrado em Letras. Juiz de Fora: Universidade Federal de Juiz de Fora (UFJF), 1995.

DUCLÓS, Nei. "Adélia Prado faz poesia com a barriga e o coração". *Folha de S.Paulo*, 24 ago. 1978.

DULCI, Luiz. "A insurgência do vivido". *Revista Teoria e Debate*. São Paulo, n. 17, 1992.

EMEDIATO, Luiz Fernando. "Adélia Prado: 'a poesia é a marca de Deus na história do mundo'". *Jornal do Brasil*. Rio de Janeiro, 27 mai. 1978.

FARRA, Maria Lúcia Dal. "Pergaminhos do feminino". *Revista Ártemis*. João Pessoa (PB), vol. 3, dez., 2005.

_____. "Os frutos sazonais do feminino: Adélia, Adília e Paula Tavares". *Revista de Letras*. Universidade Estadual Paulista Júlio de Mesquita Filho (UNESP), v. 48, n. 1, jan./jul., p. 27-36, 2008.

FELINTO, Marilene. "Adélia Prado mostra versatilidade em prosa e verso". *Folha de S.Paulo*. São Paulo, 27 mar. 1999.

FONTENELE, Laéria. *A máscara e o véu – o discurso feminino e a escritura de Adélia Prado*. Rio de Janeiro: Relume Dumará; Fortaleza: Secretaria de Cultura e Desporto, 2002.

FORTUNA, Felipe. *"Opus Dei, mea culpa"*. *Jornal do Brasil*. Rio de Janeiro, 03 set. 1988.

FRANCO, Adércio Simões. *A poética de Adélia Prado*. Dissertação de Mestrado em Letras. Curitiba: Universidade Católica do Paraná, 1984.

FRANCO JUNIOR, Arnaldo. "Adélia Prado: a palavra do verso e o verso da palavra". *Travessia – Revista de Literatura Brasileira*. Florianópolis, Editora da UFSC, n. 21, p. 143-159, 1990.

GODET, Rita Olivieri. "Poesia e oralidade na obra de Adélia Prado". *Sitientibus*. Universidade Estadual de Feira de Santana, v. 13, p. 121-126, 1995.

_____. "O percurso erótico da poesia de Adélia Prado". *Brasil*. Porto Alegre, v. 18, p. 19-38, 1997.

GOMES, Duílio. "Saltos ornamentais". *O Estado de Minas*. Belo Horizonte, 29 set. 1988.

GOMES, Polyana Pires. *Adélia Prado: a poesia e o flagrante do belo*. Dissertação de Mestrado em Literatura Brasileira. Rio de Janeiro: Universidade Federal do Rio de Janeiro (UFRJ), 2012.

GONÇALVES FILHO, Antônio. "Adélia Prado, a poeta que fez Paraty chorar". *O Estado de S.Paulo*, 18 ago. 2006.

GORGA FILHO, Remy. "O erotismo na mística cristã". *Jornal da tarde*. São Paulo, 12 ago. 1978.

GOTLIB, Nádia Battella. "Grande poesia". *Visão*. São Paulo, 03 set. 1979.

GRAIEB, Carlos. "Rimas sem viço". *Veja*. São Paulo, 14 abr. 1999.

GUERRA, Valéria Ribeiro. *A vertigem dos Cacos: o feminino e a prosa de Adélia Prado*. Dissertação de Mestrado em Literatura Brasileira. Rio de Janeiro: Pontifícia Universidade Católica do Rio de Janeiro (PUC-RJ), 1992.

HOHLFELDT, Antonio. "Poesia feminina enquanto impotência". *Correio do Povo*. Porto Alegre, 13 nov. 1976.

_____. "Fascinação e ambiguidade". *Correio do Povo*. Porto Alegre, 29 mai. 1981.

INSTITUTO MOREIRA SALLES. *Cadernos de literatura brasileira: Adélia Prado*. São Paulo, n. 9, jun., 2000.

LAUAND, Jean; DOURADO, Wesley Adriano Martins. "'Deuses no fogão' – o corpo na visão de mundo de Adélia Prado". *Convenit Internacional*, v. 13, p. 55-78, 2013.

LINDENBERG, Carlos. "Luzes mineiras". *Veja*. São Paulo, 14 mai. 1980.

LOPES, Antônio Herculano. *Adélia Prado: uma entrevista*. Rio de Janeiro: Casa de Rui Barbosa, 1995.

LUIZ, Macksen. "Santidade e danação". *Jornal do Brasil*. Rio de Janeiro, 09 out. 1987.

LUCAS, Fábio. "Cacos para um vitral". In: _____. *Mineiranças*. São Paulo: Oficina de Livros, 1991.

MASSI, Augusto. "O espontâneo apoiado na tradição". *Folha de S.Paulo*, 17 mar. 1987.

MEDINA, Cremilda de Araújo. "Adélia Prado". In: _____. *A posse da terra: escritor brasileiro hoje*. Lisboa: Imprensa Nacional: Casa da Moeda; São Paulo: Secretaria da Cultura do Estado, 1985.

MENESES, Carlos. "Adélia Prado veio de Divinópolis lançar suas poesias: *Bagagem*". *O Globo*. Rio de Janeiro, 10 mai. 1976.

MINDLIN, Sonia. "A corrente do pensamento lírico". *Folha de S.Paulo*, 24 jun. 1984.

MOLITERNO, Isabel de Andrade. *A poesia e o sagrado: traços do estilo de Adélia Prado*. Dissertação de Mestrado em Letras. São Paulo: Universidade de São Paulo (USP), 2002.

MORAES, Vanessa de Landa. *Transgressão e completude na poética de Adélia Prado*. Dissertação de Mestrado em Literatura Brasileira. Rio de Janeiro: Universidade Federal do Rio de Janeiro (UFRJ), 1987.

MOREIRA, Ubirajara Araujo. "Adélia Prado e a polêmica sobre o processo de criação poética e o papel da inspiração". *Publicatio Ciências Humanas, Linguística, Letras e Artes*. Ponta Grossa, 18 (1), jan./jun., p. 9-19, 2010.

MORET, Ana Lucia. *Tradição e modernidade na obra de Adélia Prado*. Dissertação de Mestrado em Teoria e História Literária. Campinas: Universidade Estadual de Campinas (UNICAMP), 1993.

NESTROSKI, Regis. "Manhattan estremece com Adélia". *O Globo*, Rio de Janeiro, n. 82, mar., 1988.

NOGUEIRA, Nícea Helena de Almeida. "Manuscritos de Adélia: a biografia de Felipa". *Verbo de Minas*. Juiz de Fora (MG), v. 2, p. 133-146, 1999.

NOVELLO, Nicolino. *Adélia Prado: a paixão lúdica do cotidiano*. Tese de Doutorado em Letras. Rio de Janeiro: Universidade Federal do Rio de Janeiro (UFRJ), 1989.

OLIVEIRA, Cleide Maria de. "Erotismo, mística e morte: a tríade adeliana". *Horizonte*. Belo Horizonte, v. 10, n. 25, jan./mar., p. 105-120, 2012.

OLIVIERI, Rita de Cássia da Silva. *Mística e erotismo na poesia de Adélia Prado*. Tese de Doutorado em Teoria Literária e Literatura Comparada. São Paulo: Universidade de São Paulo (USP), 1994.

OSAKABE, Haquira. "A ronda do anticristo". In: SCHWARZ, Roberto (Org.). *Os pobres na literatura brasileira*. São Paulo: Brasiliense, 1983. p. 226-231.

PATRÍCIO, Rosana Ribeiro. "Adélia Prado: a poesia em diálogo". *Légua & Meia: Revista de Literatura e Diversidade Cultural*. Feira de Santana, UEFS, v. 3, n. 2, 2004.

PAULA, Branca Maria. "O anjo poético de Adélia Prado". *Suplemento Literário do Minas Gerais*. Belo Horizonte, ano XIX, n. 925, 23 jun. 1984. (Edição especial sobre Adélia Prado).

PAULA, Maria do Carmo Lara de. "O percurso da epifania na poética de Adélia Prado". *Revista em tese*. Belo Horizonte, v. 8, dez., p. 153-162, 2004.

PÉCORA, Alcir. "Novo livro de Adélia Prado dá força inesperada ao antiquado". *Folha de S.Paulo*. São Paulo, 25 jan. 2014. (Disponível em: http:// www1.folha.uol.com.br/fsp/ilustrada/149161-novo-livro-de-adelia-prado-da-forca-
-inesperada-ao-antiquado.shtml).

POESIA SEMPRE. *Dossiê Adélia Prado*. Biblioteca Nacional, ano 13, n. 20, mar., 2005. (Entrevista, Cronologia, Ensaios e depoimentos sobre a autora, com alguns textos inéditos).

QUEIRÓZ, Vera. *O vazio e o pleno: a poesia de Adélia Prado*. Goiânia: Ed. UFG, 1994.

REIS, Maria de Lourdes Dias. "Adélia Prado e *O pelicano*". *O Estado de Minas*. Belo Horizonte, 16 jun. 1987.

RESENDE, Otto Lara. "Em cena a palavra". *Hoje em dia*. Belo Horizonte, 07 set. 1988.

RIBONDI, Alexandre. "Com cristãos assim, a Igreja estaria salva". *Correio Braziliense*. Brasília, 21 jul. 1987.

RIOS, Peron. "O círculo e a travessia". *Jornal Rascunho*. Curitiba (PR), mar., ed. 167, 2014. (Disponível em: http://rascunho.gazetadopovo.com.br/o-circulo-e-a-travessia/).

RODRIGUES, Geraldo Pinto. "Uma poesia disparada do coração". *O Estado de S.Paulo – Suplemento Cultural*, 04 mar. 1979.

SÁ, Jorge de. "Presença de Carlos Drummond de Andrade na poesia de Adélia Prado". *Cadernos de Linguística e Teoria Literária*. Belo Horizonte, 08/12/82.

SALOMÃO, Margarida. "Prefácio". In: PRADO, Adélia. *Bagagem*. Rio de Janeiro: Imago, 1976. p. 9-16.

SANT'ANNA. Affonso Romano de. "Sertão cósmico". *Veja*. São Paulo, 02 jun. 1976.

_____. "Adélia: a mulher, o corpo e a poesia". In: PRADO, Adélia. *O coração disparado*. Rio de Janeiro: Nova Fronteira, 1978. p. 7-15.

SANT'ANNA, Affonso Romano de. "*O coração disparado* de Adélia Prado". *Minas Gerais – Suplemento Literário*. Belo Horizonte, 18 mar. 1978.

SAVARY, Olga. "Tudo é Bíblia. Tudo é Grande Sertão". *Hoje em dia*. Belo Horizonte, 07 set. 1988.

SCALZO, Nilo. "Os sentimentos de um coração disparado impressos na poesia". *O Estado de S.Paulo*, 24 ago. 1978.

_____. "O monólogo interior de Adélia Prado". *O Estado de S.Paulo*, 10 jun. 1979.

_____. "Adélia chega à *Terra de Santa Cruz*". *O Estado de S.Paulo*. São Paulo, 24 abr. 1981.

SCHÜLER, Donaldo. "O cotidiano e o real em *Terra de Santa Cruz*". *O Estado de S.Paulo*, 15 dez. 1981.

SENNA, Marta de. "Para além dos sons dos instrumentos". *Jornal do Brasil*. Rio de Janeiro, 07 jul. 1984.

SILVEIRA, Mariza Antonieta Moreira. *A presença do regionalismo na poesia de Adélia Prado*. Dissertação de Mestrado em Ciência da Literatura. Rio de Janeiro: Universidade Federal do Rio de Janeiro (UFRJ), 2000.

SCORSOLINI-COMIN, Fabio; SANTOS, Manoel Antonio dos. "A etérea duração do dia: gênero na poética encarnada de Adélia Prado". *Revista Psicologia em Estudo*. Maringá, v. 18, n. 1, jan./mar., 2013.

SOARES, Angélica. "Fantasias de céu: o prazer feminino na poesia de Adélia Prado". In: _____ . *A paixão emancipatória*. São Paulo: Difel, 1999.

_____ . "Pontos de tensão no regionalismo adeliano". In: _____ . *A paixão emancipatória*. São Paulo: Difel, 1999.

_____ . "Adélia Prado: questões ideológicas de gênero no memoralismo de *Bagagem*". In: SILVA, Antônio de Pádua Dias da (Org.). *Gênero em questão: ensaios de literatura e outros discursos*. Campina Grande: EDUEP, 2007. p. 21-37.

_____ . *(Ex)tensões: Adélia Prado, Helena Parente Cunha e Lya Luft em prosa e verso*. Rio de Janeiro: 7Letras, 2012.

_____ . "Projeções da memória na poesia de Adélia Prado". In: BATISTA, Edilene Ribeiro (Org.). *Gênero e literatura: resgate, contemporaneidade e outras perspectivas*. Fortaleza: Expressão Gráfica e Editora, 2013. p. 55-72.

SOARES, Claudia Campos. "As palavras de um certo modo agrupadas e a fugacidade das coisas do mundo: aspectos da poesia de Adélia Prado". *O eixo e a roda*. Belo Horizonte, v. 19, n. 1, 2010.

SOARES, Cláudia Campos. *O afã e a insolvência: a marca do dilaceramento na poética de Adélia Prado*. Dissertação de Mestrado em Literatura Brasileira e Teoria Literária. Florianópolis: Universidade Federal de Santa Catarina (UFSC), 1992.

TAIAR, Cida. "As paixões de Adélia nascem do dia-a-dia". *Folha de S.Paulo*, 25 nov. 1981.

TOLENTINO, Bruno. "Epifanias de um coração disparado". *Revista Bravo!* São Paulo, abr., 1999.

TRINDADE, Mauro. "Os filhos 'enjeitados' de Adélia". *Jornal do Brasil*. Rio de Janeiro, 15 mar. 1990.

NO EXTERIOR

BOLTON, Betsy. "Adélia Prado: Romanticism Revisited". *Luso-Brazilian Review*. Madison, University of Wisconsin Press, v. 29, n. 2, 1992.

CARLSON-LEAVITT, Joyce Anne. *Gilka Machado and Adélia Prado: two Brazilian women poets' vision of the female experience*. Doutorado em Filosofia. Novo México: Universidade do Novo México, 1989.

CARTER, Lucy Ann. *Bagage: A critical discussion and collection of translations from the works of Adélia Prado*. Bacharelado em Artes. Princeton: Universidade de Princeton, 1980.

CHAMBERLAIN, Bobby J. "*Os componentes da banda* by Adélia Prado". *World Literature Today*, v. 59, n. 3, p. 411-412, 1985. (Resenha).

FRIAS, Joana Matos. "Folhas tão naturais como as palavras: a poesia de Adélia Prado". *Relâmpago*. Lisboa, v. 7, 2000.

GODET, Rita Olivieri. "Mística e erotismo: tensão dialética na poesia de Adélia Prado". *Taíra*. Grenoble, v. 7, p. 105-113, 1995.

_____. "Poèmes". *Pleine Marge*. Cognac, v. 25, p. 53-73, 1997.

IGEL, Regina. "*Bagagem* by Adélia Prado". *The Modern Language Journal*, v. 61, n. 8, dec., p. 434-435, 1977. (Resenha).

JESSE, Lisa. "Women's writing in Latin America: an anthology by Sara Castro-Klaren, Sylvia Molloy and Beatriz Sarlo". *Bulletin of Latin American Research*. Society for Latin American Studies (SLAS), v. 12, n. 1, jan., p. 128-129, 1993. (Resenha).

KIRK, Stephanie L. "'Eu sou filha de Deus': some observations on religion and gender in Adelia Prado's *Bagagem*". *Luso-Brazilian Review*, University of Wisconsin Press, v. 41, n. 2, p. 42-55, 2004.

LINDSTROM, Naomi. "*The Alphabet in the Park* by Adélia Prado". *Hispania*. American Association of Teachers of Spanish and Portuguese, v. 74, n. 3 (Special Issue Devoted to Luso-Brazilian Language, Literature, and Culture), sep., p. 699-700, 1991. (Resenha).

NAVARRO, José Francisco. *La mística de cada dia – poesia de Adélia Prado*. Lima (Peru): Fondo Editorial de La Universidad Antonio Ruiz de Montoya / Embajada de Brasil en el Perú , 2009.

OSAKABE, Haquira. "Porque a rosa é mística: uma leitura da poesia de Adélia Prado." *Revista de Crítica Literária Latinoamericana*. Lima-Berkelay, n. 47, ano XXIV, p. 77-85, 1998.

PARKER, John M. "*Cacos para um vitral* by Adélia Prado". *World Literature Today*. University of Oklahoma, v. 55, n. 2 (A Look at Chinese and African Letters), p. 288, 1981. (Resenha).

RICHMOND, Carolyn. "The lyric voice of Adélia Prado: an analysis of themes and structure in *Bagagem*". *Luso-Brazilian Review*. Madison, University of Wisconsin Press, v. 15, n. 1, 1978.

SOUBBOTNIK, Michael Alain. "Figures du temps dans la poésie d'Adélia Prado." *Plural / Pluriel: Revue des cultures de langue portugaise*. Nanterre (França), 2009.

WATSON, Ellen Doré. "Absence of poetry". *The American Poetry Review*. v. 19, n. 1, jan./feb., p. 48, 1990.

VILLARES, Lúcia Ratto. "Ana Cristina Cesar and Adélia Prado, two women poets of 1970s Brazil". *Portuguese Studies*, v. 13, p. 108-123, 1997.

Este livro foi composto na tipologia Class
Garmnd BT em corpo 10/15pt, e impresso
em papel off-white na Plena Print.